D1166412

RANÇON

DU MÊME AUTEUR
CHEZ LE MÊME ÉDITEUR

Album de famille
La Fin de l'été
Il était une fois l'amour
Au nom du cœur
Secrets
Une autre vie
La Maison des jours heureux
La Ronde des souvenirs
Traversées
Les Promesses de la passion
La Vagabonde
Loving
La Belle Vie
Un parfait inconnu
Kaléidoscope
Zoya
Star
Cher Daddy
Souvenirs du Vietnam
Coups de cœur
Un si grand amour
Joyaux
Naissances
Disparu
Le Cadeau
Accident
Plein Ciel
L'Anneau de Cassandra
Cinq Jours à Paris
Palomino
La Foudre
Malveillance
Souvenirs d'amour
Honneur et Courage
Le Ranch
Renaissance
Le Fantôme
Un rayon de lumière
Un monde de rêve
Le Klone et moi
Un si long chemin
Une saison de passion
Double Reflet
Douce Amère
Maintenant et pour toujours
Forces irrésistibles
Le Mariage
Mamie Dan
Voyage
Le Baiser
Rue de l'Espoir
L'Aigle solitaire
Le Cottage
Courage
Vœux Secrets
Coucher de soleil à Saint-Tropez
Rendez-vous
A bon port
L'Ange gardien

Danielle Steel

RANÇON

Roman

Traduit de l'anglais (Etats-Unis)
par Danielle Laruelle

Titre original : *Ransom*

Le Code de la propriété intellectuelle n'autorisant, aux termes de l'article L. 122-5, 2e et 3e a), d'une part, que les « copies ou reproductions strictement réservées à l'usage privé du copiste et non destinées à une utilisation collective » et, d'autre part, que les analyses et les courtes citations dans un but d'exemple et d'illustration, « toute représentation ou reproduction intégrale ou partielle faite sans le consentement de l'auteur ou de ses ayants droit ou ayants cause est illicite » (art L. 122-4).
Cette représentation ou reproduction, par quelque procédé que ce soit, constituerait donc une contrefaçon, sanctionnée par les articles L. 335-2 et suivants du Code de la propriété intellectuelle.

© Danielle Steel, 2004
© Presses de la Cité, 2005, pour la traduction française
ISBN 2-258-06842-8

A mes merveilleux enfants,
si extraordinaires, que j'admire, que j'aime,
que je respecte énormément,
En particulier à Sam, Victoria, Vanessa,
Maxx et Zara pour leurs qualités de cœur,
leur amour, leur patience, leur courage.
A tous les hommes et les femmes remarquables
des agences locales, fédérales ou d'Etat qui,
dans l'ombre et l'anonymat,
assurent notre sécurité.

Avec mes remerciements les plus sincères
et toute mon affection,

d.s.

« La tendresse est plus puissante que la dureté.
L'eau est plus puissante que la roche.
L'amour est plus puissant que la violence. »

Hermann Hesse

1

Au guichet, Peter Matthew Morgan rassembla ses objets personnels : un portefeuille contenant quatre cents dollars pris sur son compte courant ; les papiers attestant de sa libération conditionnelle, qu'il devrait remettre à son agent de probation. Il portait une tenue fournie par l'Etat : un jean, un tee-shirt blanc sous une chemise de toile bleue, des chaussures de sport, des chaussettes blanches. Rien à voir avec les vêtements qu'il arborait en arrivant à la prison de Pelican Bay, où il venait de passer quatre ans et trois mois. Il avait bénéficié d'une remise de peine et purgé le minimum, mais cela faisait tout de même une lourde sanction pour une première condamnation. Arrêté en possession d'une énorme quantité de cocaïne, il avait été traduit en justice, jugé coupable et condamné à la prison.

Il s'était d'abord contenté de vendre de la poudre à des amis, pour finalement en faire un commerce qui lui avait permis non seulement d'entretenir la dépendance dans laquelle il était tombé par accident, mais également de couvrir tous ses besoins financiers et, pendant un temps, de subvenir à ceux de sa famille. Juste avant son arrestation, il avait gagné près d'un million de dollars en six mois, une somme toutefois insuffisante pour combler le trou qu'il avait creusé avec la drogue, les mauvais placements, les ventes à perte, les investissements dans des valeurs à risque. Employé comme agent de change, il s'était attiré de petits ennuis, mais la COB n'avait pas jugé bon d'y donner suite, et les agents fédéraux n'étaient jamais venus frapper à sa porte. C'était la police de l'Etat qui l'avait arrêté. Il vivait au-dessus de ses moyens dans des proportions effarantes et s'était acoquiné à des gens dangereux. Il avait pris l'habitude de consommer de la drogue en telles quantités que, pour solder sa dette auprès de son fournisseur, il avait dû dealer pour lui. Il y avait eu aussi une affaire de chèques sans provision et de détournement de fonds. Là encore, il l'avait échappé belle. Lorsqu'il avait été arrêté pour trafic de cocaïne, son employeur avait renoncé à le poursuivre. L'eût-il fait qu'il n'en aurait rien retiré. L'argent détourné – une somme ridicule au regard de ce qui lui passait entre les mains – était englouti depuis longtemps, et il n'était pas en mesure de le rembourser. A l'époque, son employeur avait eu pitié de lui. Comme beaucoup, il était tombé sous le charme de Peter, qui savait en jouer et s'attirer la sympathie.

Peter Morgan était l'exemple même du brave type qui a mal tourné. Il avait trop souvent opté pour les voies douteuses et gâché toutes les occasions qui s'offraient à lui. Ses amis et ses associés s'inquiétaient moins pour lui que pour sa femme et ses enfants, victimes innocentes de ses projets farfelus et de son manque de discernement. Mais tous ceux qui le connaissaient auraient juré qu'au fond Peter Morgan était un homme honnête. Comment avait-il pu tomber si bas ? Personne n'en savait rien. En fait, cela avait commencé bien longtemps auparavant.

Peter n'avait que trois ans à la mort de son père, descendant d'une grande famille de la haute société new-yorkaise. La fortune familiale fondait depuis des années, et la mère de Peter avait rapidement dilapidé ce qu'elle avait hérité de son époux. Peu de temps après la mort de son mari, elle avait épousé un jeune aristocrate, héritier d'une riche famille de banquiers, qui s'était tout de suite attaché à Peter et à ses frère et sœur. Il les avait aimés et éduqués, inscrits dans les meilleures écoles privées, tout comme leurs deux demi-frères nés de ce mariage. La famille semblait sans histoire, ne manquait pas d'argent, mais le penchant croissant de sa mère pour la boisson avait fini par la conduire dans une institution, où elle était morte, laissant Peter et ses frère et sœur orphelins. Leur beau-père, qui ne les avait pas adoptés, s'était remarié un an après la mort de leur mère. Sa nouvelle femme ne voyait pas pourquoi son mari se serait encombré de trois enfants qui n'étaient pas les siens. Elle avait bien voulu prendre en charge les deux fils qu'il avait eus de sa précédente union, mais avait tenu à ce qu'ils soient envoyés en pension. Quant aux trois autres, elle ne voulait tout simplement pas en entendre parler. Le beau-père de Peter avait cependant payé leurs études secondaires et universitaires, et leur avait alloué à chacun une modeste somme, en leur expliquant, un peu honteux, qu'il ne pouvait plus les accueillir chez lui ni leur accorder davantage d'argent.

Après cela, Peter avait passé ses vacances au pensionnat ou chez des camarades de classe, auprès desquels il avait joué de son charme pour se faire inviter. Après la mort de sa mère, Peter avait appris à vivre de ce charme dont il ne manquait pas. Il ne possédait rien d'autre, mais savait s'en servir à son avantage. Durant ces années-là, il ne trouva d'amour et de soutien qu'auprès des parents de ses amis.

Il y avait souvent de petits incidents, lorsqu'il passait les vacances scolaires chez des camarades. De l'argent disparaissait, des raquettes de tennis s'évaporaient mystérieusement. Des vêtements empruntés n'étaient jamais rendus. Un jour, une montre en or s'était volatilisée, entraînant le renvoi de la jeune domestique. On avait découvert plus tard que Peter couchait avec elle. Agé de seize ans à l'époque, il l'avait convaincue de voler l'objet pour lui, et le produit de la vente l'avait maintenu en fonds pendant six mois. Sa vie était une lutte perpétuelle pour trouver l'argent nécessaire à ses besoins. Et il faisait ce qu'il fallait pour y arriver. Toujours aimable, d'une politesse exquise, il était d'une compagnie si agréable qu'il n'était jamais inquiété, quand les choses se gâtaient. Sa gentillesse le mettait au-dessus de tout soupçon, et personne n'aurait imaginé qu'il puisse être capable du moindre méfait.

Quand le psychologue du lycée avait émis l'idée que Peter avait des tendances sociopathes, le directeur lui-même n'y avait pas cru. Clairvoyant, le psychologue avait deviné que, sous le vernis, Peter n'avait guère de conscience. Mais le vernis ne manquait pas d'attraits. Au-delà des apparences, il était difficile de savoir ce qu'il était. Avant tout, c'était un débrouillard qui cherchait à survivre, un gosse vif et charmant au physique agréable, qui avait accumulé les coups du sort. Il n'avait que lui sur qui compter, et il avait été profondément blessé. Il avait été marqué à jamais par la mort de ses parents, l'abandon de son beau-père qui le laissait presque sans ressources, l'éloignement de son frère et de sa sœur qu'il n'avait pas revus depuis qu'ils étaient en pension dans d'autres écoles de la côte est. Plus tard, alors qu'il était à l'université, il avait appris que sa sœur s'était noyée à l'âge de dix-huit ans, et cela l'avait encore un peu plus meurtri, lui qui n'avait déjà pas été épargné. Il parlait rarement de ces expériences douloureuses, passait pour un garçon de bon sens, d'un naturel optimiste. La vie n'avait pas été tendre avec lui mais, à le voir, personne ne s'en serait douté. On ne voyait pas de traces visibles des souffrances qu'il avait endurées. Les cicatrices étaient bien enfouies, soigneusement cachées.

Les femmes lui tombaient dans les bras, et les hommes appréciaient sa compagnie. Ses camarades de fac se souvenaient qu'à l'époque il buvait beaucoup, sans jamais perdre sa lucidité. Il restait toujours maître de lui. Du moins en apparence. Les blessures de Peter étaient profondes, secrètes.

Peter Morgan voulait tout contrôler. Et il avait toujours un plan. Son beau-père avait tenu sa promesse et payé ses études à Duke, où il avait décroché une bourse pour Harvard, dont il était sorti avec un master en gestion des affaires. Il possédait tous les atouts pour réussir : les diplômes, l'intelligence, la séduction, et de précieuses relations dans l'élite de la société, nouées au cours de ses études dans de prestigieuses écoles. Tout semblait indiquer qu'il irait loin. Peter Morgan réussirait sans aucun doute. Il avait le génie de l'argent – du moins le croyait-on – et une foule de projets. Jeune diplômé de Harvard, il avait trouvé un emploi dans une société de courtage, et c'est deux ans plus tard qu'il avait commencé à déraper. Il avait enfreint des règles, joué avec certains portefeuilles afin de gonfler sa commission, « emprunté » de menues sommes. Il avait eu des problèmes pendant quelque temps, puis, comme d'habitude, il était retombé sur ses pieds. Il avait été engagé dans une banque d'investissement, et était devenu un des golden boys de Wall Street. Il avait tout pour réussir sa vie, sauf une famille et une conscience. Peter débordait d'idées, avait toujours un plan pour arriver le premier. De son enfance, il avait appris que tout pouvait basculer en un instant et qu'il devait s'en sortir par ses propres moyens. Que les coups de chance étaient rares, voire inexistants. Que la chance, on la faisait soi-même.

A vingt-neuf ans, il avait épousé Janet, une ravissante jeune femme qui se trouvait être la fille du patron de la firme où il travaillait et qui, en deux ans, lui avait donné deux adorables fillettes. C'était la vie rêvée ; il adorait sa femme, était fou des petites. L'horizon semblait enfin dégagé pour lui permettre de couler des jours paisibles quand, pour une raison inexpliquée, les choses s'étaient à nouveau retournées contre lui. Obsédé par l'argent, il ne parlait que de faire fortune, à n'importe quel prix. Selon certains, il prenait trop de bon temps. Tout lui venait trop facilement. Vivant dans un milieu très aisé, menant une existence dorée, il en profitait sans retenue, en voulait toujours plus et, peu à peu, perdit le contrôle de la situation. Ses méthodes expéditives et sa vieille habitude de se servir au passage le conduisirent à sa perte. Il oublia toute prudence, conclut des affaires douteuses qui, sans justifier un licenciement, ne purent être tolérées par son beau-père. Peter était sur la mauvaise pente. Au cours de promenades dans le parc de sa propriété du Connecticut, le père de Janet eut donc avec son gendre plusieurs conversations sérieuses, au terme desquelles il crut que le message était passé. Il s'était efforcé de lui faire comprendre que tout se méritait et qu'il n'existait pas de recette miracle pour réussir. Il l'avait mis en garde contre le genre d'affaires qu'il traitait et qui, un jour ou l'autre, se retourneraient contre lui. Peut-être beaucoup plus tôt qu'il ne l'imaginait. Il l'avait chapitré sur l'importance de l'intégrité et était certain que Peter en tiendrait compte. Il ne lui voulait pas de mal et avait au contraire de l'affection pour lui. Malheureusement, la leçon n'avait servi qu'à accroître la pression et plonger Peter dans l'angoisse.

A trente et un ans, Peter s'était mis à la drogue « pour s'amuser ». Pas de mal à cela, affirmait-il, puisque tout le monde en prenait ; la coke donnait du piquant à la vie et la rendait plus agréable. Janet se faisait un sang d'encre. A trente-deux ans, Peter filait un très mauvais coton ; il était devenu accro, même s'il protestait du contraire, et il dilapidait l'argent de sa femme. Son beau-père mit un terme à cela. Un an plus tard, on le pria de quitter l'entreprise, et son épouse anéantie retourna vivre chez ses parents, traumatisée par ce qu'elle avait subi. Non que Peter l'eût maltraitée, mais il était en permanence sous l'empire de la cocaïne et avait des réactions incontrôlables. C'est alors que le père de Janet s'était aperçu qu'il avait « discrètement » détourné l'argent de la société. Etant donné les liens qui les unissaient, la famille couvrit ses dettes pour éviter tout scandale. Il avait accepté de laisser à son épouse la garde des fillettes âgées de deux et trois ans. Puis il avait perdu son droit de visite à la suite d'un incident survenu sur un yacht au large d'East Hampton, une affaire de trafic de cocaïne, dans laquelle trois femmes étaient impliquées. Les enfants se trouvaient avec lui à ce moment-là. Depuis le bateau, leur nourrice avait appelé Janet. Cette dernière avait menacé d'alerter les garde-côtes. Peter avait alors ramené la nounou et les petites à terre, et Janet lui avait interdit de les revoir. Mais ce n'était pour lui qu'un problème parmi d'autres. Il avait emprunté des sommes colossales pour acheter ses doses quotidiennes de cocaïne et perdu ce qui lui restait dans des investissements risqués. Malgré ses références et son intelligence, il ne parvenait pas à trouver un emploi. Alors, comme sa mère avant lui, il avait dégringolé la pente. Il était non seulement ruiné, mais accro à la drogue.

Deux ans après que Janet l'eut quitté, il tenta sa chance à San Francisco dans une importante société de capital-risque. Sans résultat. Il resta là-bas et y devint dealer. Il avait trente-cinq ans, des dettes par-dessus la tête et une meute de créanciers accrochée à ses basques, quand il fut arrêté pour trafic de drogue, en possession d'une importante quantité de cocaïne. Bien que ce commerce fût très lucratif, on découvrit lors de son arrestation qu'il devait cinq fois ce qu'il gagnait et avait contracté des dettes gigantesques auprès de personnes peu recommandables.

Comme le remarquèrent ceux qui le connaissaient en apprenant ce qui lui était arrivé, il avait tout pour lui mais avait tout gâché. Quand il fut arrêté, il était endetté jusqu'au cou et poursuivi par ses fournisseurs de drogue et par les gros bonnets qui tiraient les ficelles en coulisse et qui voulaient le tuer. Il n'avait remboursé personne et n'avait pas un sou pour le faire. Dans ce genre de situation, quand les gens étaient mis en prison, leurs dettes étaient annulées, mais elles n'étaient pas oubliées pour autant. Et, dans certains cas, les mauvais payeurs étaient assassinés derrière les barreaux. Si vous aviez de la chance, il ne vous arrivait rien, et Peter espérait qu'il serait de ceux-là.

Lorsque Peter Morgan fut emmené en prison, il n'avait pas revu ses filles depuis deux ans et ne les reverrait probablement pas de sitôt. Durant tout le procès, il demeura de marbre ; appelé à la barre, il fit preuve d'intelligence et de repentir. Son avocat tenta d'obtenir sa libération sous caution, mais le juge, qui avait de l'expérience, s'y opposa. Il connaissait ce genre de personnage pour en avoir croisé quelques-uns dans sa carrière, mais jamais il n'en avait rencontré qui soient capables de gâcher autant leurs chances que Peter. Il avait décelé quelque chose de trouble chez lui. Ses actes démentaient les apparences. Le juge ne croyait pas aux remords de Peter, à ses paroles rassurantes. L'accusé ne paraissait pas sincère. Il était sympathique mais ce qu'il avait fait l'était beaucoup moins. Et lorsque le jury le déclara coupable, le juge le condamna à sept ans de réclusion à Pelican Bay, la prison de haute sécurité de Crescent City, à six cents kilomètres au nord de San Francisco et dix-huit kilomètres de la frontière de l'Oregon, où se trouvaient trois mille trois cents détenus comptant parmi les pires criminels de Californie. La sentence semblait d'une sévérité excessive et le lieu de détention inadapté au cas de Peter.

Il fut libéré au bout de quatre ans et trois mois. Il avait décroché de la drogue, s'était comporté correctement, avait travaillé au bureau du gardien, principalement sur les ordinateurs, et n'avait pas enfreint la discipline une seule fois. Son gardien était persuadé de la sincérité de son repentir. Tous estimaient que Peter avait appris la leçon. Il avait déclaré devant la commission de libération conditionnelle que son seul but dans l'existence était de revoir ses filles, d'être un père attentif dont elles seraient fières un jour. Il présentait les choses de telle façon et avec tant de conviction qu'à l'entendre on aurait pensé que les six ou sept dernières années n'avaient été qu'une erreur passagère sur un parcours par ailleurs sans faute, et que cela ne se reproduirait plus. Personne ne mit en doute sa parole, et il bénéficia d'une remise de peine.

On lui avait assigné un agent de probation à San Francisco, et il devait rester un an dans le nord de la Californie. En attendant de trouver un emploi, il comptait vivre dans un foyer. Devant la commission de libération conditionnelle, il avait déclaré qu'il n'était pas exigeant et prendrait ce qui s'offrait, même un travail manuel, pourvu qu'il soit honnête. Personne ne s'inquiétait pour lui. Peter Morgan retomberait sur ses pieds. Il avait commis de grosses erreurs, mais malgré quatre ans à Pelican Bay, c'était toujours un garçon charmant et intelligent. Avec un peu de chance, il trouverait sa place et se construirait une belle vie. Ceux qui l'appréciaient, dont son gardien, le lui souhaitaient de tout cœur. Il ne lui manquait plus qu'une occasion, et tous espéraient qu'elle se présenterait sans tarder. Tout le monde aimait Peter et lui voulait du bien. Le gardien pour lequel il avait travaillé durant ses quatre ans de prison vint même lui dire au revoir et lui serrer la main.

— Donne de tes nouvelles, dit-il chaleureusement.

Ces deux dernières années, il l'avait invité à passer Noël chez lui, avec sa femme et ses enfants, et Peter avait conquis toute la famille. Il s'était montré sympathique, gentil et drôle, particulièrement avec les quatre fils du gardien. Il savait charmer les gens, les jeunes comme les vieux, et avait même incité l'un des garçons à demander une bourse pour Harvard – bourse qu'il avait obtenue au printemps. Le gardien lui en était très reconnaissant et, de son côté, Peter avait beaucoup d'affection pour lui et sa famille ; il leur savait gré de leur gentillesse.

— Je serai à San Francisco toute l'année qui vient, répondit-il. J'espère qu'on m'autorisera bientôt à aller dans l'Est voir mes filles.

Il n'avait même pas reçu une photo des petites depuis quatre ans, ne les avait pas revues depuis six ans. Isabelle et Heather avaient maintenant huit et neuf ans, mais il les imaginait toujours beaucoup plus jeunes. Bien avant son incarcération, Janet lui avait interdit tout contact avec elles, et ses parents l'appuyaient dans cette décision. Le beau-père de Peter, qui avait autrefois financé ses études, était mort depuis longtemps. Son frère avait disparu des années auparavant. Peter Morgan était seul, sans attaches, sans famille. Il avait quatre cents dollars en poche, un agent de probation à San Francisco et un lit dans un foyer à Mission District, un vieux quartier autrefois plein de charme, aujourd'hui sur le déclin et principalement peuplé d'Hispaniques. L'endroit où il devait loger était vétuste. Il n'irait pas loin avec son pécule. En quatre ans, il n'avait pas eu une coupe de cheveux digne de ce nom. Il ne lui restait que quelques rares contacts à Silicon Valley, dans le domaine des nouvelles technologies et des sociétés de capital-risque, ainsi que les noms des trafiquants de drogue avec lesquels il traitait avant son arrestation et qu'il n'avait pas l'intention de revoir. Les perspectives n'étaient pas brillantes. Il passerait quelques coups de fil en arrivant en ville. Il n'aurait pas de mal à faire la plonge dans un restaurant ou à être pompiste dans une station-service, mais cela ne l'attirait pas particulièrement. Un diplômé de Duke et de Harvard méritait mieux que cela. S'il ne trouvait rien d'autre, il pourrait toujours contacter d'anciens camarades d'université qui n'auraient pas entendu parler de son incarcération. Quoi qu'il en soit, ce ne serait pas facile. Il avait maintenant trente-neuf ans et, de quelque manière qu'il l'explique, les quatre dernières années faisaient un trou dans son CV. La remontée s'annonçait longue et laborieuse, mais il était en bonne santé, solide, libéré de la drogue, intelligent et toujours aussi séduisant. Le miracle se produirait tôt ou tard. Il n'en doutait pas, et son gardien non plus.

— Appelle-nous, lui redit-il.

C'était la première fois qu'il s'attachait ainsi à un détenu mis à son service. Il est vrai que les pensionnaires de Pelican Bay ne ressemblaient en rien à Peter Morgan. Cette prison de haute sécurité avait été construite pour les plus grands criminels, qu'on envoyait précédemment à San Quentin. La plupart d'entre eux étaient à l'isolement. Hautement mécanisé et informatisé, à la pointe de la technologie, l'endroit abritait des hommes parmi les plus dangereux du pays. Le gardien s'était immédiatement rendu compte que Peter n'y avait pas sa place. Il n'avait atterri là qu'en raison des énormes quantités de drogue qu'il revendait et des sommes phénoménales impliquées. S'il avait opéré à une échelle plus modeste, il aurait fini dans un banal pénitencier. Il ne donnait pas l'impression de vouloir s'évader, n'avait jamais commis de violences, jamais pris part au moindre incident durant son incarcération. Bien élevé jusqu'au bout des ongles, il s'était acquis le respect des rares personnes avec lesquelles il avait bavardé et fuyait les ennuis comme la peste. Ses relations étroites avec le gardien le rendaient intouchable. On ne lui connaissait pas de rapports avec les gangs de détenus réputés pour leur brutalité, ni avec les éléments perturbateurs. Il ne se mêlait pas des affaires des autres et, après plus de quatre ans à Pelican Bay, il en sortait relativement indemne. Il avait fait son temps sans rechigner, avait passé des heures dans la bibliothèque à lire des ouvrages juridiques et financiers, avait travaillé pour le gardien sans ménager sa peine.

Ce dernier avait rédigé une recommandation dithyrambique pour la commission de probation. Pour lui, Peter était l'exemple même du brave type qui avait fait un faux pas et qu'un coup de pouce suffirait à remettre sur les rails. Le gardien était sûr qu'il allait s'en sortir et espérait recevoir rapidement de bonnes nouvelles de son protégé. A trente-neuf ans, Peter avait encore la vie devant lui et possédait une excellente éducation. Avec un peu de chance, il tirerait la leçon de ses erreurs, et il en sortirait grandi. Pour tous, Peter allait désormais rester dans le droit chemin.

Sur le point de partir, il serrait encore la main de son gardien, quand un reporter et un photographe du journal local sortirent d'une camionnette pour gagner le guichet que Peter venait de quitter et devant lequel un autre détenu signait les documents relatifs à sa libération. Les deux compagnons d'infortune échangèrent un regard et un signe de tête. Peter connaissait cet homme – tous le connaissaient. Ils s'étaient croisés au gymnase, dans les couloirs et, au cours des deux dernières années, dans le bureau du gardien, où il venait souvent. Il s'appelait Carlton Waters et pendant des années avait essayé, en vain, d'obtenir un recours en grâce. Il était connu pour ses compétences juridiques et servait de conseiller aux autres prisonniers. Agé de quarante et un ans, il avait purgé une peine de vingt-quatre ans et, de ce fait, passé sa jeunesse en prison.

Condamné pour le meurtre d'un voisin et de sa femme, et de tentative de meurtre sur leurs deux enfants,

Carlton Waters avait dix-sept ans à l'époque. Son complice, un ancien taulard avec qui il s'était lié d'amitié, en avait vingt-six. Entrés par effraction chez les victimes, ils avaient volé deux cents dollars. Son complice avait été condamné à mort et exécuté. Waters avait toujours nié sa participation aux meurtres. Il avait protesté de son innocence, déclarant s'être rendu au domicile des victimes sans rien savoir des intentions de son ami, et n'avait jamais dévié de sa version. Très vite, tout avait mal tourné. Les enfants étaient trop jeunes pour témoigner et confirmer ses dires ; trop jeunes aussi pour les identifier, ce qui leur avait sauvé la vie. Ils avaient été violemment battus, mais épargnés. Les deux hommes avaient bu, et Waters prétendait avoir perdu connaissance, pendant que son comparse tuait les parents. Il affirmait ne se souvenir de rien.

Le jury n'avait pas cru à son histoire. Malgré son jeune âge, il avait été jugé et condamné comme un adulte. Il avait fait appel mais avait été débouté. Il avait passé plus de la moitié de sa vie en prison, d'abord à San Quentin, puis à Pelican Bay. Pendant sa détention, il avait obtenu un diplôme universitaire et poursuivait maintenant des études de droit. Il avait écrit de nombreux articles sur le système pénal. Au fil des années, il avait noué des relations avec la presse, et ses nombreuses protestations d'innocence avaient fait de lui une célébrité. Il éditait le journal de la prison, connaissait presque tous les détenus et s'était acquis leur respect en leur prodiguant ses conseils. Il n'avait pas le charme aristocratique de Peter Morgan. C'était une brute, un costaud, un adepte de la musculation, et cela se voyait. Malgré quelques incidents survenus les premiers temps, alors qu'il était encore jeune et tête brûlée, il était devenu un prisonnier modèle. S'il inspirait la crainte par son physique, les autorités carcérales n'avaient rien à lui reprocher ; il s'était refait une réputation qui, faute d'être en or, était inattaquable. C'est Waters lui-même qui avait averti le journal de sa libération, et il était heureux qu'une équipe de reportage se soit déplacée pour lui.

Waters et Morgan ne s'étaient jamais fréquentés, mais ils se respectaient. Lorsque Waters venait au bureau du gardien et devait patienter, Peter discutait avec lui de questions juridiques. Il avait lu bon nombre de ses articles dans le journal de la prison et dans la presse locale. Que l'homme soit innocent ou coupable, on ne pouvait qu'être impressionné par ses capacités intellectuelles, par le travail qu'il avait accompli malgré le handicap d'une jeunesse passée en prison.

En franchissant les grilles, Peter éprouva un tel soulagement qu'il en eut le souffle coupé. Il jeta un coup d'œil par-dessus son épaule et vit Waters échanger une poignée de main avec le gardien, tandis que le photographe les prenait en photo. Peter savait que Waters devait être logé dans un foyer à Modesto, près de sa famille qui y vivait encore.

Il resta un moment immobile, les yeux clos, puis les ouvrit en regardant le soleil et murmura :

— Merci, mon Dieu.

Ce jour marquait le début d'une nouvelle vie. Il se passa la main sur le visage pour essuyer discrètement des larmes de joie, salua une dernière fois le gardien de la tête et se mit en marche. L'arrêt du bus se trouvait à dix minutes de là et il avait hâte d'y parvenir. Lorsqu'il monta dans le bus, Carlton Waters posait devant la prison pour une dernière photo, déclarant une fois de plus au journaliste qu'il était innocent des crimes qu'on lui avait imputés. Vrai ou faux, son récit éveillait l'intérêt, l'avait rendu célèbre, lui avait valu le respect de ses codétenus. Il en avait tiré parti au maximum. Dans les dernières années, il parlait d'écrire un livre. Ses deux victimes présumées et leurs enfants devenus orphelins vingt-quatre ans plus tôt étaient presque oubliés. Ils avaient disparu sous le flot de ses articles, de ses argumentations. Au moment où Waters mettait un terme à l'interview, Peter arrivait à la gare routière et achetait un billet pour San Francisco. Enfin, il était libre !

2

Ted Lee aimait ses horaires de travail. C'étaient les siens depuis si longtemps qu'ils étaient devenus pour lui une habitude confortable. Il travaillait de 16 heures à minuit à la police judiciaire de San Francisco. Il s'occupait des vols, des agressions et des petits délits. Les viols relevaient de la brigade des mœurs, les meurtres de la brigade criminelle. A ses débuts, il avait travaillé deux ans à la Crime et l'avait mal supporté. Trop noir, trop horrible à son goût.

Les hommes qui la composaient lui paraissaient bizarres. Ils passaient des heures à examiner les photos de personnes assassinées. Endurcis par la force des choses, ils avaient une vision déformée de la vie. Le travail de Ted était sans doute plus banal, mais il le trouvait plus intéressant. Chaque journée était différente de la précédente. Il aimait résoudre l'énigme qui permettait de relier la victime au criminel. Entré dans la police à dix-huit ans, il y était depuis vingt-neuf ans, dont vingt en tant qu'inspecteur, et il excellait dans ce rôle. Il avait été quelque temps attaché au service des fraudes à la carte bancaire et s'y était ennuyé. La police judiciaire, voilà ce qu'il lui fallait. Le service lui plaisait, de même que les horaires. Né à San Francisco, il avait grandi au cœur de Chinatown. Ses parents étaient venus de Pékin avant sa naissance, accompagnés de ses deux grands-mères. Sa famille continuait à vivre de manière traditionnelle. Son père avait travaillé toute sa vie dans un restaurant ; sa mère était couturière. Comme lui, ses deux frères étaient entrés dans la police aussitôt après le lycée. L'un était policier de quartier à Tenderloin et n'aspirait qu'à le rester ; l'autre était dans la police montée. Tous deux aimaient le taquiner, car il avait plus de galons qu'eux et attachait une grande importance à son grade d'inspecteur.

Américaine de deuxième génération, son épouse était issue d'une famille chinoise de Hong Kong qui possédait un restaurant, celui où avait travaillé le père de Ted jusqu'à sa retraite. C'est ainsi que les jeunes gens s'étaient rencontrés et étaient tombés amoureux l'un de l'autre, à l'âge de quatorze ans. Jamais Ted n'était sorti avec une autre fille. Pourquoi ? Il l'ignorait, il se sentait bien avec elle, même si la passion, entre eux, s'était éteinte depuis longtemps. Faute d'être des amants, ils formaient un couple d'amis. Shirley Lee avait du cœur. Infirmière aux soins intensifs de l'hôpital de San Francisco, elle voyait plus de victimes de la violence que lui. Tous deux passaient davantage de temps avec leurs collègues qu'ensemble. Une habitude qu'ils avaient prise. Lorsqu'il était de repos, Ted jouait au golf, emmenait sa mère au supermarché ou ailleurs, selon ses besoins. Shirley aimait jouer aux cartes, faire du lèche-vitrines avec ses amies ou aller chez le coiffeur. Leurs journées de congé coïncidaient rarement, mais ils s'en accommodaient. Depuis que les enfants étaient grands, ils n'avaient plus guère d'obligations l'un envers l'autre et chacun vivait sa vie. Cela s'était fait un peu à leur insu, sans qu'ils l'aient réellement voulu. Mariés à dix-neuf ans, ils totalisaient vingt-huit ans de mariage.

Leur fils aîné avait obtenu son diplôme l'année précédente et s'était établi à New York. Ses frères étaient encore étudiants en Californie, l'un à San Diego, l'autre à UCLA. Aucun des trois ne souhaitait entrer dans la police. Ted le comprenait. Il espérait mieux pour ses fils, sans pour autant regretter son propre choix, dont il n'avait pas lieu de se plaindre. A sa retraite, il toucherait une pension complète. Un an encore, et il aurait trente ans de métier. Si bon nombre de ses amis avaient décroché depuis longtemps, lui n'envisageait pas de quitter la police. Que ferait-il d'autre ? A quarante-sept ans, il ne voulait pas commencer une seconde carrière. Il aimait son travail et ses collègues. Au fil du temps, il en avait vu partir en retraite, démissionner, être tués ou blessés. Depuis dix ans, il avait le même partenaire et, avant cela, il avait fait équipe avec une femme. Elle était restée quatre ans, avant de suivre son mari à Chicago. Pour Noël, elle lui envoyait toujours une carte et, malgré ses réticences initiales, il avait eu plaisir à travailler avec elle.

Rick Holmquist, son coéquipier précédent, avait quitté le service pour entrer au FBI. Ils déjeunaient ensemble une fois par semaine. Rick se moquait gentiment de lui, faisant valoir l'importance de ses propres enquêtes, mais Ted n'était pas convaincu. De son point de vue, la police de San Francisco traitait plus de dossiers et mettait davantage de criminels derrière les barreaux. Le FBI se concentrait sur des opérations de renseignement et de surveillance, d'autres services prenant ensuite le relais. Les services de répression de l'alcool, du tabac, des armes intervenaient souvent dans les affaires de Rick, ainsi que la CIA, le ministère de la Justice, le procureur général ou la gendarmerie, alors qu'à la police de San Francisco Ted était maître de ses enquêtes. Sauf si le suspect franchissait la frontière de l'Etat ou si un malfaiteur commettait un crime relevant de la juridiction fédérale, auquel cas le FBI entrait en jeu.

De temps à autre, il lui arrivait encore de travailler avec Rick. Depuis que ce dernier avait quitté la police de San Francisco quatorze ans plus tôt, les deux hommes étaient restés liés par une solide amitié et se respectaient mutuellement. Rick Holmquist était divorcé depuis cinq ans, alors que jamais Ted n'avait remis en question son mariage avec Shirley. Ils avaient certes changé mais, si leurs relations de couple avaient évolué au fil du temps, tout allait bien entre eux. Rick était maintenant amoureux d'une jeune femme, agent du FBI, et parlait de se remarier. Ted le taquinait à ce sujet, car Rick aimait jouer les durs alors qu'au fond c'était un tendre.

Depuis toujours, Ted appréciait le calme que lui offraient ses horaires de travail. Lorsqu'il rentrait chez lui, la maison était silencieuse, Shirley dormait. Elle commençait son travail tôt et partait chaque matin avant qu'il soit levé. Quand les garçons étaient encore petits, ce décalage était commode. Elle les déposait à l'école en se rendant à son travail, Ted allait les rechercher. Il s'occupait de leur faire faire du sport pendant ses jours de congé et dès qu'il le pouvait. Lorsqu'il était trop occupé, il s'efforçait au moins d'assister à leurs matches. Quand il était de service, il quittait la maison au moment où Shirley rentrait de l'hôpital, si bien que les petits n'étaient jamais seuls. A son retour, tout le monde était au lit. La situation avait ses avantages et ses inconvénients. S'il ne voyait pas beaucoup Shirley et les enfants, il gagnait bien sa vie et ses horaires décalés leur économisaient les frais de baby-sitter et de garderie. Mais leurs relations de couple s'en étaient ressenties. A une certaine époque, Shirley se plaignait amèrement de ne pas le voir, et ils se disputaient souvent. Ted avait essayé de travailler de jour, mais leurs disputes n'avaient fait qu'empirer. Il avait alors tenté l'équipe de nuit, sans plus de résultat. Puis la crise s'était calmée, ils avaient tous deux accepté le statu quo, et Ted avait repris les horaires qui lui convenaient si bien.

Lorsqu'il rentra chez lui ce soir-là, Shirley dormait profondément et le silence régnait dans la maison. Les chambres des garçons étaient vides à présent. Des années plus tôt, il avait acheté un petit pavillon dans le quartier de Sunset et, pendant ses jours de repos, il aimait se promener sur la plage en regardant la brume marine se lever. Ce spectacle l'apaisait, le ramenait sur terre après une enquête difficile, une mauvaise semaine ou une contrariété. Il y avait parfois des tensions au sein des différents services du département et cela le stressait, mais il était d'un naturel conciliant et tout finissait par rentrer dans l'ordre. Cela expliquait sans doute que son couple ait tenu. Shirley était coléreuse, s'emportait facilement, criait, se plaignait et attendait davantage de leurs relations. Ted était solide, calme et posé. Au fil du temps, elle s'était calmée et avait cessé d'en vouloir toujours plus. Il était toutefois conscient qu'avec la fin de leurs disputes, leur mariage avait perdu sa force. La passion s'était éteinte, remplacée par l'habitude et l'acceptation. Mais la vie était faite de compromis, il le savait aussi et ne se plaignait pas. Shirley était quelqu'un de bien, ils avaient des fils formidables, une maison confortable, il aimait son travail, appréciait ses collègues, que pouvait-il souhaiter de mieux ? Rien, de son point de vue, et c'est précisément ce qu'elle lui reprochait. Il se contentait de ce que lui offrait la vie, sans chercher plus loin.

En fait, Shirley était beaucoup plus ambitieuse et exigeante que Ted, qui se satisfaisait de peu depuis toujours. Il avait mis toute son énergie dans son travail et dans leurs fils. Vingt-huit ans. Une durée bien longue pour que la passion y survive, et la leur s'était éteinte. Il était certain d'aimer Shirley, supposait qu'elle l'aimait aussi, même si elle était peu démonstrative et ne lui exprimait pas ses sentiments. Il l'acceptait telle qu'elle était, de même qu'il prenait les choses comme elles venaient, bonnes ou mauvaises, les déceptions comme les joies. Lorsqu'il rentrait la nuit chez lui, il aimait retrouver la sécurité de son foyer. Certes, Shirley dormait, et ils n'avaient pas discuté tous les deux depuis des mois, peut-être même des années, mais il savait que s'il arrivait quelque chose, elle serait à ses côtés pour le soutenir et il en était de même pour lui. Cela lui suffisait. Si Rick Holmquist était tout émoustillé par sa nouvelle petite amie, lui n'avait pas besoin de ce genre d'excitation. Il avait tout ce qu'il désirait : un métier qu'il adorait, une femme qu'il appréciait, trois fils dont il était fier, et sa tranquillité.

Il s'assit à la table de la cuisine, devant une tasse de thé, pour profiter du silence et du calme de la maison. Il parcourut le journal, lut son courrier, regarda brièvement la télévision. A 2 h 30, il se glissa dans le lit, près de Shirley. Elle ne s'éveilla pas, bougea un peu en marmonnant dans son sommeil, tandis qu'il se tournait, dos à elle, réfléchissant à son enquête avant de s'endormir. Il tenait un suspect qui, il en était sûr, passait de l'héroïne mexicaine en contrebande. Il lui faudrait appeler Rick Holmquist à ce sujet demain matin. Et, sur cette pensée, il soupira et plongea dans le sommeil.

3

Installée devant sa table de cuisine, Fernanda Barnes fixait une pile de factures. Il lui semblait regarder cette même pile depuis quatre mois, depuis la mort de son mari, quinze jours après Noël. Pourtant elle savait parfaitement que la pile n'était pas la même, qu'elle s'accroissait de jour en jour, à chaque passage du facteur. Depuis le décès d'Allan, c'était un flot constant de mauvaises nouvelles et d'informations alarmantes, dont la dernière en date, venue de la compagnie d'assurances qui refusait de lui verser le montant de la prime d'assurance-vie. Elle s'y attendait, son avocat aussi. Allan était mort dans des circonstances douteuses, au cours d'une partie de pêche au Mexique. Il était sorti de nuit en bateau, alors que ses compagnons se trouvaient à l'hôtel et l'équipage au bar. Parti seul en mer, il était passé par-dessus bord. On avait mis cinq jours à retrouver son corps. Etant donné sa situation financière au moment de l'accident, ainsi que la lettre désespérée qu'il avait laissée, la compagnie d'assurances soupçonnait un suicide. A vrai dire, Fernanda aussi. C'était la police qui avait transmis la lettre à la compagnie d'assurances.

Fernanda ne s'en était ouverte qu'à Jack Waterman, son avocat, mais lorsqu'on l'avait appelée pour lui apprendre le décès, elle avait aussitôt pensé à un suicide.

Pendant les six derniers mois, Allan avait vécu dans le stress et la panique, ne cessant de répéter qu'il allait s'en sortir, mais à en juger par le contenu de sa lettre, il n'y croyait pas lui-même. Au moment de l'envolée des valeurs high-tech, Allan Barnes avait touché le gros lot en vendant une start-up à un grand groupe pour deux cents millions de dollars. Jusque-là, Fernanda avait été satisfaite de leur vie. Ils possédaient une petite maison confortable dans un joli quartier de Palo Alto, près du campus de Stanford, où ils s'étaient connus pendant leurs études. Ils s'étaient mariés dans la chapelle de Stanford, juste après avoir obtenu leur diplôme. Treize ans plus tard, Allan faisait fortune. C'était au-delà de ses rêves les plus fous, plus qu'elle n'en espérait, plus qu'elle n'en désirait. Elle en avait eu le tournis, ne comprenant pas. Soudain, il avait acheté un yacht et un avion, un appartement à New York pour y habiter lorsqu'il avait des rendez-vous d'affaires, une maison à Londres qu'il prétendait convoiter depuis toujours, un bungalow à Hawaï et une maison en ville, si grande qu'elle en avait pleuré en la voyant pour la première fois. Il l'avait achetée sans même la consulter. Elle n'avait pas envie d'emménager dans un palace. Elle se plaisait à Palo Alto, où ils vivaient depuis la naissance de leur fils Will.

Malgré les protestations de Fernanda, ils s'étaient installés à San Francisco quatre ans plus tôt ; Will avait alors douze ans, Ashley huit, et Sam tout juste deux. Allan avait insisté pour qu'elle engage une nourrice, afin de pouvoir l'accompagner dans ses voyages. Mais elle n'y tenait pas, car elle aimait s'occuper des petits. Elle n'avait jamais attaché d'importance à sa propre carrière et était heureuse qu'Allan gagne suffisamment sa vie pour pourvoir aux besoins de la famille. Bien sûr, il y avait eu des périodes de vaches maigres ; elle resserrait alors les cordons de la bourse, et tout se passait bien. Elle adorait sa vie de femme au foyer avec leurs enfants.

Will était né neuf mois, jour pour jour, après leur mariage. Durant cette première grossesse, elle avait travaillé à temps partiel dans une librairie, mais n'avait jamais repris depuis. Sa licence en histoire de l'art n'ouvrait guère que sur la recherche, ou sur d'autres études en vue d'un emploi dans un musée ou dans l'enseignement. Elle n'avait pas de qualifications professionnelles, avait préféré être une bonne mère et une bonne épouse. Leurs enfants étaient heureux, en bonne santé et gentils. Jamais elle n'avait eu le moindre problème avec eux, et pourtant Ashley et Will, respectivement âgés de douze et seize ans, étaient en pleine période difficile. Eux aussi auraient préféré ne pas déménager : tous leurs amis se trouvaient à Palo Alto.

Allan avait choisi une énorme demeure, construite par un célèbre investisseur qui l'avait vendue quand il avait pris sa retraite et était parti en Europe. Un palace aux yeux de Fernanda. Née d'un père médecin et d'une mère enseignante, elle avait grandi dans une banlieue de Chicago, au sein d'une famille aisée et, contrairement à Allan, elle n'ambitionnait rien de plus qu'être l'épouse d'un homme qui l'aimait et avec lequel elle aurait de merveilleux enfants. Elle lisait de nombreux ouvrages de pédagogie et tout ce qui touchait à la psychologie de l'enfant et à l'éducation, partageait sa passion pour l'art avec ses fils et sa fille, les encourageant à réaliser leurs rêves. Si elle avait également poussé Allan dans cette voie, elle ne s'attendait pas à ce qu'il les concrétise à ce point.

Lorsqu'il lui avait annoncé qu'il avait vendu son affaire pour deux cents millions de dollars, elle avait failli s'évanouir. Pensant qu'il plaisantait, elle en avait ri. Pour elle, il pouvait en tirer entre un et cinq millions, au maximum, avec de la chance, mais pas deux cents. Elle n'en demandait pas tant, juste assez pour payer les études des enfants et vivre agréablement jusqu'à la fin de leurs jours. Un peu plus peut-être, pour qu'Allan puisse prendre sa retraite de bonne heure, et qu'ils puissent passer un an à parcourir l'Europe, où elle le traînerait dans les musées. Elle aurait tant aimé passer un mois ou deux à Florence ! Mais cette fortune soudaine, qui leur tombait dessus, dépassait l'imagination. Et Allan en profitait sans retenue.

Non content d'acheter des maisons, des appartements, un yacht et un avion, il investissait dans des sociétés à risque. A chaque nouveau placement, il affirmait à Fernanda qu'il savait ce qu'il faisait. Il avait le vent en poupe, se sentait invincible, avait une confiance aveugle en son jugement. Confiance qu'elle ne partageait pas. Des disputes survinrent entre eux. Il se moquait de ses craintes, engloutissait de l'argent dans des entreprises qui n'avaient pas fait leurs preuves. Le courant était porteur, les marchés s'envolaient et, pendant près de trois ans, tout ce qu'il toucha se changea en or. A croire que, quoi qu'il risquât, tout lui réussissait. En moins de deux ans, leur immense fortune doubla sur le papier. Allan avait en outre investi dans deux entreprises dans lesquelles il croyait, alors qu'on l'avertissait qu'elles pourraient bien plonger. Il n'écoutait personne, pas même Fernanda. Et, tandis qu'elle aménageait leur nouvelle maison, sa confiance en lui battait tous les records et il lui reprochait son pessimisme frileux. Même si, en fait, elle avait fini par s'habituer à leur fortune et s'était mise à dépenser plus qu'elle ne jugeait raisonnable. Allan la poussait à en profiter, à ne pas s'inquiéter, et elle s'était même surprise à acheter deux tableaux impressionnistes de grande valeur lors d'une vente chez Christie's à New York. Elle en tremblait encore en les accrochant dans son salon. Jamais elle n'aurait imaginé qu'un jour elle posséderait des œuvres d'art ni même des objets de valeur. Allan l'avait félicitée de son choix. Il se sentait des ailes, s'amusait comme un fou et souhaitait qu'elle aussi tire plaisir de leur richesse.

Pourtant, même au sommet de la vague, Fernanda contrôlait ses dépenses ; jamais elle n'avait oublié ses origines somme toute assez modestes. Etablie dans le sud de la Californie, la famille d'Allan vivait sur un grand pied. Son père était un homme d'affaires et sa mère, femme au foyer, avait été mannequin dans sa jeunesse. Ils possédaient une belle maison et des voitures de luxe. Lors de sa première visite chez eux, Fernanda avait été impressionnée, même si elle les avait trouvés superficiels. Par une douce soirée californienne, sa future belle-mère arborait un manteau de fourrure alors que sa mère, qui vivait dans le Midwest aux hivers rigoureux, n'en avait jamais eu et s'en passait très bien. Faire étalage de sa fortune comptait bien davantage pour Allan que pour elle, surtout depuis sa fabuleuse réussite. Il regrettait seulement que ses parents ne soient plus là pour se réjouir de ses succès. De son côté, Fernanda était presque soulagée que ses propres parents, morts dix ans plus tôt dans un accident par une nuit de verglas, ne soient plus de ce monde. Son instinct lui disait qu'ils auraient été choqués de voir Allan dépenser l'argent comme s'il en pleuvait. Elle-même s'en inquiétait, bien qu'elle eût acheté deux magnifiques tableaux. Elle espérait du moins que c'était un bon placement, et elle les appréciait en tant qu'œuvres d'art. Allan achetait surtout pour se faire valoir aux yeux des autres, et il ne se privait pas de lui répéter qu'il en avait les moyens.

Pendant près de trois ans, la bulle économique ne cessa de gonfler. Allan investissait dans de nouvelles entreprises, achetait d'énormes parts dans des sociétés à haut risque. Il se fiait aveuglément à son intuition, parfois au mépris de toute raison. Ses collègues, ses amis dans le monde des start-up et de l'Internet se moquaient gentiment de lui et l'avaient surnommé « le cow-boy fou ». Fernanda se sentait souvent un peu honteuse de ne pas le soutenir davantage. Enfant, il manquait d'assurance, son père lui reprochait constamment sa timidité, et voilà que, maintenant, il ne doutait plus de rien. Devant sa hardiesse, elle avait parfois l'impression qu'il dansait sur un fil au-dessus du précipice, sans avoir conscience du danger. Mais son amour pour lui avait eu raison de ses craintes, et elle avait fini par l'encourager elle aussi. En tout cas, elle n'avait pas lieu de se plaindre. En l'espace de trois ans, leur fortune avait pratiquement triplé, il était à la tête d'un demi-milliard de dollars, une somme inimaginable.

Allan et elle avaient toujours été heureux ensemble, même avant de devenir riches. Il était gentil, facile à vivre, aimait sa femme, adorait ses enfants. Chaque naissance avait été pour eux une joie partagée. Allan était particulièrement fier de Will qui était un sportif né et, la première fois qu'il avait vu Ashley danser, lors d'un spectacle, à l'âge de cinq ans, il en avait eu les larmes aux yeux. C'était un mari et un père merveilleux, et grâce à son talent qui avait transformé un modeste investissement en une montagne d'or, ses enfants auraient des possibilités dont ils n'avaient pas même rêvé. Il parlait de s'installer à Londres pendant un an, pour que les enfants aient la chance d'étudier en Europe. L'idée de passer des journées entières au British Museum et à la Tate Gallery séduisait Fernanda au point qu'elle n'avait pas protesté quand il avait acquis une propriété à Belgrave Square pour vingt millions de dollars. C'était le prix le plus élevé qu'on eût payé pour une maison dans ce quartier. Mais elle était vraiment splendide.

Ni elle ni les enfants ne s'étaient plaints lorsque la famille y avait séjourné un mois, pendant les vacances scolaires. Ils avaient tous pris plaisir à explorer Londres. Puis ils avaient passé le reste de l'été sur leur yacht dans le sud de la France, avec des amis de Silicon Valley qu'ils avaient invités. Allan était devenu une légende. Il n'était pas le seul à avoir fait fortune, mais, comme dans les casinos de Las Vegas, certains empochaient leurs gains et disparaissaient, tandis que d'autres les remettaient en jeu. Allan était sans cesse sur des coups et investissait de grosses sommes. Fernanda avait arrêté de se tenir au courant de ce qu'il faisait exactement. Elle tenait la maison, s'occupait des enfants et ne s'inquiétait presque plus de ce qu'elle ne comprenait pas. Etait-ce là l'apanage des riches ? Il lui avait fallu trois ans pour s'habituer, pour croire que ce n'était pas un rêve.

La bulle creva finalement, trois ans après le coup financier qui avait fait la fortune d'Allan. Il y eut un scandale impliquant une firme dans laquelle il avait secrètement beaucoup investi. Officiellement, personne ne sut quelle part il avait dans le capital, ni même s'il y participait, mais il perdit plus de cent millions de dollars. Cela ne fit heureusement qu'un petit trou dans sa fortune. Fernanda apprit la nouvelle par le journal. Elle se souvint qu'Allan lui avait parlé de cette société et l'interrogea. Il lui dit de ne pas s'en faire, qu'ils n'en étaient pas à cent millions de dollars près et qu'ils étaient presque milliardaires. Il se garda cependant de lui expliquer qu'il avait emprunté sur la base de ses capitaux investis en actions. Lorsque le cours de celles-ci s'effondra, il les vendit en catastrophe, trop tard pour couvrir la créance. Jouant de l'effet de levier sur ses capitaux propres, il emprunta alors pour acheter d'autres titres.

Plus dur que le premier, le second choc lui coûta deux fois plus cher. Au troisième choc, les marchés s'effondrèrent, et Allan commença à s'inquiéter. Les actifs qui lui avaient permis d'emprunter ne valaient plus rien ; il ne lui restait que des dettes. La crise boursière qui suivit entraîna tout le secteur des nouvelles technologies dans une chute vertigineuse. En six mois, la fortune d'Allan fut réduite en cendres. Des actions qui valaient des centaines de dollars s'échangeaient maintenant pour presque rien. Pour les Barnes, les conséquences furent désastreuses.

La rage au cœur, Allan vendit le yacht et l'avion, tout en assurant à Fernanda qu'il les rachèterait dans l'année, et même qu'il choisirait des modèles plus récents quand les cours remonteraient. Mais ce ne fut pas le cas. Non seulement il perdit tout son capital, mais ses investissements à haut risque implosèrent, générant des dettes colossales à mesure que l'édifice s'effondrait comme un château de cartes. A la fin de l'année, il eut une dette aussi monumentale que sa fortune soudaine. Et, tout comme elle n'avait pas compris comment le coup de poker d'Allan les avait rendus riches, Fernanda ne comprit pas les conséquences de ce qui venait de se passer, car il ne lui expliquait presque rien. Perpétuellement stressé, il restait des heures au téléphone, courait aux quatre coins de la planète et lui faisait des scènes lorsqu'il rentrait à la maison. Du jour au lendemain, il était devenu comme fou. Il était complètement paniqué, et à juste titre.

Tout ce qu'elle savait, c'est qu'un an plus tôt, avant Noël, il s'était endetté de plusieurs centaines de millions de dollars et que la plupart de ses actions ne valaient plus rien maintenant. Elle était parfaitement consciente de cela mais elle n'avait aucune idée de ce qu'il comptait faire pour redresser la barre et ne savait pas à quel point sa situation était désespérée. Heureusement, il avait fait de nombreux investissements avec des sociétés « boîtes aux lettres » créées sans que son nom apparaisse, de sorte que les milieux d'affaires qu'il fréquentait n'étaient pas au courant de l'ampleur du désastre. Il ne tenait pas à ce que cela se sache, cachant sa situation tant par orgueil que pour ne pas effrayer les gens qui traitaient avec lui. Tout comme le souffle de la victoire l'avait envahi autrefois, il sentait maintenant celui de la déroute approcher. Tout lui faisait peur, et même si Fernanda voulait le soutenir moralement, elle aussi était terrorisée par ce qu'il allait advenir d'eux et des enfants. Elle était en train de le pousser à vendre leur maison de Londres, l'appartement de New York et le bungalow d'Hawaï lorsqu'il était parti au Mexique, juste après Noël. Il devait y conclure une affaire et lui avait dit en partant que, si tout marchait comme prévu, ils récupéreraient presque tout ce qu'ils avaient perdu. Avant qu'il ne s'en aille, elle lui avait suggéré de vendre leur maison pour retourner vivre à Palo Alto. A quoi il avait répondu qu'elle était ridicule, que tout s'arrangerait bientôt, qu'elle n'avait pas de souci à se faire. Mais l'affaire du Mexique ne s'était pas concrétisée.

Il n'était pas sur place depuis deux jours qu'une nouvelle catastrophe financière le frappait. En l'espace d'une semaine, trois importantes sociétés plongèrent, emportant avec elles deux des plus gros investissements d'Allan. En un mot, ils étaient ruinés. Sa voix était enrouée lorsqu'il l'avait appelée tard le soir, de son hôtel. Il avait négocié pendant des heures, mais il ne pouvait plus donner le change. Il n'avait plus rien à son actif, rien à mettre dans la balance. Tandis qu'elle l'écoutait, il s'était mis à pleurer. Fernanda lui avait affirmé que, pour elle, cela n'avait pas d'importance, qu'elle l'aimait de toute façon. Mais cela ne l'avait pas apaisé. Allan pensait en termes de défaite et de victoire, de conquête et de chute, de redémarrage pour tout recommencer. Il avait eu quarante ans quelques semaines auparavant et le succès dont il avait joui pendant quatre ans et qui était tout pour lui l'avait brutalement abandonné, si bien qu'il se considérait désormais comme un raté. Elle avait beau lui répéter qu'elle s'en moquait, que ce n'était pas grave, qu'elle l'aimait et serait heureuse avec lui même dans une cabane, à condition qu'ils soient ensemble avec leurs enfants, rien n'y faisait. Il sanglotait à l'autre bout de la ligne en répétant que la vie ne valait plus la peine d'être vécue, qu'il serait la risée du monde entier, et qu'il ne lui restait plus que son assurance-vie. Elle lui avait rappelé qu'ils possédaient encore plusieurs maisons dont la valeur totale devait approcher les cent millions de dollars.

« As-tu la moindre idée de ce que nous devons ? » avait-il demandé d'une voix brisée.

Elle l'ignorait, bien sûr, car il ne lui en avait jamais parlé.

« Il s'agit de centaines de millions de dollars. Même si nous vendions tous nos biens, nous serions encore endettés pendant vingt ans. Je ne suis pas du tout certain de pouvoir m'en sortir. Nous sommes au fond du trou, chérie. C'est fini. Fini, fini, fini. »

Elle ne pouvait voir les larmes rouler sur ses joues, mais elle les sentait dans sa voix. Bien qu'elle ne fût pas à même de tout comprendre, elle savait qu'avec ses investissements à tout-va, ses coups en Bourse et ses perpétuels emprunts pour acheter toujours plus, il avait tout perdu, et au-delà. Il s'était endetté dans des proportions astronomiques.

« Non, ce n'est pas fini, avait-elle répondu avec conviction. Tu peux te déclarer en faillite, je trouverai un emploi et nous vendrons tout. Quelle importance ? Je me moque de toutes ces richesses. Tant que nous sommes ensemble, cela m'est égal de vendre des crayons au coin d'une rue. »

C'était adorable et c'était une bonne réaction, mais il était trop désespéré pour y faire attention. Anxieuse, elle l'avait rappelé plus tard dans la nuit, afin de le rassurer encore. Sa remarque concernant l'assurance-vie l'avait effrayée, et elle avait plus peur pour lui que pour leur situation financière. Elle savait que les hommes commettaient parfois l'irréparable pour des pertes financières ou des échecs en affaires, et Allan avait tout placé dans sa fortune. Lorsqu'il décrocha, elle comprit qu'il avait bu. Sans doute trop. D'une voix pâteuse, il lui déclara que sa vie était fichue. Affolée, elle envisagea de prendre le premier vol du lendemain pour le Mexique afin d'être avec lui et de le soutenir dans ses négociations. Mais, le matin venu, avant qu'elle ait pu entreprendre quoi que ce soit, l'un des hommes avec qui Allan était en relations lui téléphona. Il parlait d'une voix hachée et semblait brisé. Tout ce qu'il savait, c'était qu'Allan était parti en mer sur le bateau qu'ils avaient loué, après qu'ils étaient tous allés se coucher. L'équipage ne se trouvait pas à bord et il était seul aux commandes. Il avait dû tomber à l'eau, car les garde-côtes avaient retrouvé le bateau vide. Les recherches n'avaient rien donné.

Pire encore, lorsqu'elle était arrivée au Mexique, ce même jour, la police lui avait remis la lettre qu'il lui avait laissée. Ils en avaient gardé une copie pour le dossier. Il y exprimait son désespoir face à une situation que jamais il ne pourrait redresser, disait qu'il était fini et qu'il préférait mourir plutôt qu'affronter la honte et la déchéance quand on découvrirait l'énormité de ses erreurs. Cette lettre était si noire qu'elle fut convaincue qu'il avait voulu mettre fin à ses jours. Mais peut-être était-il ivre et avait-il péri par accident. Il était impossible de le savoir. Le suicide restait cependant l'hypothèse la plus probable.

Comme la loi l'imposait, la police avait transmis la lettre à la compagnie d'assurances, qui, en se fondant sur ce témoignage, avait refusé de verser la prime. D'après son avocat, Fernanda avait peu de chance de l'obtenir, car le document était trop accablant.

Quand on retrouva enfin le corps d'Allan, on constata qu'il était mort par noyade. Il n'y avait pas trace de violence. Il ne s'était pas tué par balle. Ou bien il était tombé à l'eau, ou bien il avait sauté par-dessus bord. Au vu des circonstances, étant donné ce qu'il avait dit à sa femme au téléphone et ce qu'il avait écrit dans sa lettre, il semblait raisonnable de supposer qu'il avait voulu mourir.

Fernanda était au Mexique lorsqu'on retrouva son corps sur une plage, après un orage. Ce fut affreux et très éprouvant, et elle se félicita d'avoir épargné cela aux enfants. Malgré leurs protestations, elle était partie seule en les laissant en Californie. Une semaine plus tard, après des tracasseries administratives sans fin, elle rentra chez elle, veuve, avec le cercueil d'Allan dans la soute de l'avion.

Elle garda de l'enterrement un souvenir brumeux et douloureux. Les journaux évoquèrent un banal accident de bateau, version sur laquelle tous s'étaient mis d'accord. La police n'avait pas parlé de la lettre aux journalistes, et les relations professionnelles d'Allan ignoraient tout de sa situation. Personne ne savait qu'il avait touché le fond, qu'il était totalement anéanti, en tout cas moralement. En dehors de Fernanda et de son avocat, personne n'était au courant de l'étendue exacte du désastre.

Plus que ruiné, il était endetté à un tel niveau qu'elle mettrait des années à combler le trou qu'il avait creusé. Dans les quatre mois qui avaient suivi sa mort, elle dut vendre tous leurs biens, à l'exception de leur maison, qui était au nom de son défunt mari. Mais, dès que la succession serait réglée, il lui faudrait la vendre aussi. Par chance, Allan avait mis toutes leurs autres propriétés au nom de Fernanda, ce qui lui avait permis de s'en défaire. Afin de couvrir les droits de succession qui ne pouvaient attendre, elle avait mis les deux tableaux en vente ; les enchères auraient lieu à New York au mois de juin. Elle vendait ou essayait de vendre tout ce qui pouvait l'être. Jack Waterman, son avocat, affirmait que si elle liquidait tout, y compris la maison, elle parviendrait peut-être à combler le trou mais n'aurait plus un sou. Les dettes d'Allan étant en majeure partie liées à des personnes morales, Jack comptait le déclarer en faillite. Personne ne connaissait encore l'étendue de sa ruine et, par respect pour lui, elle veillait à ce que cela ne s'ébruite pas. Même les enfants ne savaient pas tout ce que cela impliquait. Quatre mois après la mort de son mari, par un bel après-midi de mai, elle s'efforçait encore d'en mesurer l'ampleur, assise dans la cuisine, le regard vague et la tête vide.

Dans vingt minutes, elle irait chercher Ashley et Sam à l'école, comme elle le faisait tous les jours avec une régularité d'horloge. Will rentrait par ses propres moyens, au volant de la BMW que son père lui avait offerte, six mois plus tôt, pour son seizième anniversaire. A vrai dire, Fernanda avait à peine assez d'argent pour les nourrir et elle avait hâte de vendre la maison pour payer la plupart de leurs dettes. Elle savait qu'il lui faudrait bientôt se mettre en quête d'un emploi, peut-être dans un musée. Toute leur vie était bouleversée, et elle ne savait pas quoi dire à ses enfants. Ils savaient que l'assurance refusait de payer et elle leur avait expliqué qu'ils devaient se restreindre tant que la succession ne serait pas réglée. Tous trois ignoraient cependant qu'avant sa mort leur père avait perdu toute sa fortune, et que si l'assurance ne payait pas, c'était parce qu'elle pensait qu'il s'était suicidé. La version officielle était celle de l'accident et, sans rien savoir de la lettre ni des circonstances qui l'avaient motivée, les amis et collaborateurs d'Allan n'avaient pas lieu d'en douter. Fernanda, ses avocats et les autorités étaient les seuls à connaître la vérité. Pour le moment.

Chaque nuit, dans son lit, elle repensait à leur dernière conversation et la repassait dans sa tête jusqu'à l'obsession. Elle se reprochait de n'être pas partie plus tôt le rejoindre au Mexique. Elle ne se pardonnerait jamais de l'avoir laissé seul. A cela venaient s'ajouter la terreur de crouler sous les factures, les dettes sans fin qu'il avait contractées et le manque d'argent pour les payer. Les quatre derniers mois avaient été un véritable cauchemar.

Fernanda se sentait complètement seule. L'unique personne qui savait ce qu'elle endurait était son avocat, Jack Waterman. Il s'était montré compatissant et d'un secours précieux, et ils avaient décidé, le matin même, de mettre la maison en vente au mois d'août. La famille y habitait depuis quatre ans et demi, et les enfants s'y plaisaient beaucoup, mais cela ne changeait rien. Il lui faudrait demander une aide financière pour qu'ils restent dans leurs écoles, mais elle n'en était pas encore capable. Elle tenait à garder le secret de leur ruine, tant pour Allan que pour éviter la panique. Aussi longtemps que leurs créanciers les croiraient solvables, ils lui donneraient du temps. Elle justifiait ses retards de paiement en invoquant la succession.

Les journaux avaient parlé de la débâcle de certaines sociétés dans lesquelles Allan avait investi. Mais, miraculeusement, personne n'avait compris l'étendue du désastre, sans doute parce que peu de gens savaient qu'il en était le principal investisseur. Hantée nuit et jour par cet imbroglio d'horreurs et de mensonges, Fernanda, qui avait perdu le seul homme qu'elle eût jamais aimé, se débattait avec son chagrin, s'efforçait de guider ses enfants désormais sans père et d'atténuer leur peine. Le choc l'avait tellement ébranlée et choquée qu'elle avait peine à comprendre ce qui lui arrivait.

La semaine précédente, elle était allée voir un médecin. Depuis des mois, elle dormait mal, mais elle avait refusé les tranquillisants qu'il lui avait proposés. Elle préférait tenter de s'en tirer toute seule, même si elle se sentait brisée et désespérée. Mettre un pied devant l'autre et aller de l'avant, jour après jour, ne serait-ce que pour les enfants, représentait un effort pour elle. Il lui fallait trouver une solution, prendre tôt ou tard un emploi pour subvenir à leurs besoins. Par moments, surtout la nuit, elle était submergée par l'angoisse.

Assise dans l'immense et élégante cuisine en granit blanc, Fernanda jeta un coup d'œil à la pendule. Il lui restait cinq minutes pour aller chercher les enfants à l'école. Pas le temps de traîner. Elle mit un élastique autour des dernières factures et les jeta dans la boîte, avec les autres. Elle avait entendu dire que les réactions de colère contre un être cher qui venait de mourir étaient fréquentes, mais ce n'était pas son cas. Depuis la mort d'Allan, elle n'avait fait que pleurer et regretter qu'il se soit laissé entraîner à ce point par son succès, jusqu'à ce que celui-ci le détruise et brise leur famille. Mais elle n'éprouvait pas de colère, seulement de la tristesse, de l'angoisse et de la peur.

Mince silhouette vêtue d'un jean, d'un tee-shirt blanc et de sandales, elle se hâta vers la porte, tenant son sac à main et ses clés de voiture. Avec ses longs cheveux blonds et raides nattés dans le dos, elle ressemblait comme une sœur à sa fille. Ashley avait douze ans, mais était mûre pour son âge et déjà presque aussi grande que sa mère.

Will gravissait les marches du perron au moment où, dans sa précipitation, Fernanda claqua la porte sans faire attention. C'était un grand garçon aux cheveux bruns, tout le portrait de son père. Il avait les yeux bleus et une silhouette d'athlète. Il était devenu plus adulte depuis tous ces événements et il s'efforçait de soutenir sa mère. Quand elle n'était pas irritée, elle pleurait constamment, et il s'inquiétait pour elle, plus qu'il n'y paraissait. Elle s'arrêta un instant et se hissa sur la pointe des pieds pour l'embrasser. Il n'avait que seize ans, mais on lui en aurait donné dix-huit ou vingt.

— Ça va, maman ?

Question bien inutile. Depuis quatre mois, elle n'allait pas bien. Elle semblait toujours affolée, la peur qui l'habitait se lisait dans son regard, et il ne savait pas comment l'aider. Elle acquiesça, tout en évitant ses yeux.

— Ça va. Je file chercher Ash et Sam. Je te préparerai un sandwich à mon retour, lui promit-elle.

Il lui sourit.

— Je peux le faire moi-même. J'ai un match ce soir.

Il jouait au hockey et au base-ball, et elle adorait assister à ses matches, mais, ces derniers temps, elle semblait si distraite quand elle l'accompagnait qu'il se demandait si elle suivait vraiment l'action sur le terrain.

— Tu veux que j'aille les chercher ? proposa-t-il.

A présent, c'était lui l'homme de la maison. Comme eux tous, il avait été profondément choqué, mais il prenait ses nouvelles responsabilités à cœur. Il ne se faisait pas à l'idée que son père avait disparu et ne reviendrait pas. Cette perte bouleversait leur vie à tous. Il trouvait que sa mère avait changé, et il s'inquiétait pour elle lorsqu'elle prenait le volant, car elle conduisait dangereusement.

— Non, ça ira, le rassura-t-elle par habitude.

Elle ne l'avait pas convaincu, mais elle poursuivit son chemin jusqu'à la voiture et lui fit au revoir de la main. Quelques instants plus tard, elle démarrait. Il resta un moment sur les marches, regardant le break s'éloigner jusqu'au stop au bout de la rue. Alors, comme si le poids du monde reposait sur ses épaules, il ouvrit la porte avec sa clé, pénétra dans la maison silencieuse et referma le battant derrière lui. Il avait suffi d'une stupide partie de pêche au Mexique pour changer à jamais le cours de leur vie. Son père voyageait beaucoup, pour faire des choses qu'il jugeait importantes. Au cours des dernières années, ils l'avaient à peine vu. Il était toujours ailleurs, occupé à gagner de l'argent. Il n'avait pas assisté à un seul match de Will depuis trois ans. Et si Fernanda ne lui en voulait pas de tout ce qu'il leur avait infligé en mourant, il n'en était pas de même pour Will. Chaque fois qu'il regardait sa mère, il haïssait son père pour ce qu'il leur avait fait, à elle et à eux tous. Il les avait abandonnés, et Will lui en voulait. Pourtant, il ne connaissait pas le quart de l'histoire.

4

Une fois descendu de l'autocar, Peter Morgan resta un long moment à regarder autour de lui. Le chauffeur l'avait déposé au sud de Market Street, dans un quartier qu'il ne connaissait pas. A l'époque où il vivait à San Francisco, il fréquentait des lieux plus huppés ; il avait une maison à Pacific Heights, un appartement à Nob Hill qui lui servait pour son trafic de drogue, et ses relations d'affaires à Silicon Valley. Jamais il ne s'était aventuré dans les quartiers pauvres et pourtant, dans sa tenue donnée par la prison, il ne semblait nullement déplacé ici.

Il fit un bout de chemin le long de Market Street, pour se réhabituer au grouillement de la foule. Après quatre ans et demi à Pelican Bay, il se sentait fragile comme un convalescent sortant d'une longue maladie, dans cette bousculade. Il lui faudrait surmonter cela. Il s'arrêta dans un restaurant, s'offrit un hamburger, une tasse de café et savoura ce repas, le premier depuis qu'il avait recouvré sa liberté, le meilleur qu'il eût jamais pris. Après avoir payé, il passa un moment dehors à observer les gens. Il y avait des femmes et des enfants, des hommes qui marchaient d'un pas décidé. Des clochards dormaient, recroquevillés sous les portes cochères, et quelques ivrognes titubaient. L'air était doux, le ciel clair, et Peter se promenait sans but particulier. Il profitait de sa liberté, avant de gagner le foyer où il serait de nouveau soumis à un règlement. Deux heures plus tard, il prit un autobus pour se rendre dans le quartier de Mission et la 16e Rue, où se trouvait le foyer.

En quittant l'autobus, il marcha jusqu'à son nouveau logement et resta un moment devant le bâtiment, si différent des résidences de luxe qu'il occupait avant son séjour en prison. Il pensait à Janet, à leurs deux filles, se demandait où elles habitaient. Les petites lui avaient cruellement manqué. Il y avait tant d'années qu'il ne les avait pas vues ! A Pelican Bay, il avait appris par la presse que Janet s'était remariée. Il avait été déchu de ses droits parentaux il y a bien longtemps. Le nouvel époux de Janet avait probablement adopté ses deux filles. L'eau avait coulé sous les ponts depuis, et il n'avait plus sa place dans leurs vies. Refoulant ces souvenirs, il gravit les marches du foyer décrépi qui hébergeait des drogués en cours de sevrage et d'anciens détenus en période de probation. Le hall sentait le pipi de chat et la nourriture brûlée ; la peinture s'écaillait et tombait des murs. Ce n'était pas un lieu pour un ancien diplômé de Harvard, mais Pelican Bay non plus. Il avait survécu à plus de quatre ans de prison et survivrait ici. Il survivait toujours.

Un Noir maigre et édenté était assis à la réception. Il portait une chemise à manches courtes qui révélait des bras couverts de marques de piqûre et ne semblait pas s'en soucier. Des larmes étaient tatouées sur la peau sombre de son visage, signe qu'il avait fait de la prison, lui aussi. Il leva les yeux vers Peter et lui sourit.

— Je peux t'aider, vieux ? s'enquit-il, aimable.

Malgré l'impression de venir de la bonne société qu'il donnait, il savait déjà que Peter avait séjourné derrière les barreaux. Il connaissait cet air particulier de ceux qui retrouvent la liberté, ces vêtements, cette coupe de cheveux. Il le devinait à son attitude méfiante, à la manière dont il l'observait. Au premier coup d'œil, les deux hommes s'étaient reconnus, avaient identifié le lien qui les unissait. Peter avait aujourd'hui davantage en commun avec le Noir de la réception qu'avec sa famille. Ce monde était devenu le sien.

Il acquiesça, tendit ses documents en disant qu'il était attendu au foyer. Le Noir examina les papiers, puis Peter. Il hocha la tête à son tour, prit une clé dans le tiroir de son bureau et se leva.

— Je vais te conduire à ta chambre.

— Merci, répondit Peter.

De nouveau, il était sur la défensive, comme il l'avait été pendant plus de quatre ans. Ce foyer était à peine plus sûr que Pelican Bay. Il hébergeait les mêmes pensionnaires, dont beaucoup retourneraient en prison. Lui ne tenait pas à perdre sa liberté fraîchement retrouvée. Or il savait qu'il suffisait d'un rien, d'une rixe, d'un coup de poing donné pour se défendre, pour que c'en soit fini.

Ils montèrent deux volées de marches. La cage d'escalier sentait le renfermé. La vieille bâtisse victorienne avait été achetée par les autorités et n'accueillait que des hommes. L'étage empestait le chat et la litière sale. Le surveillant alla jusqu'au fond du couloir, s'arrêta devant une porte et frappa. Pas de réponse. Il ouvrit avec sa clé, poussa le battant et s'effaça pour laisser entrer Peter. La pièce était à peine plus grande qu'un placard à balais. Elle contenait un vieux tapis couvert de taches, deux couchettes superposées, deux coffres, un bureau en mauvais état et une chaise. L'unique fenêtre donnait sur la façade aveugle d'une maison aux murs lézardés. Le spectacle était déprimant au possible. Au moins, à Pelican Bay, les cellules étaient modernes, claires et propres. En tout cas, la sienne. Ici, on se serait cru dans un taudis.

— La salle d'eau est à l'autre bout du couloir. Tu partages cette chambre avec un type, mais je crois qu'il est au travail.

Peter hocha la tête en regardant le surveillant.

— Merci.

Il n'y avait pas de draps sur la couchette du dessus. Peter devrait fournir les siens ou dormir à même le matelas comme certains. Les affaires de son compagnon de chambre traînaient par terre. Atterré par la saleté et le désordre, il fixa la fenêtre pendant un long moment, en proie à des émotions qu'il n'avait plus ressenties depuis des années. Le désespoir, la tristesse, la peur. Il ne savait où aller, par où commencer. Il lui fallait trouver un emploi. Il avait besoin d'argent. La voie la plus facile pour s'en sortir serait de vendre de la drogue. Mais il devait rester irréprochable, même si l'idée de travailler au McDo ou de faire la plonge ne le réjouissait pas. Dès que le surveillant se fut retiré, il se hissa sur la couchette du dessus, s'y étendit et fixa le plafond. Démoralisé, il s'efforçait de ne pas penser aux multiples démarches qui l'attendaient. Finalement, il sombra dans le sommeil.

Au moment où Peter Morgan pénétrait dans sa chambre au foyer du quartier de Mission à San Francisco, Carlton Waters entrait dans la sienne au foyer de Modesto. Il devait la partager avec Malcolm Stark, un vieil ami à lui qui avait purgé une peine de douze ans à San Quentin. Waters sourit en voyant son compagnon. Il lui avait prodigué d'excellents conseils juridiques, qui avaient permis à Stark d'obtenir sa libération.

— Content de te voir. Qu'est-ce que tu fabriques ici ?

Stark semblait lui aussi heureux de le retrouver, et sa présence familière soulageait Waters, qui, s'il n'en montrait rien, était encore sous le choc de retrouver le monde après vingt-quatre années derrière les barreaux.

— Je suis sorti le mois dernier. J'ai refait cinq ans à Soledad. Ils m'ont relâché l'année dernière seulement. J'étais encore en probation quand je me suis fait coincer pour possession d'armes à feu. Rien de bien méchant, puisque me revoilà. Ce n'est pas si mal, ici. Et puis, tu vas retrouver des connaissances.

Waters l'observait. Stark avait les cheveux longs, le visage marqué par les coups qu'il avait pris lors de rixes, dans sa jeunesse.

— Pourquoi tu as repris cinq ans ?

— La drogue. Ils m'ont chopé à San Diego. J'avais un petit boulot de passeur. Je rapportais de la came du Mexique.

Quand Waters l'avait rencontré, Stark purgeait une peine pour vente de stupéfiants. C'était le seul travail qu'il connaissait. Il venait de l'assistance publique, avait aujourd'hui quarante-six ans, se droguait depuis l'âge de douze ans et revendait de la poudre depuis ses quinze ans. A sa première condamnation, il avait également été impliqué dans un meurtre. Le deal avait mal tourné et un homme était mort.

— Il n'y a pas eu de grabuge, ce coup-ci, précisa-t-il.

Waters hocha la tête. Il avait de la sympathie pour Stark, même s'il avait replongé comme un imbécile. Comme passeur, pour ne rien arranger. Le bas de l'échelle. Et, pour se faire épingler en passant la frontière, il avait dû s'y prendre comme un pied. Mais tous replongeaient tôt ou tard. A quelques exceptions près.

— Alors, je connais qui ici ?

Pour eux, c'était une sorte de club, la grande fraternité de ceux qui ont fait de la prison.

— Jim Free. Et quelques autres.

Carlton Waters se souvenait de Jim Free, incarcéré à Pelican Bay pour rapt et tentative de meurtre. Un type l'avait payé pour liquider sa femme, et il avait raté son coup. Le mari et lui en avaient pris pour dix ans. Comme San Quentin autrefois, Pelican Bay était considérée comme la grande école du crime, l'équivalent de Harvard pour Peter Morgan.

— Dis-moi, qu'est-ce que tu comptes faire maintenant ? s'enquit Stark comme s'ils discutaient de leurs prochaines vacances, d'une affaire en cours ou d'une entreprise à lancer.

— J'ai quelques petites idées. Il faut que je me présente à mon agent de probation et que je prenne des contacts pour trouver un emploi.

Waters avait de la famille dans les environs et il faisait des projets depuis des années.

— Si ça t'intéresse, je travaille dans une ferme. Je mets des tomates en cagettes. Un boulot de merde, mais ça paie bien. J'aimerais bien conduire les camions, mais ils veulent que je reste aux tomates pendant trois mois. Le temps qu'ils me connaissent, quoi. Il me reste deux mois à tirer. Ils ont besoin de main-d'œuvre, si tu veux travailler, avança Stark pour essayer de l'aider.

— Je vais d'abord voir si je peux trouver un truc dans un bureau. C'est que je me suis ramolli, répondit Waters en souriant.

Il n'en avait pas l'air et semblait en pleine forme, mais le travail manuel ne le tentait pas. Il espérait trouver mieux au baratin. Avec son bagout, il avait une chance de réussir. Le préposé aux fournitures qui l'employait depuis deux ans lui avait rédigé une lettre de recommandation très élogieuse. Pendant son séjour en prison, il avait appris à se servir d'un ordinateur, avait écrit des articles et espérait publier un livre sur ses années de détention.

Les deux hommes passèrent encore un moment à bavarder puis décidèrent d'aller dîner. Il leur fallait signer le registre lorsqu'ils sortaient ou rentraient, et ils devaient être de retour avant 21 heures. Tandis qu'il se rendait au restaurant en compagnie de Malcolm Stark, Carlton Waters savourait le plaisir de pouvoir déambuler librement dans les rues et d'aller manger dehors. Cela ne lui était pas arrivé depuis vingt-quatre ans, depuis ses dix-sept ans. Il avait passé soixante pour cent de sa vie en prison, alors qu'il n'avait pas tiré le moindre coup de feu. C'était du moins ce qu'il avait déclaré au juge, et personne n'avait pu prouver le contraire. En tout cas, c'était terminé. Pendant son incarcération, il avait appris une foule de choses qu'il n'aurait sans doute pas apprises sans cela. Restait à savoir comment les mettre à profit et, pour l'instant, il n'avait pas de pistes.

Fernanda prit Ashley et Sam à la sortie de l'école, déposa Ashley à son cours de danse et rentra avec Sam. Comme toujours, ils trouvèrent Will dans la cuisine. Lorsqu'il était à la maison, il passait son temps à manger, et pourtant cela ne se voyait pas. Souple et musclé, il était de taille élancée, un mètre quatre-vingt-cinq, et, au rythme où il grandissait, il ne tarderait pas à atteindre le mètre quatre-vingt-dix de son père.

— A quelle heure est ton match ? s'enquit Fernanda en remplissant un verre de lait pour Sam.

Elle posa une pomme et des cookies devant l'enfant. Pendant ce temps, Will dévorait un énorme sandwich à la dinde, aux tomates et au fromage, dégoulinant de moutarde et de mayonnaise. Il avait un appétit d'ogre.

— Il ne commence qu'à 19 heures, dit Will entre deux bouchées. Tu viens ?

Il lui jeta un bref coup d'œil, comme si cela lui était égal, mais elle n'était pas dupe. Elle assistait à tous ses matches, même en ce moment, malgré tous ses soucis. Elle aimait être là pour l'encourager, et de toute façon c'était son devoir. Il lui faudrait bientôt trouver un emploi mais, pour l'instant, elle était encore mère à plein temps et tenait à en profiter. Depuis la mort d'Allan, chaque minute passée avec eux lui était encore plus précieuse.

— Parce que tu crois que je vais rater ça ?

Elle lui adressa un sourire las, s'efforçant de ne pas penser aux factures qu'elle avait rangées dans la boîte avant d'aller chercher les enfants à l'école. Chaque jour en apportait de nouvelles, et elles s'accumulaient de manière inquiétante. Elle n'avait aucune idée des sommes qu'Allan avait englouties ni de ce qu'il lui en coûterait. Avant tout, il leur fallait vendre la maison rapidement et en tirer le maximum. Mais pendant qu'elle parlait avec Will, elle faisait de son mieux pour ne pas y penser.

— Vous jouez contre qui ?

— Une équipe de Marin. Ils sont nuls. On devrait gagner.

Il lui souriait, et elle lui rendit son sourire. Pendant ce temps, Sam mangeait ses cookies, laissant la pomme de côté.

— Mange ta pomme, Sam. C'est bon pour la santé, dit-elle sans même se retourner.

— J'aime pas les pommes, geignit l'enfant.

C'était un adorable gamin de six ans, avec des cheveux roux, des taches de rousseur et des yeux noisette.

— Prends une pêche, alors. Tu ne peux pas te nourrir de biscuits, il faut que tu manges des fruits.

Malgré tout ce qui était arrivé, la vie continuait, avec ses matches, ses cours de danse, ses goûters au retour de l'école. Et cela lui permettait de leur offrir, en même temps qu'à elle, les apparences d'une existence normale. Sans les enfants, elle n'aurait pas tenu.

— Will ne mange pas de fruits, observa Sam, grognon.

Ses enfants avaient tous les trois des couleurs de cheveux différentes : Will était brun comme son père, Ashley blonde comme elle, et Sam avait des cheveux d'un roux éclatant qu'il tenait d'on ne savait qui. Il n'y avait pas de roux dans la famille, ni d'un côté ni de l'autre. Avec ses grands yeux bruns et ses taches de rousseur, il ressemblait aux enfants qu'on voit sur les affiches et dans les dessins animés.

— J'ai l'impression que Will a vidé le réfrigérateur. Il n'y a plus de place dans son ventre pour les fruits.

Elle tendit une pêche et une mandarine à Sam, et jeta un coup d'œil à sa montre. Il était 16 heures passées ; si Will avait un match à 19 heures, le dîner devrait être servi à 18. Il lui fallait aussi aller chercher Ashley à la danse dans une heure. Sa vie était découpée en petites tranches, comme elle l'avait toujours été et l'était encore plus que jamais, car elle n'avait plus personne pour l'aider. Peu après le décès d'Allan, elle avait congédié la domestique et la jeune fille au pair qui s'occupait de Sam lorsqu'elle s'absentait. Afin de réduire les dépenses, elle faisait tout elle-même, y compris le ménage. Les enfants aimaient l'avoir pour eux seuls, même si leur père leur manquait.

Ils étaient attablés dans la cuisine et Sam se plaignait de ce qu'un « grand » l'avait brutalisé à l'école. Will lui annonça qu'il avait des travaux pratiques en sciences cette semaine et lui demanda si elle pouvait lui acheter du fil de cuivre. Après quoi, il expliqua à son frère comment il devait se défendre. Il était au lycée, et les deux autres en primaire. Depuis le mois de janvier, Will travaillait bien et avait toujours de bonnes notes, mais celles d'Ashley étaient en chute libre, et la maîtresse de Sam affirmait qu'il pleurait beaucoup. Ils étaient encore sous le choc. Fernanda aussi avait du mal à contenir son chagrin. Les enfants s'y étaient habitués. Lorsque Will ou Ashley venaient la voir dans sa chambre, ils la trouvaient presque toujours en larmes. Elle s'efforçait de faire meilleure figure pour Sam, mais il dormait avec elle depuis quatre mois et l'avait, lui aussi, entendue pleurer. Quelques jours plus tôt, Ashley s'était plainte à Will de ce que leur mère ne riait plus jamais et souriait à peine. Elle avait l'air d'un zombie.

« Cela reviendra, lui avait répondu Will, plein de bon sens. Laisse-lui le temps. »

Ces derniers mois, il se conduisait en adulte plus qu'en adolescent et s'efforçait de remplacer son père.

Ils avaient tous besoin de temps pour se remettre. Will prenait son rôle de chef de famille beaucoup trop au sérieux de l'avis de Fernanda, qui se sentait devenir un fardeau pour son aîné. L'été venu, il irait faire un stage de hockey, et elle s'en réjouissait pour lui. Ashley avait prévu de partir à Tahoe chez une amie. Sam resterait avec elle et passerait ses journées au centre aéré. Les enfants seraient tous occupés, ce qui lui donnerait le temps de réfléchir, de faire ce qu'elle avait à faire avec son avocat. Elle espérait qu'une fois mise en vente la maison se vendrait rapidement. Ce serait un choc pour les enfants, bien sûr. Où habiteraient-ils ensuite ? Il lui faudrait trouver un petit logement pas trop cher. Et puis, tôt ou tard, le bruit se répandrait qu'Allan était mort ruiné et très endetté. Elle s'était efforcée de protéger sa réputation, mais la vérité finirait par éclater au grand jour. On ne pouvait garder ce genre de secret éternellement. Pour le moment, en tout cas, personne n'en savait rien. Digne et très élogieux, l'avis de décès publié dans la presse lui avait rendu hommage. Pour ce que cela valait... Mais c'était ce qu'Allan aurait souhaité.

Un peu avant 17 heures, elle demanda à Will de surveiller son frère et se rendit à l'école de danse classique de San Francisco, où Ashley prenait des cours trois fois par semaine. Elle n'aurait bientôt plus les moyens de les lui offrir. De fait, elle pourrait tout juste les maintenir à l'école, les loger et les nourrir. Il ne resterait pas grand-chose, sauf si elle décrochait un bon emploi, ce qui semblait improbable. Mais ce n'était pas le plus important, ils étaient tous ensemble, vivants, et seul cela comptait à ses yeux. Elle se demandait souvent pourquoi Allan ne l'avait pas compris, pourquoi il avait préféré mourir plutôt que reconnaître ses erreurs, faire face à la malchance et à son propre manque de discernement. Enivré par une sorte de fièvre des affaires, il s'était laissé emporter au-delà des limites, sans se soucier de ceux qui paieraient la note. Sa femme et ses enfants tenaient davantage à lui qu'à tout cet argent qui, finalement, ne leur avait rien apporté de bon, à part quelques moments de plaisir, des jouets amusants, des maisons, des appartements, des bungalows dont ils n'avaient que faire, ainsi qu'un yacht et un avion qu'elle jugeait parfaitement inutiles. Elle y avait perdu un mari, et les enfants, leur père. Un prix trop élevé pour quatre années de luxe extravagant. Comme souvent ces derniers mois, elle regrettait Palo Alto, qu'ils n'auraient jamais dû quitter. Si seulement Allan n'avait pas fait fortune ! Telles étaient ses pensées lorsqu'elle s'arrêta devant l'école de danse de Franklin Street, au moment où Ashley en sortait, en collant et tennis, ses pointes autour du cou.

A douze ans, elle avait déjà une allure folle avec ses longs cheveux blonds et raides, semblables à ceux de Fernanda, son délicat visage et sa fine silhouette. Progressivement, l'enfant devenait femme. Un peu trop vite au goût de Fernanda. Avec son regard grave, elle paraissait plus que son âge. Ils avaient tous mûri, ces quatre derniers mois. Fernanda elle-même avait l'impression d'avoir cent ans alors qu'elle aurait quarante ans cet été.

— Le cours s'est bien passé ? s'enquit-elle tandis qu'Ashley se glissait sur la banquette.

Des voitures s'impatientaient derrière elles, et quelques chauffeurs klaxonnèrent. Dès qu'Ashley eut refermé la portière et bouclé sa ceinture, Fernanda démarra.

— Bof, ça a été.

Malgré sa passion pour la danse, elle semblait lasse et sans enthousiasme. A présent, la moindre chose était un effort pour eux. Fernanda avait l'impression de nager à contre-courant depuis des mois. Ashley semblait épuisée, elle aussi. Son père lui manquait ; il leur manquait à tous.

— Will a un match ce soir. Tu veux venir ?

Tandis qu'elles remontaient Franklin Street vers le nord, dans les embouteillages, Ashley secoua la tête.

— Non, j'ai des devoirs.

Au moins, elle travaillait malgré ses mauvaises notes. Consciente qu'elle n'avait pas la tête à ce qu'elle faisait, Fernanda ne la réprimandait pas. Elle-même se sentait en situation d'échec. Passer quelques coups de fil, s'occuper des factures, tenir la maison, veiller sur les enfants et affronter la dure réalité jour après jour était presque au-dessus de ses forces.

— Tu voudras bien surveiller Sam, jusqu'à ce que je rentre ?

Ashley acquiesça. Fernanda ne les avait jamais laissés seuls auparavant. Mais elle n'avait plus personne à qui les confier, plus personne sur qui compter pour l'aider en cas d'urgence. Isolés par leur fulgurant succès, ils l'étaient davantage encore par leur soudaine pauvreté. L'argent l'avait éloignée de ses amies d'autrefois. Elles s'étaient senties gênées par sa nouvelle richesse, leurs modes de vie étaient devenus trop différents. A la mort d'Allan, les soucis l'avaient encore davantage coupée des autres. Elle ne tenait pas à ce que ses difficultés financières s'ébruitent, filtrait tous les appels, répondait rarement. Elle ne voulait parler à personne, en dehors de ses enfants et de son avocat. Elle était proche de la dépression, ce qui se comprenait. Devenue brusquement veuve à trente-neuf ans, elle était sur le point de tout perdre, jusqu'à sa maison. Il ne lui restait que ses enfants.

Sitôt rentrée, elle prépara le dîner et le servit à 18 heures. Des hamburgers, une salade et des chips. Ce n'était pas un repas diététique, mais au moins, ils mangeaient. Elle ne prit pas de hamburger, joua avec sa salade dont une grande partie finit à la poubelle. Elle n'avait plus d'appétit, et Ashley chipotait, elle aussi. Au cours des quatre derniers mois, elle avait grandi et minci, semblant soudain bien plus âgée.

Ashley faisait ses devoirs à l'étage et Sam regardait la télévision quand Fernanda et Will se mirent en route, à 18 h 45. Assis près d'elle en tenue de base-ball, il n'était pas bien bavard. Tous deux se taisaient, plongés dans leurs pensées. En arrivant, elle alla s'installer sur les gradins avec les autres parents. Personne ne lui adressa la parole et elle ne tenta pas d'engager la conversation. Les gens ne savaient quoi lui dire. Sa douleur les mettait mal à l'aise. Les femmes qui menaient une vie normale, dans le confort et la sécurité auprès de leur mari, ne l'approchaient plus, comme si le deuil pouvait être contagieux. Pour la première fois depuis dix-sept ans elle se retrouvait seule, et se sentait exclue, regardant le match en silence. Will marqua deux points. Son équipe remporta la partie six à zéro. Lorsqu'ils repartirent, il était content de lui. Il adorait gagner et détestait perdre.

— Et si on s'arrêtait pour prendre une pizza ? Qu'en penses-tu ? lui proposa-t-elle.

Il hésita d'abord, puis accepta. Sitôt la voiture garée, il prit l'argent qu'elle lui tendait et fila chercher le grand modèle avec toutes les garnitures possibles. En revenant, il lui sourit et s'installa à côté d'elle, la boîte sur les genoux.

— Merci, maman… Merci d'être venue.

Il aurait voulu être plus loquace, mais il ne savait comment exprimer ce qu'il ressentait, comme lui dire à quel point il appréciait sa présence à tous ses matches. Il se demandait pourquoi son père n'y assistait plus depuis des années. Allan l'avait emmené aux World Series et au Super Bowl avec ses associés, mais ce n'était pas la même chose. Il ne venait jamais aux matches de Will. Elle, si, et, tout en conduisant, elle se tourna vers lui et il lui sourit. C'était l'un de ces moments bénis qui se produisent parfois entre mère et enfant, et dont on se souvient toute sa vie.

Lorsqu'ils se garèrent dans l'allée, le ciel était rose et mauve de l'autre côté de la baie. Elle resta un instant à le contempler, tandis que Will sortait de la voiture avec la pizza. Pour la première fois depuis des mois, elle éprouvait un sentiment de paix et de bien-être. Elle se sentait capable de surmonter l'épreuve que la vie lui avait infligée. Ils s'en tireraient. Elle verrouilla les portières en songeant que tout finirait sans doute par s'arranger, puis, souriante, elle emboîta le pas à Will qui gravissait les marches du perron. Il était déjà dans la cuisine lorsqu'elle referma doucement la porte derrière elle.

5

Carlton Waters prit contact avec son agent de probation comme prévu, deux jours après sa sortie de prison. Il avait le même agent que Malcolm Stark, et les deux hommes se rendirent ensemble au rapport. Comme son ami, Waters devait se présenter chaque semaine. Cette fois, Stark était fermement décidé à ne pas replonger. Depuis sa libération, il se tenait à carreau, gagnait assez d'argent pour couvrir ses besoins, prendre ses repas au café du coin et s'offrir quelques bières. Waters avait demandé un emploi de bureau dans la même exploitation agricole que Stark et attendait une réponse.

Les deux hommes avaient décidé de passer le week-end ensemble, à l'exception du dimanche, où Carlton voulait rendre visite à sa famille qu'il n'avait pas revue depuis l'enfance. Les anciens prisonniers étaient tenus de ne pas quitter la région sans autorisation écrite, mais ses parents n'habitaient qu'à quelques arrêts de bus. Le samedi, ils dînèrent dans un petit restaurant et finirent la soirée dans un bar, où ils regardèrent le base-ball à la télévision. A 21 heures, ils étaient de retour au foyer. Pas question de chercher les ennuis. Ils avaient fait leur temps en taule et n'aspiraient qu'à une vie honnête, pour avoir la paix et profiter de leur liberté. Waters espérait décrocher l'emploi pour lequel il s'était présenté la veille, mais, si cela ne marchait pas, il postulerait ailleurs. A 22 heures, ils dormaient tous les deux et, lorsque Stark s'éveilla le lendemain à 7 heures, Carlton était déjà parti. Il avait laissé un message, pour le prévenir qu'il allait voir ses parents et qu'il reviendrait en fin de journée. Un peu plus tard, Stark apprit, en consultant le registre, que Carlton était sorti à 6 heures. Il resta au foyer à regarder le sport à la télévision et à bavarder avec les autres, sans plus se soucier de ce que faisait Carlton. Pour lui, il passait le dimanche en famille, et c'est ce qu'il répondit à ceux qui lui posaient la question.

Vers midi, Malcolm Stark retrouva Jim Free. Ils traînèrent ensemble puis allèrent acheter des tacos pour dîner. Free avait atterri en prison, ainsi que l'homme qui l'avait engagé pour tuer sa femme, parce qu'il avait raté son coup, mais ils n'en parlaient jamais. Les anciens détenus n'évoquaient jamais leur passé criminel entre eux. C'était la règle. En quittant la prison, on laissait le passé derrière soi. Free restait marqué par la détention. Il avait les bras couverts de tatouages, et les fameuses larmes tatouées sur le visage. Il semblait n'avoir peur de rien ni de personne. Il savait se défendre, cela sautait aux yeux.

Dans la soirée, tout en mangeant leurs tacos, les deux hommes commentèrent le match de base-ball et parlèrent d'autres matches qu'ils avaient vus, des joueurs qu'ils admiraient, des scores de chacun, des moments historiques auxquels ils auraient aimé assister. C'était une conversation comme on en entend partout. Stark souriait tandis que Free lui racontait sa rencontre avec une fille, serveuse à la cafétéria attenante à la station-service où il travaillait. Il la trouvait jolie comme un cœur et déclara qu'elle ressemblait à Madonna, ce qui fit rire Stark. Les remarques de ce genre étaient fréquentes en prison, mais il se demandait toujours ce que les types avaient dans les yeux, car jamais les femmes ne ressemblaient à leurs descriptions lorsqu'on les rencontrait. Il garda cependant cette réflexion pour lui. Inutile de vexer Free. Chacun avait droit à ses rêves et à ses illusions.

— Elle sait que tu sors de cabane ? lui demanda Malcolm avec intérêt.

— Ouais, je lui ai dit. Son frère a fait de la taule pour vol de voiture, quand il était jeune. Ça n'a pas eu l'air de la choquer.

Ils vivaient dans un monde où la mesure était la prison – qui y était allé, pendant combien de temps. Cela leur paraissait naturel. Ils formaient une sorte de club ou de société secrète, et ils savaient comment se reconnaître.

— Tu es déjà sorti avec elle ? s'enquit Stark.

Il avait repéré une femme à la ferme, mais il n'avait pas encore osé l'aborder. Ses talents de séducteur étaient un peu rouillés.

— Je pensais lui demander si elle serait libre le week-end prochain, répondit Free embarrassé.

Derrière les barreaux, tous rêvaient d'amour et d'exploits sexuels. Une fois dehors, les choses se compliquaient singulièrement. Ils n'avaient plus l'expérience du monde réel, et trouver une compagne était sans doute la tâche la plus ardue. Au foyer, la plupart des hommes restaient entre eux, à l'exception des hommes mariés qui, eux, devaient se réadapter à la vie de couple, refaire connaissance avec leur épouse. Habitués qu'ils étaient à un univers entièrement masculin, ils se trouvaient plus à l'aise entre hommes, comme les prêtres ou les militaires de carrière. Les femmes constituaient une inconnue gênante dans l'équation. Mieux valait donc s'en tenir à ce qu'on connaissait, c'était plus simple.

Stark et Free discutaient sur les marches du perron quand Carlton Waters regagna le foyer, ce soir-là. Il semblait de bonne humeur, détendu et souriant, comme s'il avait passé une journée agréable. Il portait une chemise en coton bleu à col ouvert, un jean et des bottes de cow-boy poussiéreuses. En cette belle soirée de printemps, il arrivait à pied de l'arrêt d'autobus et avait marché un bon moment. Il paraissait radieux.

— Ta famille se porte bien ? s'enquit poliment Stark.

C'était curieux comme dehors, il fallait mettre les formes et faire la conversation. En taule, il était plus prudent de se taire. Dans des lieux comme Pelican Bay, mieux valait ne rien demander pour éviter de vexer.

— Bien, je suppose. Je ne sais pas ce qui s'est passé, mais après avoir pris deux bus pour arriver jusqu'à leur ferme, j'ai trouvé la maison vide. Je les avais pourtant prévenus de ma visite. Ils auront oublié. Je suis resté un moment à attendre sous le porche, puis je suis descendu en ville manger un morceau, et j'ai repris le bus dans l'autre sens.

Leur absence ne semblait pas l'inquiéter. Il avait été heureux de circuler en bus et de marcher au soleil. Cela ne lui était plus arrivé depuis qu'il était môme. D'ailleurs, il avait presque l'air d'un gamin en s'asseyant près d'eux. Il paraissait plus détendu que la veille, comme s'il s'était libéré d'un poids. Visiblement, la liberté lui réussissait. Il se cala contre une marche, et Malcolm Stark le gratifia d'un sourire partiellement édenté – il n'avait plus que les dents de devant.

— Si je ne te connaissais pas mieux que ça, je dirais que tu nous racontes des craques et qu'en fait de famille tu as passé la journée avec une fille, plaisanta-t-il.

Waters arborait cette expression béate et satisfaite que donne une bonne partie de jambes en l'air. La remarque de Stark le fit rire aux éclats. Il jeta un caillou de l'autre côté de la route et ne répondit pas. A 21 heures, les trois hommes se levèrent et s'étirèrent, avant de rentrer. On ne plaisantait pas avec le règlement. Ils signèrent le registre et gagnèrent leurs chambres. Laissant Free partir de son côté, Stark et Waters s'assirent sur leurs couchettes et restèrent un moment encore à bavarder. Habitués à la routine paisible et familière des cellules verrouillées la nuit, ils ne voyaient rien à redire aux règles de la maison.

Stark devait se lever à 6 heures le lendemain pour prendre son travail et, à 22 heures, les deux hommes dormaient, comme le reste du foyer. A les voir ainsi, calmes et sans défense, personne ne les aurait soupçonnés d'être dangereux ou de l'avoir été, d'avoir causé bien des dégâts avant d'arriver là. Avec un peu de chance, la leçon avait porté ses fruits.

6

Comme toujours, Fernanda passa le week-end avec ses enfants. Ashley devait répéter pour un spectacle de danse prévu au mois de juin, avant d'aller au cinéma et de dîner avec des amies. Fernanda la conduisait partout en voiture, accompagnée de Sam, assis à côté d'elle. Elle avait invité un ami du petit garçon à venir jouer avec lui le samedi et, pendant la répétition d'Ashley, ils étaient allés voir le match de Will. Les enfants occupaient tout son temps et elle adorait cela. C'était ce qui la sauvait.

Elle avait de la paperasse à faire et s'y attela le dimanche. Ashley dormait, Sam regardait une vidéo et Will préparait son devoir dans sa chambre avec, en fond sonore, la retransmission du match des Giants à la télévision. Un mauvais match, les Giants perdaient, et il ne le suivait que distraitement. Pendant ce temps, Fernanda essayait désespérément de se concentrer sur la déclaration fiscale que son avocat lui avait demandé de remplir. Elle aurait préféré se promener sur la plage avec les enfants, et le leur avait proposé, mais ils n'en avaient pas envie. Tous les prétextes étaient bons pour échapper à son pensum. Elle venait de s'accorder une pause et se préparait du thé dans la cuisine quand une énorme explosion fit trembler les murs. Cela semblait tout proche. Il y eut un long silence, et Sam arriva en courant, complètement paniqué. Elle ne se sentait pas plus rassurée que lui.

— Qu'est-ce que c'était, maman ?

— Je ne sais pas. En tout cas, c'était fort.

Déjà, on entendait des sirènes au loin.

Will fit à son tour irruption dans la cuisine. Quelques instants plus tard, Ashley les rejoignait, l'air hagard, et ils restèrent là à se demander ce qui se passait, tandis que les sirènes se rapprochaient de chez eux. Trois voitures de police passèrent sous leurs fenêtres, sirènes hurlantes, tous feux allumés.

— Tu crois que c'était quoi, maman ? demanda encore Sam.

On aurait dit qu'une bombe avait explosé chez un de leurs voisins, mais cela semblait peu probable.

— Une explosion due au gaz, peut-être, suggéra-t-elle.

Les gyrophares des véhicules d'urgence passaient toujours devant la fenêtre. Ils sortirent sur le perron et virent une dizaine de voitures de police arrêtées en bas de la rue, tandis que d'autres arrivaient, accompagnées de trois camions de pompiers. Fernanda et les enfants descendirent dans la rue et virent les pompiers en train d'éteindre une voiture en flammes, un peu plus bas. Les gens étaient sortis de chez eux et commentaient l'événement. Certains tentèrent de s'approcher de la voiture, mais la police les en empêcha. Les flammes étaient éteintes lorsque le chef de la police arriva sur les lieux.

— Je pense qu'une voiture a pris feu et que le réservoir a explosé, expliqua Fernanda à ses enfants.

Il n'y avait plus grand-chose à voir, mais le quartier grouillait de policiers et de pompiers.

— C'était peut-être une voiture piégée, remarqua Will, tout excité.

Ils restèrent encore un moment dehors, puis rentrèrent malgré les protestations de Sam, qui voulait voir de plus près les camions de pompiers. De toute façon, ils n'auraient pas pu approcher, car la police avait bouclé le quartier et d'autres fourgons arrivaient. Une voiture incendiée ne justifiait pas un tel déploiement de forces, mais il est vrai que l'explosion avait été impressionnante et que Fernanda la première avait eu très peur.

— Je ne pense pas que ce soit une voiture piégée, les enfants. Un réservoir qui explose, ça fait beaucoup de bruit. La voiture devait sûrement brûler depuis un moment et personne ne s'en était aperçu.

— Pourquoi une voiture prendrait-elle feu ? s'enquit Ashley, qui essayait de comprendre.

L'idée lui semblait ridicule, mais un peu inquiétante.

— Ce sont des choses qui arrivent. Quelqu'un a peut-être laissé tomber un mégot par inadvertance. Ou alors, c'est un acte de vandalisme, mais dans ce quartier cela m'étonnerait.

Fernanda était à court d'explications.

— Moi, je suis sûr que c'était une voiture piégée, insista Will, ravi d'échapper à son devoir de sciences, qui l'ennuyait, et beaucoup plus passionné par ce qui venait de se produire.

— Tu joues trop avec ta Nintendo, lui dit Ashley avec un regard de mépris. Personne ne fait sauter des voitures. On ne voit ça que dans les films et à la télé.

Chacun retourna à ses occupations. Fernanda reprit la déclaration fiscale qu'elle devait remettre à Jack Waterman. En regagnant sa chambre, Will déclara qu'il ne pouvait pas terminer son devoir, car il n'avait plus de fil de cuivre, et sa mère promit de lui en racheter dès le lundi. Ashley s'assit près de Sam pour regarder la fin de la vidéo avec lui. Il fallut encore deux bonnes heures avant que les véhicules de police ne se retirent. Les pompiers, eux, étaient déjà partis depuis longtemps. Lorsque Fernanda prépara le dîner, le quartier avait retrouvé son calme. Elle achevait de débarrasser et mettait les assiettes dans le lave-vaisselle quand on sonna à la porte. Avant d'ouvrir, elle regarda par le judas et vit deux hommes, qui lui étaient inconnus. A travers la porte, elle leur demanda qui ils étaient et ils lui répondirent qu'ils étaient de la police, mais ils n'en avaient pas l'air. Ni l'un ni l'autre ne portait l'uniforme, et elle hésitait à leur ouvrir lorsque l'un d'eux lui présenta son badge. Alors seulement elle entrebâilla la porte et les examina. Ils semblaient corrects et s'excusèrent poliment de la déranger.

— Il y a un problème ? s'enquit-elle, perplexe.

Sur le moment, elle ne fit pas le lien entre leur visite et la voiture incendiée ou l'explosion. Elle ne comprenait pas pourquoi ils venaient la voir, et cela lui rappela brusquement les jours douloureux qui avaient suivi la mort d'Allan et ses discussions pénibles avec les autorités mexicaines.

— Nous aimerions vous parler quelques instants.

Les deux policiers en civil – l'un d'origine asiatique, l'autre blanc – devaient avoir la quarantaine et faisaient bonne impression. Ils se présentèrent comme les inspecteurs Lee et Stone, et lui tendirent leurs cartes. Ils n'avaient rien d'inquiétant. Tandis qu'ils lui parlaient dans le couloir, l'Asiatique lui sourit.

— Nous sommes désolés de vous avoir fait peur, madame. Il y a eu un incident dans votre rue cet après-midi, et si vous étiez chez vous, vous avez certainement entendu l'explosion.

Aimable et courtois, il la mit aussitôt à l'aise.

— Effectivement. Une voiture a pris feu. Je suppose que le réservoir a explosé.

— C'est une hypothèse plausible, commenta l'inspecteur Lee.

Il l'observait attentivement, comme s'il cherchait quelque chose. Apparemment, elle l'intriguait. L'autre inspecteur se taisait et laissait son coéquipier mener la conversation. Comme ils ne semblaient pas vouloir partir, Fernanda les invita à entrer.

— Cela ne vous ennuie pas ? Nous en avons juste pour quelques minutes.

Elle les conduisit à la cuisine et remit ses sandales restées sous sa chaise.

— Voulez-vous vous asseoir ?

Tandis qu'ils s'installaient, elle passa un rapide coup d'éponge sur la table, jeta les miettes de pain dans l'évier et prit un siège.

— Alors ? Que s'est-il passé ?

— C'est ce que nous cherchons à savoir en interrogeant les habitants du quartier. Y avait-il quelqu'un avec vous quand vous avez entendu l'explosion ?

Tout en lui parlant, l'inspecteur Lee jeta un coup d'œil autour de lui, notant l'élégance de la cuisine. Avec ses plans de travail en granit blanc, son équipement dernier cri, son lustre en verre de Venise, cette grande et belle pièce reflétait le luxe de l'imposante demeure bourgeoise, elle-même représentative de la réussite spectaculaire d'Allan au moment où il l'avait achetée. Simple et décontractée, la jeune femme lui paraissait presque déplacée dans ce cadre. Sa tenue, ses cheveux attachés par un simple élastique lui donnaient l'air d'une gamine, et elle avait à l'évidence préparé le repas, ce qui le surprenait aussi. Dans une maison comme celle-ci, il se serait attendu à trouver une cuisinière, et pas une ravissante jeune femme, pieds nus, en jean et tee-shirt.

— Mes enfants étaient avec moi, répondit-elle.

— C'est tout ?

En plus de la cuisinière, il aurait dû y avoir des domestiques, une gouvernante, peut-être une ou deux filles au pair, et même un maître d'hôtel. L'absence de tout personnel lui paraissait étrange, mais peut-être étaient-ils en congé le dimanche.

— Oui, c'est tout. Juste les enfants et moi, répondit-elle simplement.

— Votre mari n'était pas là ?

Elle hésita, baissa les yeux. Elle avait encore beaucoup de mal à en parler. Tout était trop frais dans sa mémoire et la faisait trop souffrir.

— Non, je suis veuve.

— Pardonnez-moi. L'un de vous est-il sorti avant l'explosion ?

Il posait ses questions avec gentillesse et, spontanément, elle avait de la sympathie pour lui. Jusque-là, l'inspecteur Lee était le seul à parler. L'inspecteur Stone n'avait encore rien dit, mais il examinait la cuisine en détail. Ils regardaient tout, et rien ne semblait leur échapper.

— Non. Nous sommes sortis après, pas avant. Pourquoi ? Vous soupçonnez quelque chose ? Quelqu'un aurait mis le feu à la voiture ?

Finalement, songea-t-elle, il s'agissait peut-être d'un acte criminel et non d'un simple accident.

— Nous ne savons rien encore, dit-il en lui souriant. Avez-vous regardé dehors, vu quelqu'un ou quelque chose d'inhabituel dans la rue ?

— Non. Je remplissais des papiers au salon. Ma fille dormait, mon plus jeune fils regardait une cassette vidéo, et l'autre faisait ses devoirs.

— Cela ne vous gêne pas que nous les interrogions ?

— Pas du tout. Les garçons seront ravis. Je vais les chercher.

Elle se dirigea vers la porte, s'arrêta et se retourna.

— Au fait, désirez-vous boire quelque chose ?

Les deux hommes déclinèrent l'offre et la remercièrent en souriant.

— Je reviens tout de suite.

Elle s'élança dans l'escalier qui menait aux chambres des enfants et leur expliqua que la police était en bas et souhaitait leur poser quelques questions. Comme elle s'en doutait, Ashley fit la grimace. Elle était au téléphone et ne voulait pas être dérangée. Sam, lui, était très excité.

— Ils vont nous arrêter ? s'enquit-il, un peu inquiet et en même temps plein d'espoir.

Will s'arracha à sa console de jeu.

— Alors ? J'avais raison ? C'était bien une voiture piégée ?

Visiblement, cette idée le séduisait.

— Non, je ne pense pas. Ils ne savent encore rien, mais ils voudraient vous demander si vous n'avez rien vu de particulier. Et ils ne vont pas nous arrêter, Sam. Je doute fort qu'ils te croient coupable.

Sam parut déçu. Will se leva pour suivre sa mère, tandis qu'Ashley ronchonnait :

— Pourquoi faut-il que je descende ? Je n'ai rien vu, puisque je dormais. Tu n'as qu'à leur dire, toi. Je suis occupée, je suis avec Marcy.

Elles avaient des affaires sérieuses à se raconter. Comme ce garçon de quatrième qui, depuis quelque temps, s'intéressait à elle. Pour Ashley, c'était beaucoup plus important et plus passionnant que l'enquête de la police.

— Dis à Marcy que tu la rappelleras, et viens expliquer toi-même aux policiers que tu dormais.

Sur ces mots, Fernanda redescendit : les trois enfants étaient derrière elle lorsqu'elle entra dans la cuisine. Les deux inspecteurs se levèrent et leur sourirent. Les enfants semblaient charmants, leur mère était jolie, et Ted Lee eut soudain de la peine pour elle. A la manière dont elle lui avait répondu, à l'expression douloureuse de ses traits, il avait senti que son veuvage était récent. Trente ans passés à questionner les gens et à les observer lui avaient donné un sixième sens pour ces choses-là. Entourée de ses enfants, elle paraissait plus à l'aise à présent.

Le garçonnet aux cheveux roux avait l'air d'un lutin et le dévisageait avec fascination.

— Maman dit que vous n'allez pas nous arrêter, déclara tout de suite Sam.

Ce qui fit rire tout le monde.

— Elle a raison, dit Ted en souriant à l'enfant. Mais tu aimerais peut-être participer à l'enquête. Qu'en penses-tu, fiston ? Nous pourrions t'embaucher, et quand tu seras grand, tu deviendras inspecteur.

— Je n'ai que six ans, s'excusa le petit garçon, visiblement désolé de ne pas être plus âgé pour pouvoir les aider.

— Ce n'est pas grave, le rassura Ted Lee. Comment t'appelles-tu ?

Il avait apparemment l'art de mettre les enfants à l'aise.

— Sam.

— Moi, je suis l'inspecteur Lee ; lui, c'est l'inspecteur Stone.

— C'était une bombe ? interrompit Will.

Convaincue que la question de son frère était idiote, Ashley leva les yeux au ciel. Elle avait hâte de remonter dans sa chambre et de reprendre la conversation interrompue avec son amie.

— Peut-être, répondit Ted Lee. C'est une possibilité, mais rien n'est encore certain. Les techniciens vont s'occuper de la carcasse de la voiture pour en apprendre le maximum. C'est fou ce qu'ils arrivent à découvrir.

Il se garda de leur dire qu'il s'agissait bien d'une bombe. Inutile de les effrayer et de semer la panique dans le voisinage. Il leur fallait maintenant retrouver le coupable.

— Est-ce que l'un de vous est sorti, a regardé par la fenêtre avant l'explosion ?

— Moi, dit aussitôt Sam.

— Toi ? s'étonna sa mère. Tu es sorti ?

Elle le dévisageait, incrédule, de même que son frère et sa sœur. Ashley était sûre qu'il mentait, pour se donner de l'importance devant les policiers.

— J'ai regardé par la fenêtre. Le film devenait ennuyeux.

— Et qu'est-ce que tu as vu ? s'enquit Ted, attentif.

Le gosse était à croquer. Il lui rappelait un de ses fils, quand il était petit. Comme lui, il était ouvert et drôle, direct avec les étrangers, ce qui le rendait irrésistible.

— Raconte-moi ce que tu as vu, Sam, dit encore Ted en s'asseyant pour être à sa hauteur.

Dès qu'il eut pris place sur la chaise, Sam le regarda droit dans les yeux sans hésiter.

— Il y avait des gens qui s'embrassaient, déclara-t-il d'un air de dégoût.

— Dans la rue ?

— Non, dans le film. Alors, je m'ennuyais. C'est idiot de s'embrasser.

Will ne put s'empêcher de sourire, pendant qu'Ashley ricanait ; Fernanda songea tristement que cela ne lui arriverait plus. Elle s'efforça de ne plus y penser, tandis que Ted reprenait le fil de ses questions :

— Qu'est-ce que tu as vu dehors ?

— Mme Farber qui promenait son chien. Il cherche toujours à me mordre.

— Ce n'est pas gentil. Tu as vu quelqu'un d'autre ?

— Oui. M. Cooper avec son sac de golf. Il joue au golf tous les dimanches. Et puis, il y avait un homme qui descendait la rue. Lui, je ne le connaissais pas.

— Il était comment ? demanda encore Ted, sur le ton de la conversation.

Sam plissa le front et réfléchit.

— Je ne sais pas. Je me souviens juste de l'avoir vu.

— Il avait l'air bizarre ? Il faisait peur ? Tu ne te rappelles pas un détail ?

Sam fit non de la tête.

— Je l'ai vu, j'en suis sûr, mais je n'ai pas fait très attention. Je regardais M. Cooper. Il a cogné Mme Farber avec son sac de golf, et le chien s'est mis à aboyer. Je voulais voir s'il allait le mordre.

— Et alors ? Il l'a mordu ?

— Non. Mme Farber a tiré sur la laisse et lui a crié dessus.

— Elle criait après M. Cooper ?

Ted souriait, et Sam lui rendit son sourire. Ce policier était très gentil, et c'était amusant de répondre à ses questions.

— Mais non, expliqua-t-il, elle criait après le chien. Pour qu'il ne morde pas M. Cooper. Ensuite, je suis retourné regarder la cassette, et soudain, il y a eu un grand « boum », comme si quelque chose explosait.

— Tu n'as rien vu d'autre ?

Sam plissa le front, se concentra de nouveau, puis il hocha la tête.

— Ah, et j'ai aussi vu une dame. Je ne la connaissais pas non plus. Elle courait.

— Dans quel sens ?

De la main, il fit signe qu'elle s'éloignait de la voiture incendiée.

— Tu te souviens d'elle ?

— Pas vraiment. Elle ressemblait un peu à Ashley.

— Elle était avec l'homme que tu ne connaissais pas ?

— Non. Il venait dans l'autre sens, et elle lui est rentrée dedans. Le chien de Mme Farber s'est mis à aboyer après la dame, mais elle a continué à courir. Et je n'ai rien vu d'autre.

Son récit terminé, Sam les regarda tous d'un air gêné. Il avait peur qu'on l'accuse de faire le malin. C'était déjà arrivé.

— C'est très bien, Sam, le complimenta Ted.

Puis il reporta son attention sur le frère et la sœur.

— Et vous ? Avez-vous remarqué quelque chose ?

— Je dormais, déclara simplement Ashley.

Elle avait cessé de bouder, trouvait l'inspecteur sympathique et s'intéressait aux questions.

— Je faisais mes devoirs, ajouta Will. Je n'ai levé le nez qu'au moment de l'explosion. J'avais le match des Giants en fond sonore, mais ça a été terrible.

— Cela ne m'étonne pas, dit Ted avant de se lever. Si l'un de vous se souvient d'un détail, qu'il m'appelle. Votre maman a nos numéros de téléphone.

Tous hochaient la tête quand Fernanda se souvint qu'elle voulait lui demander quelque chose.

— A qui appartenait la voiture ? A quelqu'un du quartier ou à un visiteur de passage ?

Elle n'avait pas pu identifier le véhicule, à cause des flammes et des camions de pompiers qui l'entouraient.

— A l'un de vos voisins, le juge McIntyre. Vous le connaissez sûrement. Il était en déplacement, mais son épouse était là. Elle s'apprêtait à sortir faire une course quand l'accident s'est produit. Une chance qu'elle ait été chez elle et pas dans la voiture, mais elle a eu une peur bleue.

— Moi aussi, j'ai eu peur, renchérit Sam.

— Nous avons tous eu peur, reconnut Fernanda.

— On aurait dit que le pâté de maisons sautait. Je parie que c'était une bombe, ajouta Will qui n'en démordait pas.

— Nous vous tiendrons informés, affirma Ted.

Fernanda en doutait.

— Vous pensez que le juge McIntyre était visé, si c'était une bombe ? lui demanda-t-elle avec intérêt.

— Sans doute pas. Je pense plutôt que c'est tombé sur lui par hasard.

Cette fois, elle ne le crut pas. Il y avait trop de voitures de police sur les lieux, et le chef des forces de l'ordre s'était déplacé en personne. Elle commençait à se demander si Will n'avait pas raison. Il était clair qu'ils recherchaient quelqu'un et qu'ils avaient ouvert une enquête. Trop de choses étaient mises en œuvre pour un incendie accidentel.

L'inspecteur Lee les remercia, puis son collègue et lui s'en allèrent. Pensive, Fernanda referma la porte derrière eux.

— Très intéressant, lança-t-elle à Sam.

Il n'était pas peu fier d'avoir répondu à toutes ces questions, et ils en discutèrent en montant l'escalier. Lorsque les enfants eurent regagné leurs chambres, Fernanda redescendit pour terminer le nettoyage de la cuisine.

— Mignon, le gamin, dit Ted Lee à Jeff Stone tandis qu'ils se dirigeaient vers la maison voisine.

Personne n'y avait rien vu de particulier. Ils firent le tour du quartier, frappèrent chez les Farber et chez les Cooper, dont Sam avait parlé. Personne n'avait rien remarqué. Trois heures plus tard, de retour au bureau, Ted pensait encore à l'adorable petit rouquin. Il ajoutait du lait à son café quand Jeff Stone eut soudain une idée.

— Nous avons reçu le profil de Carlton Waters, cette semaine. Tu te souviens de lui ? Le type qui a été jugé, comme s'il était majeur, pour avoir tué un couple, à dix-sept ans. Il a fait appel trois cents fois pour essayer d'être gracié, sans y parvenir. Il est sorti de prison cette semaine. Probation à Modesto, je crois. Ce n'était pas McIntyre qui jugeait cette affaire ? Il me semble que j'ai lu ça quelque part. Waters prétendait qu'il n'avait pas tiré, qu'il était innocent comme l'enfant qui vient de naître et que c'était son complice qui avait appuyé sur la détente. Mais le juge n'a jamais douté de sa culpabilité. Le complice a été exécuté à San Quentin, quelques années plus tard. Je crois que Waters était à Pelican Bay.

Ted but une gorgée de café fumant et posa sa tasse.

— Qu'est-ce que tu essaies de me dire, vieux ? Que c'est Waters qui a fait le coup ? Ce ne serait pas bien malin de sa part. Waters n'est pas assez débile pour faire sauter le juge qui l'a condamné, vingt-quatre ans plus tard, deux jours après sa sortie de prison. J'ai lu des articles de lui. Ce n'est pas un imbécile. Il sait bien que sur un coup comme ça, il serait le premier auquel les flics penseraient, et que ce serait le billet de retour définitif pour Pelican Bay par le premier express. C'est forcément quelqu'un d'autre, ou un simple hasard. Le juge McIntyre a dû se mettre un paquet de gens à dos avant de prendre sa retraite. Waters n'est pas le seul qu'il ait expédié en prison.

— C'était juste une idée. Une simple coïncidence, je suppose. Mais ça vaudrait peut-être quand même le coup de faire un saut à Modesto. Qu'en penses-tu ?

— Pourquoi pas ? De mon point de vue, c'est une fausse piste, mais si tu crois qu'il y a quelque chose à glaner, je n'ai rien contre une balade à la campagne. Nous partirons demain matin, pour y être à 19 heures. D'ici là, il y aura peut-être du nouveau.

Mais personne n'avait rien repéré de suspect dans le quartier. Ils avaient fait chou blanc sur toute la ligne.

Le seul élément concret fut le rapport de la police scientifique confirmant qu'il s'agissait bien d'une bombe, qui aurait fait des dégâts si le juge et sa femme s'étaient trouvés dans la voiture. Equipé d'une minuterie, l'engin avait explosé prématurément, et la femme du juge avait raté son rendez-vous avec la mort de cinq bonnes minutes. Lorsqu'ils appelèrent le juge au numéro qu'elle leur avait donné, il leur dit qu'il était convaincu qu'il s'agissait d'une tentative d'attentat contre lui. Mais, comme Ted, il ne pensait pas que Carlton Waters en était l'auteur. Le bonhomme avait tout fait pour obtenir sa libération. Il n'aurait pas pris ce risque dès sa sortie de prison.

— Ce type est malin comme un singe, commenta McIntyre au bout du fil. J'ai lu quelques-uns de ses articles. Il se prétend toujours innocent, mais il n'est pas bête au point de me faire sauter dès la première semaine.

A la retraite depuis cinq ans, le juge voyait une bonne dizaine de suspects possibles, d'anciens détenus qui lui vouaient toujours une haine féroce.

Ted et Jeff se rendirent néanmoins à Modesto. Ils arrivèrent au foyer au moment où Malcolm Stark, Jim Free et Carlton Waters rentraient de dîner. Free les avait emmenés à la cafétéria de la station-service, pour leur présenter sa copine.

— Bonsoir, messieurs, les salua aimablement Ted.

Mais, dotés d'un flair capable de repérer un flic à vingt lieues à la ronde, les trois hommes se fermèrent, méfiants.

— Qu'est-ce qui vous amène par ici ? s'enquit Waters lorsqu'ils eurent expliqué d'où ils venaient.

— Un petit incident survenu hier dans notre secteur. Une bombe dans la voiture du juge McIntyre. Le nom vous est sans doute familier, déclara Ted en regardant Waters droit dans les yeux.

— Effectivement. Un brave type s'il en est, répondit ce dernier sans hésiter. Si j'avais pu, je l'aurais posée moi-même, mais il ne vaut pas la peine de retourner au trou. Ils ont réussi à le tuer ? poursuivit-il, plein d'espoir.

— Non. Par chance, il était en déplacement. Mais celui qui a fait ça a bien failli avoir sa femme. La bombe a explosé cinq minutes trop tôt.

— Dommage, commenta Waters, imperturbable.

Lee l'observait. A l'évidence, l'homme était intelligent et froid. Mais le juge avait sans doute raison. Waters n'aurait pas risqué de retourner en prison en faisant sauter la voiture de celui qui l'avait condamné. Encore que... Un être aussi froid et calculateur pouvait avoir tous les culots. Il lui suffisait de prendre un bus pour se rendre sur place, de poser la bombe et de regagner Modesto à temps pour 21 heures, et même avant. Le tour était jouable, mais quelque chose disait à Ted que

Waters n'était pas leur homme. Evidemment, leur petit trio n'avait rien d'angélique. Il savait qui étaient les deux autres, et depuis combien de temps ils étaient sortis. Ted regardait toujours les dossiers des détenus relaxés et se souvenait de leurs noms. Belle brochette de truands que ceux-là. Il n'avait jamais cru à l'innocence de Waters et ne lui faisait pas confiance. Tous les criminels prétendaient avoir été trahis par leur petite amie, leur complice ou leur avocat. Un truc vieux comme le monde qu'il n'avait que trop entendu. Waters était un dur, le type même du sociopathe, brillant et sans conscience.

— Où étiez-vous hier, à propos ? s'enquit-il tandis que l'autre le fixait de son regard glacial.

— Dans le coin. J'ai pris le bus pour rendre visite à des parents. Ils n'étaient pas là, alors je suis resté un moment à les attendre devant le porche, et finalement je suis rentré et j'ai passé le reste de la journée avec ces deux-là.

Il n'avait vu personne qui puisse confirmer la première partie de son alibi. Inutile de demander des noms.

— Quelqu'un peut nous prouver que vous étiez bien là-bas ? poursuivit Ted sans cesser de le regarder droit dans les yeux.

— Deux chauffeurs d'autobus. J'ai gardé le talon des billets, si ça vous intéresse.

— Eh bien, voyons ces talons.

Malgré son évidente irritation, Waters alla les chercher dans sa chambre. Ils indiquaient une destination dans la région de Modesto. Les billets avaient bien été utilisés car il n'en restait que la moitié. Bien sûr, Waters avait pu les déchirer lui-même, mais Ted Lee en doutait. Il lui rendit les talons et l'autre ne fit aucune remarque.

— Bon. Tenez-vous tranquilles, tous les trois. Nous reviendrons vous voir en cas de besoin.

Le trio savait que les flics avaient le droit de les interroger et même de les fouiller. Ils étaient en liberté conditionnelle.

— Mouais, et faites gaffe de ne pas vous cogner dans la porte en sortant, grommela Jim Free entre ses dents alors qu'ils s'en allaient.

Ted et Jeff firent mine de n'avoir rien entendu, regagnèrent leur voiture et démarrèrent sous le regard haineux de Waters.

— Saleté de flics, remarqua Malcolm Stark.

Waters s'abstint de tout commentaire. Il pivota sur ses talons et rentra au foyer. Il se demandait si les policiers de San Francisco viendraient l'interroger dès qu'ils auraient un pet de travers. Tant qu'il serait en liberté conditionnelle, ils auraient tous les droits sur lui, que cela lui plaise ou non. Et il ne voulait pas retourner à l'ombre. A aucun prix.

— Alors, ton opinion ? demanda Ted à son collègue quand ils furent en route. Tu le crois blanc comme neige ?

Ted était partagé et le jugeait capable de tout. D'instinct, il le soupçonnait, mais sa raison lui disait qu'un autre avait posé l'engin. Waters était bien trop intelligent pour commettre une bourde pareille. Cependant, il avait l'air d'un criminel endurci. La bombe n'était peut-être qu'un avertissement annonciateur d'événements plus graves, car si elle avait fonctionné normalement, elle n'aurait tué le juge ou sa femme que s'ils s'étaient trouvés dans la voiture ou à proximité au moment de l'explosion.

— Blanc comme neige, mon œil, répondit Jeff Stone. Ce type est une ordure. Il est tout sauf innocent des crimes qui l'ont expédié en cabane. Je lui crois assez de culot pour débouler en ville, poser la bombe dans la voiture de McIntyre et rentrer au bercail sans même rater un repas. Il est capable de tout, mais je doute qu'il ait fait le coup. Il ne m'inspire aucune confiance. Je suis certain qu'on n'en a pas fini avec lui.

Tous deux savaient d'expérience que trop de malfrats de ce genre retournaient droit en prison.

— Mouais. On devrait peut-être montrer sa photo dans tout le quartier. Si ça se trouve, le petit Barnes le reconnaîtrait en voyant le portrait.

Jeff hocha la tête en repensant aux trois hommes qu'ils venaient de rencontrer. Un kidnappeur, un assassin et un passeur de drogue. Une belle brochette de malfaiteurs.

— Ça ne peut pas faire de mal. Je m'occuperai des tirages en rentrant. Nous irons les montrer mardi, au cas où quelqu'un se souviendrait de l'avoir vu.

— Je te parie que cela ne donnera rien, dit Ted au moment où ils s'engageaient sur la nationale.

Il faisait chaud à Modesto, et ils n'avaient pas tiré grand-chose de leur visite, mais Ted ne le regrettait pas. Il n'avait jamais vu Carlton Waters auparavant, et l'homme valait le déplacement. Une sale engeance, à vous flanquer la chair de poule. Ted était sûr qu'ils le reverraient. Il n'avait pas le profil du réinséré. Après vingt-quatre ans de prison, il était probablement beaucoup plus dangereux qu'avant son incarcération. Il avait passé les deux tiers de sa vie à l'école du crime. Pas de quoi se réjouir. Ted espérait seulement qu'il ne tuerait personne avant de retourner d'où il venait.

Les deux inspecteurs roulèrent un moment en silence, puis ils reprirent leur discussion sur la voiture piégée. Jeff allait consulter la base de données pour sortir la liste de tous les malfaiteurs que le juge McIntyre avait condamnés au cours des vingt dernières années. Celui qui avait fait le coup devait être sorti depuis plus longtemps que Waters. Ils n'avaient qu'une seule certitude : l'explosion ne devait rien au hasard. La bombe visait le juge ou, à défaut, sa femme, ce qui n'avait rien de rassurant. Mais ils finiraient bien par mettre la main sur le malfaiteur. D'ici là, Carlton Waters n'était pas pour autant sorti d'affaire. Son alibi n'était pas prouvé, mais rien ne permettait de lui imputer le crime, et son collègue soupçonnait comme lui qu'ils ne trouveraient rien. Waters était bien trop malin pour ne pas couvrir ses traces, s'il avait fait le coup. Mais Ted le tiendrait à l'œil. A présent qu'il l'avait vu, il ne doutait plus qu'un jour ou l'autre Carlton Waters serait à nouveau sur sa route. C'était inévitable.

7

Le mardi à 17 heures, on sonna à la porte de Fernanda, qui était dans sa cuisine en train de lire une lettre de Jack Waterman, dans laquelle il lui indiquait ce qu'elle devait vendre et le prix qu'elle pourrait en tirer. Il avait fait une évaluation moyenne, mais ils espéraient que, si elle vendait tout, y compris les nombreux bijoux qu'Allan lui avait offerts, elle pourrait refaire sa vie sans plus de dettes, ce qu'elle désirait par-dessus tout. Au mieux, il lui faudrait repartir de rien, et elle ne savait pas comment elle subviendrait à ses besoins dans les prochaines années ni comment payer les études des enfants. Elle aviserait le moment venu. Dans l'immédiat, elle vivait au jour le jour, en s'efforçant de garder la tête hors de l'eau.

Will était théoriquement en train de faire ses devoirs, Sam jouait dans sa chambre et Ashley répétait son spectacle à l'école de danse jusqu'à 19 heures. Ils dîneraient tard ce soir-là, ce qui laissait à Fernanda le temps de réfléchir à ses problèmes. Elle était dans la cuisine quand le bruit de la sonnette la fit sursauter. Elle n'attendait personne, ne pensait plus à l'explosion de la voiture piégée deux jours plus tôt, et fut surprise de voir Ted Lee à travers le judas. Il était seul et portait une chemise blanche, une cravate foncée et un blazer.

Elle lui ouvrit, s'étonnant qu'il soit si grand. Il tenait une enveloppe en papier kraft et paraissait hésiter, jusqu'à ce qu'elle l'invite à entrer. Elle avait les cheveux dénoués et semblait lasse et soucieuse. Il se demanda ce qui la rongeait. Pourtant, elle lui sourit, s'efforçant de paraître détendue.

— Bonsoir, inspecteur. Vous allez bien ? s'enquit-elle avec un pauvre sourire.

— Pas mal. Je suis désolé de vous déranger. Je voulais juste vous montrer une photo.

Il regarda autour de lui, comme il l'avait fait le dimanche. Difficile de ne pas être impressionné par cette maison et les objets de valeur qu'elle contenait. En jean et tee-shirt, la jeune femme semblait presque déplacée dans ce cadre qui ressemblait un peu à un musée et où on s'attendait plutôt à la voir descendre l'escalier en robe du soir, un manteau de fourrure sur le bras. Mais elle n'était pas ce genre de femme. Ted le sentait et la trouvait sympathique. Malgré le chagrin qu'elle portait sur son visage, elle paraissait douce et équilibrée. Il la sentait très attachée à ses enfants, prête à les défendre bec et ongles. Il se trompait rarement sur les gens et se fiait à son intuition.

— A-t-on retrouvé celui qui a fait sauter la voiture du juge McIntyre ? demanda-t-elle en le conduisant au salon.

Elle lui fit signe de s'asseoir sur un des confortables canapés en velours. La pièce était dans les tons beiges, les murs tendus de soie et les rideaux de brocart, comme dans un palace. Ce n'était pas loin de la vérité car Allan et elle les avaient achetés dans un palazzo de Venise.

— Pas encore, mais nous vérifions certaines pistes. Je veux vous montrer une photo, pour savoir si vous reconnaissez cet homme et, si Sam est ici, j'aimerais qu'il y jette un coup d'œil.

Il était tracassé par l'inconnu que l'enfant avait aperçu. Dommage qu'il n'ait pas pu le décrire, mais, s'il reconnaissait le portrait de Carlton Waters... Non, ce serait trop simple. Les miracles se produisaient parfois, mais Ted ne comptait pas dessus. La chance ne le favorisait pas à ce point. Retrouver un suspect prenait généralement plus de temps, sauf exception, bien sûr. Et il espérait que c'en serait une.

Il sortit de l'enveloppe un agrandissement et le tendit à Fernanda, qui l'examina longuement, comme fascinée. Enfin, elle secoua la tête et le lui rendit.

— Non, je ne crois pas l'avoir vu, murmura-t-elle.

— Mais peut-être que si ? insista Ted en l'observant attentivement.

Elle était à la fois fragile et forte, étrangement triste dans ce décor splendide, ce qui était normal puisqu'elle venait de perdre son mari.

— Je ne pense pas, non, mais sa tête me dit quelque chose. Il y a des visages comme ça. Pourquoi ? Je devrais le connaître ?

Elle plissait le front et s'efforçait de fouiller dans sa mémoire.

— Vous avez dû voir sa photo dans le journal. Il vient de sortir de prison, et l'affaire a fait du bruit. Il avait été condamné pour meurtre avec un de ses amis, à l'âge de dix-sept ans, et il clame depuis vingt-quatre ans son innocence. Il a toujours dit que c'était son complice qui avait tiré.

— Peu importe le coupable, c'est affreux. Vous croyez à son innocence ?

D'après la photo, elle le croyait capable de meurtre.

— A franchement parler, non. Ce n'est pas un imbécile, mais, avec le temps, peut-être croit-il à son propre récit. Cela s'est déjà vu, et les prisons sont pleines de gens qui s'imaginent incarcérés à tort, à cause de mauvais juges ou d'avocats véreux. Hommes ou femmes, peu de détenus reconnaissent leurs crimes.

— Qui a-t-il tué ? s'enquit Fernanda en frissonnant d'horreur.

— Un couple de voisins. Ils ont bien failli assassiner leurs deux enfants, mais se sont dit qu'ils étaient trop jeunes pour les identifier. Ils ont tué les parents pour deux cents dollars. Le cas n'est pas rare. Violence gratuite. On tue pour trois fois rien, un peu de drogue, un pistolet. C'est pour cela que je ne travaille plus à la brigade criminelle. C'est trop démoralisant. On finit par douter de l'humanité et se poser des questions auxquelles il vaut mieux ne pas répondre. Les criminels de ce genre sont une espèce à part, que le commun des mortels ne peut pas comprendre.

Elle hocha la tête en songeant que ce qu'il faisait maintenant n'était guère mieux. Le juge ou sa femme auraient parfaitement pu être tués par l'explosion de la voiture. Mais c'était sûrement moins atroce que le meurtre de sang-froid imputé à Carlton Waters. Rien qu'à voir sa photo elle avait la chair de poule. Même sur le papier, il paraissait dur et terrifiant. Si un jour elle avait vu Carlton Waters, elle se serait souvenue de lui.

— Vous pensez que vous retrouverez celui ou celle qui a fait sauter la voiture du juge ?

Elle était curieuse de savoir à quel point la police s'impliquait pour résoudre les crimes, et quel était son pourcentage de réussite. Ted Lee paraissait prendre sa tâche à cœur. La bonté et l'intelligence se lisaient sur ses traits et dans ses yeux. Elle l'aurait cru plus dur et ne s'attendait pas à trouver tant d'humanité chez un inspecteur de police.

— Nous parviendrons peut-être à mettre la main sur lui. En tout cas, nous nous y emploierons. S'il a frappé au hasard, ce sera plus dur, car dans ce cas il n'y a aucune raison particulière et ce peut être l'œuvre de n'importe qui. Mais quand on creuse, c'est fou ce que l'on découvre. Cependant, dans la mesure où il s'agit d'un juge, le mobile de la vengeance est le premier qui vienne à l'esprit. Il peut s'agir d'un ancien détenu qui pense avoir être condamné à tort par McIntyre. Dans ce cas, nous aurons moins de peine à le retrouver. Ce qui explique nos soupçons concernant Waters. Il est sorti de prison la semaine dernière, et c'est McIntyre qui l'a condamné.

« Vingt-quatre ans de rancune, cela paraît excessif, et ce ne serait pas bien malin de faire sauter la voiture du juge sitôt en liberté. A priori, Waters est plus fin que ça, mais il se sent peut-être plus à l'aise derrière les barreaux. Si notre coupable est quelqu'un dans son genre, nous finirons par le savoir. Il parlera un jour ou l'autre, et nous en serons avertis. Beaucoup de pistes viennent de coups de fil anonymes ou d'informateurs que nous payons.

C'était un monde parallèle terrifiant, dont Fernanda ignorait tout et ne voulait rien connaître. Pourtant, malgré sa peur, elle l'écoutait parler avec fascination.

— Dans ce milieu, les gens se connaissent, tissent des réseaux et ne savent pas garder un secret. C'est plus fort qu'eux, il faut qu'ils parlent et ils finissent toujours par le faire, ce qui nous aide. En attendant, nous suivons les pistes dont nous disposons et nous vérifions nos intuitions. C'est le cas pour Waters. Ce n'est qu'une hypothèse, un peu trop évidente sans doute, mais il faut vérifier. Cela vous ennuie si je montre la photo à Sam ?

— Pas du tout.

Elle était curieuse de savoir si Sam le reconnaîtrait, mais elle ne voulait pas qu'il coure un risque en identifiant un criminel qui pourrait vouloir se venger plus tard. La question méritait d'être posée.

— S'il le reconnaît, vous ne dévoilerez pas son identité ?

— Bien sûr que non. Nous ne mettrions pas un enfant de six ans en danger, répondit Ted avec douceur. Ni même un adulte, d'ailleurs. Nous faisons toujours en sorte de protéger nos sources.

Elle hocha la tête, soulagée, et se dirigea vers l'escalier majestueux, invitant l'inspecteur à la suivre. En levant les yeux, Ted fut impressionné par la taille du lustre en cristal. Il venait d'un palais viennois qui tombait en ruine. Fernanda l'avait acheté sur place et fait expédier à San Francisco, en pièces détachées.

Elle frappa à la porte de la chambre de Sam avant de l'ouvrir. Assis par terre, l'enfant cessa de jouer lorsqu'il aperçut Ted derrière sa mère et lui sourit.

— Bonjour. Vous venez m'arrêter ?

La visite de l'inspecteur ne l'inquiétait nullement ; il semblait même ravi de le revoir. En répondant à ses questions, le dimanche, il s'était senti très important. Et même s'il ne l'avait vu qu'une fois, il savait que Ted était gentil et aimait les enfants.

— Non. Je ne viens pas t'arrêter. Je t'ai apporté un cadeau.

Il avait oublié de prévenir Fernanda. Cela lui était sorti de l'esprit pendant leur conversation. Il fouilla dans sa poche et tendit un objet à l'enfant, qui le prit et écarquilla les yeux de surprise. C'était une belle étoile en laiton, semblable à celle en argent que Ted portait sur lui.

— A présent, te voilà inspecteur de police adjoint, Sam. Cela signifie que tu dois toujours dire la vérité. Et si tu aperçois des méchants ou des gens suspects dans le quartier, il faut que tu m'appelles.

Au centre de l'étoile étaient gravés le chiffre 1 et, en dessous, les lettres SFPD, sigle de la police de San Francisco. Sam la contemplait, béat d'admiration devant ce cadeau qui valait tous les diamants. Attendrie, Fernanda ne put s'empêcher de sourire en remerciant Ted. C'était vraiment gentil de sa part. Et Sam ne se tenait plus de joie.

— Je suis très impressionnée, déclara-t-elle à son fils.

Suivie de Ted, elle s'avança dans la chambre décorée avec goût, comme le reste de la maison. Elle était dans les tons bleu nuit avec des touches de rouge et de jaune, et il y avait là tout ce dont peut rêver un jeune garçon : une grande télévision et un magnétoscope pour regarder des cassettes, une minichaîne, et une bibliothèque remplie de livres et de jeux. Au centre de la pièce, il y avait des Lego, et la voiture téléguidée avec laquelle il s'amusait à leur arrivée. Un siège avec des coussins avait été aménagé sous la fenêtre, et c'est sans doute depuis ce poste d'observation que, dimanche, Sam avait aperçu l'inconnu qu'il n'avait pas su décrire.

Ted lui tendit le portrait de Carlton Waters et lui demanda s'il l'avait déjà vu. Comme sa mère avant lui, l'enfant examina l'agrandissement pendant un long moment. Même sur le papier, le regard de Waters vous accrochait et vous troublait. Après sa visite de la veille à Modesto, Ted savait que, dans la réalité, ses yeux étaient plus froids encore. Il se taisait pour ne pas distraire le petit garçon, attendant patiemment en silence et en l'observant, tout comme sa mère. A l'évidence, Sam réfléchissait, cherchait dans ses souvenirs. Enfin, il se décida, fit non de la tête, mais demeura pensif. Le détail n'échappa pas à Ted.

— Il fait peur, déclara-t-il en lui rendant la photo.

— Trop peur pour que tu nous dises que tu l'as vu ? s'enquit Ted en scrutant ses yeux. N'oublie pas que tu es inspecteur adjoint, maintenant. S'il te rappelle quelqu'un, il faut le dire. Ne t'inquiète pas, il ne le saura jamais.

Ted tenait à le rassurer comme il avait rassuré sa mère, mais l'enfant secoua de nouveau la tête.

— Je crois que l'homme dans la rue avait aussi les cheveux blonds, mais il ne lui ressemblait pas.

— Qu'est-ce qui te fait dire ça ? Tu peux me dire à quoi il ressemblait ?

Certains détails revenaient plus tard, c'était fréquent, même chez les adultes.

— Non, reconnut Sam en toute franchise. Mais quand je regarde la photo, je vois bien que ce n'est pas le monsieur de la rue. C'est un méchant, celui de la photo ?

Le petit ne semblait pas avoir peur. Il était en sécurité chez lui, avec sa mère et son nouvel ami de la police, il savait qu'il n'avait rien à craindre. En dehors du décès de son père, il ne lui était rien arrivé de sérieux, et il ne lui serait pas venu à l'esprit qu'on puisse lui vouloir du mal.

— Un méchant très méchant, répondit Ted.

— Il a tué quelqu'un ?

Tout cela intéressait vivement l'enfant. Pour lui, ce n'était qu'une histoire passionnante sans la moindre réalité, de sorte qu'il ne voyait pas le danger.

— Il a tué deux personnes, avec l'aide d'un ami.

Fernanda s'inquiéta soudain de ce que Ted lui racontait. Elle ne tenait pas à ce qu'il lui parle des deux enfants brutalisés, ne voulait pas que Sam fasse de nouveaux cauchemars. Depuis la mort de son père, il en faisait fréquemment, avait peur qu'elle ne meure, peur de mourir lui-même. C'était de son âge, et d'autant plus normal après ce qui était arrivé. Ted le sentit. Il avait des enfants et ne voulait pas effrayer Sam inutilement.

— On l'a mis en prison pendant très longtemps pour le punir de son crime, ajouta-t-il.

Une précision qu'il jugeait importante. L'enfant devait comprendre qu'on ne laissait pas des tueurs se promener en liberté et qu'ils payaient les conséquences de leurs actes.

— Il est sorti, maintenant ? s'enquit Sam, intrigué.

Il devait bien l'être, puisque Ted lui demandait s'il l'avait vu dimanche, dans la rue.

— Il est sorti la semaine dernière, mais il a passé vingt-quatre ans en prison. Je crois qu'il a compris la leçon.

Ted se voulait rassurant. C'était délicat d'expliquer ces choses à un enfant de son âge, mais il faisait de son mieux. En général, il s'entendait bien avec les petits et il les adorait. Fernanda l'avait remarqué, et devinait qu'il devait en avoir, lui aussi. Il portait une alliance, donc il était marié.

— Alors, pourquoi pensez-vous qu'il a fait sauter la voiture ? poursuivit Sam avec finesse.

C'était une bonne question, qui prouvait son intelligence et sa logique.

— On ne sait jamais. Les gens surgissent parfois où on ne les attend pas. Maintenant que tu es inspecteur adjoint, il faut que tu te mettes ça dans la tête, que tu vérifies toutes les pistes, y compris les plus improbables. Il arrive qu'on ait de grosses surprises, et même qu'on retrouve le coupable.

— Vous croyez qu'il a fait le coup ? Je veux dire, pour la voiture ? demanda encore Sam, que l'enquête fascinait.

— Non, je ne crois pas. Mais il fallait que je vienne vérifier. Suppose que l'homme de la photo soit celui que tu as vu dimanche, et que je ne te l'aie pas montrée. Alors, il nous aurait échappé, et ce n'est pas ce que nous voulons, n'est-ce pas ?

Sam fit non de la tête. Les deux adultes échangèrent un sourire, et Ted rangea le portrait dans l'enveloppe. Il se doutait bien que Waters n'était pas assez bête pour faire une chose aussi grossière. Mais il avait tout de même obtenu un renseignement de Sam. Il savait à présent que le suspect était blond. Une petite pièce du puzzle venait de se mettre en place, c'était toujours ça de gagné.

— Au fait, ta chambre me plaît bien. C'est super ce que tu as là.

Sam leva les yeux vers lui.

— Vous avez des enfants ?

Il tenait son étoile à la main comme si c'était le plus beau des trésors. Pour lui, c'en était un, et Fernanda était touchée de l'attention de l'inspecteur.

— Oui, j'en ai trois, dit ce dernier en ébouriffant d'une main paternelle les cheveux du garçon. Ils sont grands maintenant. Deux sont étudiants à l'université, et le troisième travaille à New York.

— Il est dans la police ?

— Non, il est agent de change. Aucun de mes fils ne voulait devenir policier.

Au début, il avait été déçu, mais finalement il pensait que ce n'était pas plus mal. C'était un métier pénible, dangereux et souvent routinier. Ted l'avait toujours aimé et ne regrettait pas son choix, mais Shirley tenait beaucoup à ce que leurs fils poursuivent leurs études. L'un faisait son droit, l'autre, médecine. Il était fier d'eux.

— Et toi, Sam ? Qu'est-ce que tu voudrais faire, quand tu seras grand ?

Ted se doutait bien que l'enfant était trop jeune pour le savoir. Mais son père devait lui manquer, et l'attention d'un adulte ne pouvait que lui faire du bien. Au cours de ses deux visites, il n'avait pas vu trace de présence masculine dans la maison. Quelle que soit la vie de Fernanda depuis la mort de son mari, son fils aîné semblait le seul homme de la maison. Elle avait l'air tendu, anxieux et vulnérable des femmes qui affrontent seules l'adversité.

— Je veux être joueur de base-ball, déclara Sam.

Puis il baissa les yeux sur l'étoile en laiton, la contempla amoureusement et ajouta :

— Ou alors policier.

Les deux adultes sourirent, et tandis que Fernanda se réjouissait d'avoir un si gentil petit garçon, Will entra dans la pièce. Il avait entendu leurs voix depuis sa chambre et se demandait qui était là. En voyant Ted, il sourit à son tour, et Sam s'empressa de lui dire qu'il était maintenant inspecteur adjoint.

— Super cool ! Au fait, pour la voiture, c'était bien une bombe ? continua-t-il en se tournant vers Ted.

Ce dernier hocha gravement la tête.

— Oui, c'en était une.

Comme son petit frère, il était bien élevé et intelligent. Fernanda avait décidément trois beaux enfants.

— Vous savez qui a fait le coup ? demanda encore Will.

Ted sortit le portrait de l'enveloppe et le lui tendit.

— Tu as déjà vu cette tête-là, dans le quartier ?

— Pourquoi ? C'est le coupable ?

Will examina longuement le portrait, fasciné lui aussi par le regard de Carlton Waters. Puis il fit signe que non et rendit la photo à Ted. Aucun d'eux n'avait vu l'ex-détenu. C'était déjà quelque chose. Waters n'était pas pour autant innocenté, mais sa culpabilité devenait plus improbable.

— Simple vérification de routine. Rien ne permet de le relier au crime, pour le moment. Tu es sûr de ne l'avoir jamais vu ?

— Jamais. Vous avez d'autres suspects ?

Will était content de discuter avec lui, il trouvait que c'était un type bien. Il dégageait une impression d'honnêteté et de droiture et avait un bon contact avec les jeunes.

— Pas encore. Nous vous tiendrons au courant.

Ted consulta sa montre. Il lui fallait partir. Fernanda le raccompagna, et il resta quelques instants devant la porte à l'observer. Malgré le luxe qui l'entourait, elle lui faisait de la peine.

— Vous avez une magnifique maison et de très beaux objets, remarqua-t-il. Je suis désolé pour votre mari.

Il savait à quel point il était important de pouvoir compter sur l'autre. Shirley et lui étaient très attachés l'un à l'autre, même si, après vingt-huit ans de mariage, la passion n'était plus là. Il sentait l'isolement de Fernanda, la solitude qui l'enveloppait comme un linceul.

— Moi aussi, murmura-t-elle tristement.

— C'était un accident ?

Elle hésita et leva vers lui un regard si douloureux qu'il en fut bouleversé.

— Probablement... Nous n'en sommes pas certains.

De nouveau, elle hésita. Curieusement, elle se sentait à l'aise avec lui. C'était inexplicable, mais elle lui faisait confiance.

— C'est peut-être un suicide. Il est tombé d'un bateau en pleine nuit, au Mexique. Il était seul à bord.

— Je suis vraiment désolé, répéta-t-il.

Après avoir ouvert la porte, il se retourna une dernière fois pour la regarder.

— Si nous pouvons faire quelque chose pour vous, n'hésitez pas.

Le contact humain était ce qu'il aimait dans son travail. Les rencontres comme celle-ci compensaient bien des choses. Cette femme et ses enfants l'avaient touché au cœur. Quelle que soit leur fortune, et elle semblait considérable, ils avaient leurs peines, eux aussi. Le malheur s'abattait sur les riches comme sur les pauvres sans distinction, et que l'on croule sous l'or ou que l'on soit démuni, on souffrait tout autant. Quelle que soit la taille de sa maison ou de son lustre en cristal, cela ne l'aidait pas à réchauffer son lit, et elle se retrouvait seule, avec ses trois enfants à élever. S'il lui était arrivé quelque chose, Shirley se serait trouvée dans la même situation, avec leurs trois garçons. Ted pensait à tout cela en s'éloignant au volant de sa voiture, tandis que Fernanda refermait doucement la porte.

Elle regagna alors son bureau pour relire la lettre de Jack Waterman et téléphona pour prendre rendez-vous. La secrétaire promit qu'il la rappellerait le lendemain ; il s'était absenté pour la journée. A 18 h 45, elle partit chercher Ashley à l'école de danse. La petite fille était de bonne humeur et, durant tout le trajet de retour, elle parla du spectacle, de l'école, de ses nombreuses amies. Au bord de l'adolescence, elle avait avec sa mère une spontanéité qu'elle n'aurait plus dans un an ou deux. Pour le moment, elles étaient encore très proches, et Fernanda s'en réjouissait.

Tandis qu'elles arrivaient à la maison, Ashley lui racontait avec enthousiasme ses projets pour son séjour au lac Tahoe, en juillet. Elle avait hâte que les cours se terminent. Tous attendaient les vacances, mais Fernanda savait qu'elle serait encore plus seule sans Ashley et Will. Il lui resterait Sam, c'était déjà bien. Elle était contente qu'il soit encore petit. Il ne la quittait pas, s'accrochait d'autant plus à elle que son père n'était plus là, même si Allan ne lui avait pas prêté grande attention au cours des dernières années. Il était bien trop occupé. En gravissant les marches, Fernanda songeait qu'il aurait mieux fait de passer davantage de temps avec les enfants plutôt que de travailler au désastre financier qui avait détruit leur vie et qui, finalement, avait causé sa mort.

Elle prépara le dîner. Tous étaient fatigués, ce soir-là, mais plus gais qu'ils ne l'avaient été depuis longtemps. Sam arborait son étoile toute neuve, et ils reparlèrent de la voiture piégée. Fernanda éprouvait un certain soulagement de savoir que l'attentat visait le juge et était sans doute le fait d'un criminel qu'il avait condamné et pas un acte de violence gratuit. Elle trouvait cependant inquiétant que des gens soient prêts à détruire le bien d'autrui et à faire des victimes. Elle ou ses enfants auraient pu être blessés. Une chance que personne ne soit passé près du véhicule au moment de l'explosion, que Mme McIntyre ait été chez elle et son mari en déplacement. L'événement passionnait les enfants. L'idée que quelque chose d'aussi extraordinaire se soit produit en bas de la rue leur semblait à tous incroyable. Mais, incroyable ou pas, ce qui était arrivé pouvait se reproduire. En allant se coucher, Fernanda se sentit particulièrement vulnérable et l'absence d'Allan lui pesa plus que jamais.

8

Peter Morgan appela tous ses anciens contacts de San Francisco, dans l'espoir de trouver un emploi ou de décrocher au moins quelques entretiens. Il lui restait trois cents dollars en poche, et il devait prouver sa bonne volonté à son agent de probation. Il n'en manquait pas mais, malgré ses efforts, il n'avait rien de concret, au terme de sa première semaine en ville. Les gens avaient déménagé, remplacés par des visages nouveaux, et ceux qui se souvenaient de lui refusaient la plupart du temps de prendre ses appels. Lorsqu'ils les acceptaient, ils semblaient surpris de l'entendre et l'envoyaient au diable. Quatre ans représentaient une éternité dans la vie active. Tous ou presque savaient qu'il avait fait de la prison. Personne ne désirait le revoir. Au terme de cette première semaine, Peter avait compris qu'il devrait réviser ses ambitions à la baisse. S'il avait été d'une aide précieuse au gardien de Pelican Bay, personne à Silicon Valley ou dans les milieux financiers ne voulait avoir affaire à lui. Sa carrière avait été en dents de scie et il était facile d'imaginer qu'après quatre ans derrière les barreaux il avait appris des tours pires que ceux qu'il connaissait avant de plonger. Sans parler de son penchant pour la drogue, qui l'avait conduit à sa perte.

Il avait postulé dans des restaurants, des petites entreprises, dans un magasin de disques et dans des services de livraison. Rien, pas de travail. On le trouvait trop qualifié, trop bien élevé ; quelqu'un était même allé jusqu'à le traiter de snob suffisant. Pire encore, il sortait de prison. Il ne parvenait à rien et, au bout de quinze jours, il n'avait plus que quarante dollars en poche et toujours pas l'ombre d'une piste. Une échoppe de tortillas près du foyer lui avait proposé la moitié du salaire minimum, payé comptant, pour laver la vaisselle, mais il n'aurait pas pu vivre avec si peu d'argent, et il n'y avait pas de raisons qu'ils le paient plus : ils avaient sous la main une foule d'immigrés en situation irrégulière et prêts à travailler pour trois fois rien. Au bout du rouleau, il se remit à éplucher son vieux carnet d'adresses, lorsque, pour la énième fois, en l'examinant, il s'arrêta de nouveau sur le nom de Phillip Addison. Jusque-là, il s'était toujours refusé à le contacter. Ce type ne lui avait causé que des ennuis. Peter s'était d'ailleurs toujours demandé si ce n'était pas lui qui l'avait expédié en prison en révélant son trafic de drogue. A l'époque, il lui devait beaucoup d'argent et consommait une telle quantité de cocaïne qu'il n'était pas en mesure de le rembourser. Sur ce chapitre, d'ailleurs, rien n'avait changé. Bizarrement, Addison avait fermé les yeux sur cette dette durant ces quatre années. Il est vrai qu'en prison Peter ne pouvait pas le payer. Aujourd'hui, il redoutait de se rappeler au bon souvenir d'Addison – à juste titre au regard des sommes dues. Jamais il ne trouverait l'argent, Addison le savait aussi bien que lui.

Officiellement, Phillip Addison possédait une importante société d'investissement dans les valeurs technologiques. Une firme reconnue, contrairement à d'autres moins légitimes qu'il dirigeait aussi dans l'ombre, sans parler de ses contacts étroits avec la mafia. Un personnage tel qu'Addison pouvait toujours trouver un poste pour Peter dans l'une de ses entreprises plus ou moins louches. Au moins, ce serait un emploi, avec un salaire convenable. Mais il n'avait aucune envie de l'appeler. Ce type l'avait déjà piégé une fois et, dès qu'il vous tenait, vous lui apparteniez. Malheureusement, Peter était à court de contacts. Même les stations-service ne voulaient pas de lui. Leurs clients se servaient eux-mêmes aux pompes, et les patrons ne tenaient pas à ce qu'un ancien détenu s'occupe de la caisse. Son diplôme de Harvard ne lui était d'aucune utilité, et la lettre de référence de son gardien faisait rire tout le monde. Il était au bout du rouleau. Il n'avait pas d'amis, pas de famille, personne sur qui compter. Et son agent de probation lui serinait qu'il avait intérêt à trouver du travail, et vite. Plus longtemps il serait sans emploi et plus on le surveillerait de près. Les autorités savaient bien que, poussés par le manque d'argent, les détenus libérés de fraîche date retombaient souvent dans l'ornière. Peter commençait à paniquer. Il lui fallait au minimum se nourrir et payer sa pension. Or il ne lui restait presque rien.

C'est ainsi que, deux semaines après avoir franchi les grilles de Pelican Bay, il fixa pendant près d'une demi-heure le numéro de téléphone de Phillip Addison et finit par se résoudre à l'appeler. Une secrétaire lui répondit que M. Addison était à l'étranger et proposa de prendre un message. Peter laissa son nom et le numéro du foyer. Deux heures plus tard, Phillip rappelait. Peter broyait du noir dans sa chambre, quand un pensionnaire hurla dans l'escalier qu'un certain Addison demandait à lui parler. Avec une désagréable sensation de nausée, Peter se précipita pour répondre. Ce pouvait être son salut. Comme sa descente aux enfers. Avec Phillip Addison, tout était possible.

— Eh bien, j'avoue que c'est une surprise, commença ce dernier d'une voix grinçante et méprisante.

Toujours aussi désagréable, songea Peter. Mais au moins, il avait rappelé. Et sans tarder.

— Depuis quand es-tu sur le sable ? Il y a longtemps que tu es sorti de prison ?

— En gros, deux semaines, répondit posément Peter, qui regrettait déjà sa décision.

Mais il avait besoin d'argent, n'avait que quinze dollars en poche, et son agent de probation ne le lâchait pas. Il n'avait pas demandé d'aides sociales, n'y avait pas pensé. Le temps de toucher les allocations, de toute façon, il serait mort de faim ou à la rue. C'est ainsi qu'on devenait clochard, par désespoir, par manque de débouchés. Et cela pouvait très bien lui arriver. Phillip Addison était sa seule planche de salut, pour le moment. Dès qu'il trouverait mieux, il le laisserait tomber, mais il était inquiet et s'efforçait de ne pas trop penser aux méthodes qu'employait Addison pour enchaîner ceux qu'il prétendait aider, à son absence de scrupules pour les maintenir sous sa coupe. Mais Peter n'avait plus le choix. Il avait épuisé ses contacts, n'avait pas même trouvé un emploi de plongeur à un salaire décent.

— Qu'est-ce que tu as essayé, avant de m'appeler ? s'enquit Addison, ironique.

Il connaissait la musique, avait d'autres ex-détenus à son service, des hommes dans le besoin, désespérés et dévoués, comme Peter Morgan. Précisément ce qu'il recherchait.

— Il n'y a pas de travail pour les gens comme toi, poursuivit-il avec une franchise brutale. A part cireur de chaussures ou laveur de voitures, et je ne te vois pas bien dans ce genre d'emploi. Je peux faire quelque chose pour toi, peut-être ?

Inutile de tourner autour du pot, songea Peter, qui ne voulait pas pour autant lui avouer qu'il manquait d'argent.

— J'ai besoin d'un boulot.

— Tu dois être complètement fauché pour te résoudre à m'appeler. Tu as faim ?

— Un peu, mais pas assez pour faire l'imbécile. Je ne veux retourner en prison ni pour toi ni pour personne. J'ai compris. Quatre ans, c'est long. J'ai besoin de gagner ma vie. Si tu as un emploi honnête à m'offrir, je t'en serai très reconnaissant.

Jamais Peter ne s'était humilié à ce point ; Phillip le savait et savourait ce moment. Peter n'avait pas fait allusion à sa dette, mais tous deux savaient qu'elle existait toujours et étaient conscients du risque que Peter avait pris en téléphonant. Il devait être au bout du rouleau, pour en arriver là.

— Mais je ne travaille que dans la légalité, répliqua Addison d'un ton offusqué.

La ligne pouvait être sur écoute, même s'il y avait peu de risques, son téléphone mobile étant protégé et indétectable.

— A propos, tu me dois toujours de l'argent, et même beaucoup d'argent. Tu as mis des gens sur la paille, quand tu t'es fait coffrer. J'ai dû les payer de ma poche, et si je ne l'avais pas fait, tu serais mort en prison, ils t'auraient liquidé.

Peter savait qu'il noircissait le tableau, mais ce qu'il disait contenait un brin de vérité. Pour acheter son dernier lot de cocaïne, il avait emprunté de l'argent à Addison. Seulement, à son arrestation, la police avait saisi la marchandise avant qu'elle soit vendue, si bien qu'il n'avait pas pu le rembourser. Il lui devait au moins deux cent mille dollars que, pour des raisons connues de lui seul, il ne lui avait pas réclamés. Mais la dette n'était pas oubliée pour autant.

— Tu peux en prélever sur mon salaire, proposa-t-il. Mais tant que je n'ai pas de boulot, c'est impossible.

Cela tombait sous le sens. Mais Addison n'espérait plus récupérer son argent, cela faisait partie des risques de ce genre de commerce. Par contre, la situation présentait un avantage considérable : Peter lui était redevable.

— Tu devrais passer me voir pour en discuter, dit-il d'une voix pensive.

— Quand ? s'enquit Peter.

Le plus tôt serait le mieux, mais il ne tenait pas à bousculer Addison. D'après sa secrétaire, il se trouvait à l'étranger, mais ce n'était peut-être qu'un prétexte.

— Cet après-midi, à cinq heures, lui répondit Addison sans lui demander si l'heure lui convenait.

Si Peter voulait travailler pour lui, il devait apprendre à se tenir prêt quand il l'appellerait. S'il lui avait autrefois avancé de l'argent, il ne l'avait encore jamais employé. Cela faisait une grosse différence.

— Où ? questionna Peter, la mort dans l'âme.

Si l'offre d'Addison dépassait les bornes, il pourrait toujours refuser. Il s'attendait cependant à être humilié, utilisé et traité comme un chien. Peu importait pourvu que le boulot soit honnête.

Addison lui donna une adresse à San Mateo, lui enjoignant de se présenter à l'heure, et lui raccrocha au nez.

San Mateo. C'était là qu'il possédait une entreprise high-tech ayant pignon sur rue, qui avait atteint des sommets avant de redescendre dans la moyenne. Il avait connu des hauts et des bas ; les actions s'étaient envolées avec la flambée du Nasdaq et puis la bulle avait crevé et les cours avaient chuté, pour lui comme pour les autres. Sa société fabriquait du matériel chirurgical de dernière génération, et Peter savait qu'Addison avait investi massivement dans les biotechnologies. Il était ingénieur de formation, tout en ayant suivi des études médicales. A un moment donné, on l'avait même considéré comme un génie de la finance, mais il avait montré sa faiblesse en étant trop gourmand. Après avoir emprunté et hypothéqué ses actifs, il avait renfloué ses caisses en faisant venir de la drogue du Mexique. A présent, sa fortune reposait principalement sur ses laboratoires mexicains, qui produisaient de la poudre de contrebande, et sur son commerce d'héroïne dans le quartier de Mission. Ses clients n'imaginaient pas que c'était à lui qu'ils achetaient leur drogue, car personne n'était au courant de son trafic. Pas même sa famille, qui ne voyait en lui qu'un homme d'affaires respectable. Il avait une maison à Ross, ses enfants allaient dans des écoles privées, il siégeait aux conseils d'associations caritatives réputées et appartenait aux clubs les plus huppés de San Francisco. Il passait aux yeux de tous pour un pilier de la bonne société, mais Peter n'était pas dupe. Ils s'étaient rencontrés alors qu'il traversait une période difficile, et Phillip Addison lui avait discrètement proposé de l'aider. Il lui avait fourni de la drogue à un tarif préférentiel et lui avait expliqué comment la revendre. Si sa propre consommation n'avait pas dépassé les limites du raisonnable, Peter n'aurait sans doute jamais fait de prison.

Très malin, Addison ne touchait pas aux drogues qu'il vendait et gérait intelligemment son empire de l'ombre. Fin psychologue, il se trompait rarement sur les gens, sauf sur Peter. Il l'avait cru plus ambitieux et plus retors, alors qu'il n'était qu'un brave type qui avait mal tourné et qui ne savait plus où il en était. Il constituait un risque pour lui, car c'était un faible. Petit malfrat sans envergure, Peter en était venu au crime par la force des choses, à la suite d'erreurs de jugement puis poussé par sa dépendance. Addison était un criminel de haut vol qui agissait en professionnel. Pas un amateur comme Peter. Mais ce dernier pourrait cependant lui servir, car il était intelligent, bien élevé et avait grandi dans un milieu aisé. Il avait fréquenté de bonnes écoles, ne manquait pas de charme, présentait bien et avait fait un beau mariage, même s'il avait tout gâché. Son diplôme de

Harvard ne gâtait rien. A l'époque de leur rencontre, Peter avait même d'excellents contacts. Il les avait perdus, bien sûr, mais, avec un coup de pouce, il retomberait sur ses pieds, et Addison pensait qu'il pouvait lui être utile. Et peut-être encore plus, avec tout ce qu'il avait dû apprendre en prison, pendant ces quatre années. Avant, il n'était qu'un criminel amateur, un naïf qui avait mal tourné. Mais s'il était passé pro, Addison le voulait. Il lui fallait maintenant le jauger, voir ce qu'il avait appris, et jusqu'où il était tombé. Il n'attachait aucune valeur à son désir de trouver un emploi honnête. L'important était de savoir ce qu'il était prêt à faire. La dette de Peter envers lui pèserait dans leurs pourparlers. Avec cette carte en main, Addison le tenait, et cette perspective le réjouissait. Ce qui n'était évidemment pas le cas de Peter. Ce dernier avait cependant à son actif de ne pas l'avoir dénoncé après son arrestation, ce qui montrait qu'on pouvait lui faire confiance. Addison appréciait que Peter n'ait entraîné personne dans sa chute, et c'était d'ailleurs la raison pour laquelle il ne l'avait pas fait assassiner. En un sens, Peter était un homme d'honneur. Honneur de bandit certes, mais honneur tout de même.

Peter prit l'autobus pour San Mateo. Il présentait bien et paraissait soigné après s'être offert une bonne coupe de cheveux, mais il portait son unique tenue, n'avait rien d'autre à se mettre que le jean, la chemise en toile bleue et les chaussures de sport qu'on lui avait donnés à sa sortie de prison. Il ne possédait pas même une veste et n'avait pas de quoi acheter un costume. En arrivant à l'adresse indiquée, il se sentit submergé d'inquiétude.

Pendant ce temps, installé à son bureau, Phillip Addison relisait un épais dossier qu'il gardait sous clé depuis plus d'un an, le rêve de sa vie. Il y réfléchissait depuis près de trois ans maintenant, et il comptait sur Peter pour l'aider à mener ce projet à bien, que cela lui plaise ou non. Dans cette affaire, il était hors de question de se tromper. Tout devait être réglé avec la plus extrême précision, l'approximation n'était pas permise. Peter lui semblait parfait pour réaliser ce travail. C'était ce qui avait poussé Addison à le rappeler. Dès que sa secrétaire lui avait transmis le message, l'idée s'était imposée à lui. Comme elle lui annonçait l'arrivée de Peter, il rangea le dossier, ferma le tiroir à clé et se leva pour l'accueillir.

En pénétrant dans le bureau, Peter se trouva face à un homme tiré à quatre épingles, qui approchait la soixantaine. Phillip Addison portait un costume anglais fait sur mesure, une cravate élégante et une chemise confectionnée pour lui à Paris. Quand il fit le tour de son bureau pour venir lui serrer la main, il fit comme s'il n'avait pas remarqué les hardes que portait Peter et dont il n'aurait même pas voulu pour laver sa voiture, mais Peter ne fut pas dupe. Phillip Addison était un personnage onctueux, lisse et insaisissable, qui n'offrait aucune prise. Personne n'avait jamais réussi à le coincer, tant il semblait au-dessus de tout soupçon. Peter n'en revenait pas de le trouver si affable, et il s'en inquiéta. Les vagues menaces concernant l'argent qu'il lui devait, évoquées au téléphone, paraissaient oubliées.

Ils bavardèrent de tout et de rien pendant un moment. Phillip poussa même l'obligeance jusqu'à lui demander quel emploi il envisageait, et Peter lui indiqua qu'il aimerait travailler dans le marketing, les finances, la recherche de nouveaux investissements, la création de nouvelles branches, de nouvelles firmes. Puis il soupira et regarda Phillip. Le moment de vérité avait sonné.

— Ecoute, il me faut du travail. Si je ne trouve rien, je vais me retrouver à la rue, bon pour faire la manche. Je prendrai ce que tu me proposeras, à condition que ce soit raisonnable. Je ne veux pas retourner en prison. A part ça, j'aimerais travailler pour toi, du moment que c'est dans l'une de tes entreprises ayant pignon sur rue. Le reste, c'est trop risqué. Je ne peux pas et je ne veux pas.

— Tu es devenu bien fier, dis-moi. Tu n'avais pas tant de scrupules quand je t'ai rencontré il y a cinq ans.

— J'étais plus jeune, idiot et tête brûlée. Cinquante et un mois à Pelican Bay, ça vous remet les pieds sur terre. Le réveil a été brutal, mais efficace. Je n'y retournerai pas. Le prochain coup, ils devront me liquider, conclut Peter avec conviction.

— Tu as eu de la chance qu'on ne te supprime pas la dernière fois, remarqua Addison. Tu as laissé beaucoup de mauvais souvenirs, quand tu as disparu. Et tes dettes envers moi, alors ?

Question de pure forme. Non pour récupérer l'argent, mais pour rappeler à Peter qu'il avait des obligations. L'affaire s'engageait bien. Pour Phillip, en tout cas.

— Je te l'ai déjà dit, je suis prêt à les payer en travaillant. Tu les prélèveras sur mon salaire. Pour le moment, je ne peux pas faire mieux. Je n'ai pas d'argent.

Peter ne mentait pas et se montrait aussi honnête qu'on pouvait l'être avec quelqu'un comme Addison, qui ne recherchait pas l'honnêteté chez ceux qu'il recrutait. Mais Addison savait qu'on ne tire pas de sang à une pierre, et Peter n'avait pas un sou. Il lui restait son cerveau et sa motivation, et c'était suffisant pour commencer.

— Je pourrais encore te faire abattre, dit Addison doucement. Des amis communs au Mexique seraient enchantés de s'en charger. Il y a même un certain Colombien qui souhaitait t'éliminer, pendant ton séjour en prison. Je lui ai demandé de s'abstenir. J'ai toujours eu de la sympathie pour toi, Morgan.

A l'entendre, on aurait cru qu'il discutait d'une partie de golf. Il y jouait régulièrement avec des capitaines d'industrie et des hauts fonctionnaires. Il avait d'importants contacts politiques. C'était un escroc de tout premier ordre, et Peter savait bien que, si les choses tournaient mal, il ne gagnerait rien à se retourner contre lui. Il avait le bras long, le mal chevillé au corps, aucune intégrité, aucun principe. Il était sans scrupules et Peter le savait. Il était dépassé sur tous les plans. S'il travaillait pour lui, il ne serait qu'un pion sur l'échiquier d'Addison. Mais s'il ne le faisait pas, le désespoir aidant, il se retrouverait tôt ou tard à Pelican Bay, au service du gardien.

— Si c'est vrai pour le Colombien, je te remercie, répondit Peter d'un ton courtois.

Il se garda de relever sa remarque concernant la sympathie qu'il éprouvait à son égard. Pour sa part, il n'en avait jamais eu pour Addison.

Il en savait trop sur lui et ne l'aimait pas. Malgré sa belle allure, il était pourri jusqu'aux os. Il avait une femme mondaine, quatre enfants adorables, mais les rares personnes qui le connaissaient sous ses différents masques le comparaient à Satan. Aux yeux des autres, il apparaissait comme un homme respectable qui avait réussi. Peter n'était pas dupe.

— Je pensais qu'un jour ou l'autre tu me serais plus utile vivant, déclara Addison.

Le ton laissait supposer qu'il avait une idée derrière la tête. Ce qui était le cas.

— Au fond, le moment est peut-être venu. J'aurais regretté que tu meures stupidement en prison. J'ai un projet pour toi. J'y ai réfléchi après notre petite conversation téléphonique. C'est de la haute précision. Un travail très technique, qui demande une mise au point sérieuse et une synchronisation parfaite entre experts.

Il était impossible de deviner la nature du projet. Il s'exprimait comme s'il parlait d'une opération de chirurgie à cœur ouvert.

— Dans quel domaine ? s'enquit Peter, soulagé d'aborder la question de son emploi.

Finies les menaces de mort et les histoires de dettes. Ils étaient maintenant dans le vif du sujet.

— Je ne suis pas encore en mesure de te l'expliquer. Cela viendra, mais je dois encore faire des recherches complémentaires. D'ailleurs, c'est toi qui vas t'en occuper. Pendant ce temps, je me concentrerai sur la réalisation du projet proprement dit. C'est mon boulot. Mais avant toute chose, je veux m'assurer que l'affaire t'intéresse. J'aimerais t'engager pour coordonner le projet. Je ne pense pas que tu aies les compétences techniques pour faire le boulot. Je ne les ai pas non plus. Je voudrais que tu constitues une équipe d'experts qui le fera pour nous. Toi et moi, nous partagerons les bénéfices. Je ne t'engagerai pas comme salarié, je préfère t'intéresser aux profits. Si tu réussis, tu auras mérité ta part.

Peter l'écoutait, intrigué. Le projet semblait intéressant, difficile certes, mais rentable. Un beau défi à relever. Exactement ce dont il avait besoin pour se remettre sur les rails, investir de son côté et peut-être même créer sa propre entreprise. En matière d'investissement, il avait du flair et s'y connaissait parfaitement, avant que sa vie ne prenne un mauvais tournant. C'était l'occasion de repartir du bon pied. Presque trop beau pour être vrai. Mais peut-être que la chance lui souriait enfin. Addison se montrait très correct, et Peter lui en était reconnaissant.

— C'est un projet de recherche à long terme, à développer sur plusieurs années ?

La sécurité de l'emploi l'enchaînerait à Addison plus longtemps qu'il ne le souhaitait, mais lui laisserait le temps de retrouver ses marques, ce qui était un avantage non négligeable. Il parviendrait peut-être à obtenir le droit de visite dont il rêvait encore lorsqu'il s'y autorisait. Il n'avait pas revu ses filles depuis six ans et cette seule pensée lui serrait le cœur. Il avait tout gâché, jusqu'à ses relations avec les enfants, qui étaient encore toutes petites à l'époque. Il espérait pouvoir les connaître un jour. Une bonne situation lui permettrait de reprendre contact avec Janet, même si elle s'était remariée.

— A vrai dire, c'est plutôt un projet à court terme, répondit Addison. L'affaire de quelques mois, peut-être même seulement quelques semaines. Il y aura une phase de recherche, puis la mise en place du projet lui-même qui demandera environ un mois, deux tout au plus, et ensuite, on empochera les bénéfices. Je ne pense pas que ce sera très long, mais les profits pourraient bien être exceptionnels.

Peter ne parvenait toujours pas à deviner de quoi il s'agissait. Addison envisageait peut-être la commercialisation d'un nouveau produit de haute technologie et voulait que ce soit lui qui organise les études de marché, la promotion et les relations presse en vue du lancement. Ou prévoyait-il la création d'une start-up dont Peter assurerait le démarrage avant qu'elle soit confiée à d'autres ? En tout cas, il faisait bien des mystères, et Peter essayait de deviner.

— Tu me parles d'un produit nouveau à lancer, à développer, à tester sur le marché, c'est cela ? suggéra-t-il.

— Si on veut.

Addison eut un hochement de tête, puis il marqua une pause. Il devait en dire davantage, avant de le mettre plus précisément dans la confidence.

— Je réfléchis à ce projet depuis un bon bout de temps et je crois que le moment est venu de le mettre en place. Ton coup de fil de ce matin était bizarrement providentiel, conclut-il avec un sourire démoniaque.

Jamais Peter n'avait vu regard plus froid, plus terrifiant que le sien.

— Tu souhaites que je commence quand ?

Il pensait aux quinze dollars qu'il avait en poche, et qui lui permettraient de tenir péniblement jusqu'au petit déjeuner du lendemain, à condition de manger au McDo, faute de quoi il n'aurait plus rien dès ce soir. Après cela, il lui faudrait mendier et risquer de retourner au trou s'il était pris.

Addison le fixa droit dans les yeux.

— Aujourd'hui, si tu veux. Je crois que nous pouvons commencer. Nous devrons procéder par étapes. Au cours des quatre prochaines semaines, tu t'occuperas de la recherche et du développement. C'est toi qui engageras l'équipe.

Le cœur de Peter bondit dans sa poitrine. C'était inespéré, une véritable aubaine, la réponse à toutes ses prières.

— Quel genre de personne dois-je recruter ?

Il ne comprenait encore ni la nature ni le but de ce projet à l'évidence top secret, probablement lié aux technologies de pointe.

— Tu es libre de tes choix. Tu me consulteras, bien sûr, mais tes contacts dans ce domaine sont meilleurs que les miens, déclara Addison.

Sur ce, il déverrouilla le tiroir, en sortit le lourd dossier qu'il mettait au point depuis des années et examinait à l'arrivée de Peter, et le lui tendit. A l'intérieur, il y avait des rapports et des coupures de presse sur les multiples activités d'Allan Barnes au cours des quatre dernières années. Impressionné, Peter leva les yeux sur Phillip. Il connaissait Allan Barnes de réputation. Tout le monde le connaissait dans le milieu de la finance et des technologies nouvelles. C'était un génie du Nasdaq, le plus brillant de tous. Le dossier contenait même des photos de lui avec sa famille. Il était remarquablement complet.

— Tu envisages de t'associer avec lui sur une affaire ?

— J'y avais songé, mais c'est fichu. Apparemment, tu n'es pas au courant. Il est mort en janvier, laissant derrière lui une veuve et trois enfants.

— C'est bien triste, commenta Peter pour témoigner sa sympathie.

Comment avait-il pu rater pareille nouvelle ? Il est vrai qu'à Pelican Bay il ne lisait pas les journaux tous les jours, tant le monde extérieur lui semblait irréel et lointain.

— Le projet aurait été plus intéressant de son vivant. Je pense que nous aurions obtenu davantage, mais je suis prêt à travailler avec sa femme, poursuivit Phillip généreusement.

— Sur quoi, précisément ? C'est elle qui dirige son empire, à présent ? s'enquit Peter, médusé.

Décidément, il avait perdu pied, n'était plus au courant de rien...

— Je présume qu'il lui a laissé toute sa fortune ou en tout cas la plus grosse partie, à part ce qui revient à ses enfants, expliqua Phillip. Un ami m'a confié qu'elle était son unique légataire. Je sais par ailleurs de source sûre qu'il avait amassé un demi-milliard de dollars à sa mort. Il a péri en mer, au cours d'une partie de pêche au Mexique. Il est passé par-dessus bord. Rien ne transpire sur ce que ses entreprises vont devenir, mais je suppose que c'est elle qui prendra toutes les décisions, du moins la plupart.

— Tu l'as déjà contactée pour des investissements conjoints ?

Peter trouvait l'idée séduisante, même s'il n'avait jamais eu l'impression qu'Allan Barnes s'intéressait au même secteur qu'Addison. En tout cas, si ce dernier avait des problèmes financiers, ils seraient réglés par une alliance avec un empire aussi solide et solvable que celui laissé par Barnes. Du moins Peter le croyait-il. Ni lui ni Addison ne se doutait qu'il ne restait rien de cet empire et que son effondrement avait causé la mort de Barnes. Il s'était si bien employé à créer des sociétés écrans et des jeux de miroirs pour cacher ses entreprises et ses paris les plus risqués que, malgré tous ses contacts, Addison n'avait pas eu vent de sa débâcle. Fernanda, les avocats et les dirigeants des entreprises d'Allan avaient réussi à garder le secret. Cela ne durerait pas, mais depuis sa mort quatre mois plus tôt, l'affaire ne s'était pas ébruitée et la légende d'Allan Barnes demeurait intacte. Fernanda tenait à ce qu'elle le reste le plus longtemps possible, par égard pour la mémoire de son mari et pour ses enfants. Pour Peter, une alliance avec Barnes et son très respectable empire aurait pour avantage de nimber les entreprises d'Addison du même halo doré. Cette idée d'association était un coup de génie, quelle qu'en soit la nature. Le nom d'Allan Barnes et sa réputation suscitaient partout l'admiration. Participer à l'élaboration de ce projet était exactement ce dont Peter avait besoin pour se remettre en selle, se repositionner définitivement. Son rêve se réalisait et, le dossier entre les mains, il souriait à Phillip, pour lequel il éprouvait un respect soudain.

— Non, je n'ai pas encore contacté Mme Barnes directement, expliquait Addison. Nous ne sommes pas prêts. Il faut d'abord que tu recrutes du personnel.

— J'imagine que je dois d'abord lire le dossier pour comprendre la nature exacte du projet.

— Je n'en vois pas l'intérêt, répondit Phillip, tendant la main pour le lui reprendre. Il n'y a là rien d'autre qu'un historique détaillé de ses activités. Une simple chronologie. Ces renseignements ont certes leur importance, mais tu en connais déjà le plus gros, poursuivit-il de manière évasive, ce qui laissa Peter perplexe.

Addison entourait son projet de mystère, lui demandait d'engager des gens pour une affaire secrète, dans un domaine qui restait flou, et d'effectuer un travail dont il ignorait tout. C'était très déstabilisant, et c'était exactement ce que voulait Addison, qui souriait en refermant le tiroir.

— Comment puis-je engager des gens sans avoir une idée précise de ce que nous allons faire ? s'enquit Peter, désorienté.

— Oh, mais je pense au contraire que tu sais parfaitement de quoi il retourne. Tu tiens vraiment à ce que je te mette les points sur les i ? Je veux que tu engages certains des amis que tu t'es faits au cours des quatre dernières années.

— Quels amis ? s'étonna Peter, encore plus déconcerté.

— Tu as sûrement rencontré des gens très intéressants, qui ont l'esprit d'initiative et qui seraient ravis de gagner une grosse somme d'argent, pour disparaître discrètement ensuite. Je veux que tu y réfléchisses soigneusement. Nous les choisirons pour faire un travail bien spécifique. Je ne te chargerai pas des tâches subalternes, mais je veux que tu supervises et diriges le projet.

— Et ce projet, c'est quoi au juste ?

Peter fronça les sourcils. Ce qu'il entendait ne lui plaisait pas. Sur le plan professionnel, il avait un trou pour les quatre dernières années. Les seules personnes qu'il avait rencontrées étaient des criminels, des violeurs, des assassins et des voleurs. Soudain, en regardant Addison, son sang se glaça dans ses veines.

— Quel est le rapport avec la femme d'Allan Barnes ?

— C'est très simple. Lorsque nous aurons mis le projet sur pied, ou, plus exactement, lorsque *tu* l'auras mis sur pied, nous lui ferons une offre. Et nous lui fournirons une bonne raison pour qu'elle l'accepte et nous paie royalement. D'ailleurs, je suis prêt à me montrer raisonnable, étant donné sa fortune et les droits de succession qu'elle va devoir payer. Comme il était à la tête d'un demi-milliard de dollars à sa mort, l'Etat va en ponctionner un peu plus de la moitié. Toutes déductions faites, il devrait lui rester au moins deux cents millions. Nous ne lui en demanderons que la moitié. Voilà comment je vois les choses.

— Et elle investira cette somme dans quoi ? demanda Peter d'une voix blanche, devinant déjà la réponse.

— La vie et le retour de ses enfants indemnes, ce qui n'est pas cher payé, car cela vaudrait bien le double. En clair, nous lui demanderons de nous donner la moitié de sa fortune, ce qui me paraît équitable, et je suis sûr qu'elle sera ravie de payer. Pas toi ?

Addison arborait un sourire diabolique.

— Tu es en train de me demander de kidnapper ses enfants contre une rançon de cent millions de dollars ?

Abasourdi, il fixait Addison comme s'il était fou.

— Certainement pas, répondit ce dernier en agitant la tête avant de se caler dans son siège. Je te demande de trouver et de choisir des hommes qui le feront à notre place. De vrais pros, pas des amateurs comme toi et moi. Tu n'étais qu'un petit malfrat sans envergure quand tu as plongé, un dealer de came négligent. Tu n'as rien d'un ravisseur et moi non plus. D'ailleurs, je n'appellerais pas cela un rapt, mais un marché. Allan Barnes a tiré le bon numéro et décroché le pactole. Ce n'était qu'un coup de chance. Un très gros, j'en conviens. Il n'y a aucune raison que sa veuve garde tout pour elle. Toi ou moi aurions pu gagner cette somme à la loterie et Barnes peut bien la partager avec nous à titre posthume. Nous ne ferons pas de mal aux gosses. Nous les garderons en lieu sûr pendant un petit moment, puis nous les lui rendrons sains et saufs, contre une part du gâteau qu'Allan lui a laissé. Il n'y a aucune raison de ne pas partager. Il n'a pas gagné cet argent à la sueur de son front, il a juste eu de la chance. Et maintenant, ça va être notre tour.

Peter dévisageait Phillip, qui souriait toujours, une lueur maléfique dans les yeux.

— Tu es dingue ou quoi ? Tu sais ce qu'on récolte pour un rapt ? S'ils nous chopent, on risque la peine de mort tous les deux, qu'on fasse du mal aux enfants ou pas. Et d'ailleurs, il suffirait qu'ils découvrent le complot pour qu'on y ait droit. Et tu voudrais que j'organise ça ? Pas question. Trouve quelqu'un d'autre, répondit Peter en se levant pour partir.

Addison resta de marbre.

— A ta place, j'accepterais, Morgan. Toi aussi, tu as des intérêts dans l'affaire.

Peter se retourna et le regarda sans comprendre. Il se moquait bien de ses dettes envers Addison et préférait qu'il le supprime plutôt que risquer la peine de mort pour lui. Profiter du malheur des autres, s'en prendre à leurs enfants le dégoûtait. Il en était malade.

— Sûrement pas ! poursuivit-il. Quel intérêt aurais-je à kidnapper des gosses ?

Il cracha ces paroles à Phillip. Ce type était pire encore qu'il l'imaginait, inhumain et rapace jusqu'à la folie. Mais ce qu'il ignorait, c'était que l'empire d'Addison battait de l'aile et que, sans une injection massive de capitaux, tout allait s'écrouler. Il blanchissait de l'argent pour ses partenaires colombiens depuis longtemps en l'investissant dans des valeurs de la Net économie. C'était un marché à haut risque, mais d'excellent rapport quand tout marchait bien. Il avait ainsi réalisé des bénéfices spectaculaires, mais le vent avait tourné, et il était au bord du gouffre. Les Colombiens n'hésiteraient pas à le liquider s'ils apprenaient que leur argent avait disparu par sa faute. Il lui fallait agir, et vite. Le coup de fil de Peter était tombé à point nommé.

Avec un sourire diabolique, il répondit fort simplement à la question de Peter :

— Ton intérêt dans cette affaire est de sauver tes propres enfants.

— Que veux-tu dire ? s'inquiéta Peter.

— Tu as deux petites filles, si ma mémoire est bonne. Tu ne les as pas vues depuis des années. J'ai connu ton ex-beau-père dans ma jeunesse. Un homme charmant. Je suis sûr que les gamines sont adorables.

Phillip Addison ne le quittait pas des yeux. Peter se sentait glacé d'angoisse et de terreur.

— Qu'est-ce que mes filles viennent faire dans l'histoire ? dit-il, la peur au ventre.

Il se sentait malade à l'idée qu'on puisse s'en prendre aux petites. En parlant avec Addison, il les avait mises en danger, et cela le rendait fou.

— Ce ne devrait pas être très difficile de les trouver. Je suis sûr que tu pourrais le faire toi-même, si ça t'intéresse, bien sûr. Si tu te mets en travers de mon chemin ou si tu nous exposes de quelque manière que ce soit, nous nous occuperons de tes deux filles. Et il n'y aura pas de demande de rançon. Elles disparaîtront et ne reparaîtront jamais.

— En somme, si je n'enlève pas les enfants de Barnes et si je n'organise pas le rapt, tu tueras mes gosses, c'est ça ?

Pâle, décomposé, Peter tremblait et parlait d'une voix brisée. Il connaissait déjà la réponse.

— Exactement. En termes clairs, tu n'as pas le choix. Mais je peux t'assurer que tu ne perdras pas au change. Les Barnes ont trois enfants. Un seul me suffira. Si tu kidnappes les trois, tant mieux. Sinon, n'importe lequel fera l'affaire. Je veux que tu engages trois vrais professionnels pour ce boulot, pas des amateurs dans ton genre. Il me faut du sûr, on n'a pas droit à l'erreur. Tu les trouves et tu les engages. Chacun d'eux recevra cinq millions de dollars, versés sur un compte en Suisse ou en Amérique latine. Ils toucheront une avance de cent mille dollars cash, et le reste quand l'argent de la rançon nous aura été remis. Tu toucheras dix millions de dollars pour diriger les opérations. Deux cent mille d'avance, le solde sur un compte en Suisse. Et j'annule ta dette envers moi, dès aujourd'hui.

Une rapide opération permit à Peter de réaliser qu'Addison empocherait soixante-quinze pour cent de la rançon évaluée à cent millions de dollars. Lui et les trois autres se partageraient les restes du gâteau. Mais les règles étaient claires : s'il refusait le travail, ses deux filles seraient tuées. De quelque côté qu'il se tourne, Peter était fait comme un rat. Il se demanda s'il pourrait avertir Janet du danger, avant qu'Addison ne s'en prenne aux petites. Mais il valait mieux ne pas y compter. Addison était capable de tout, il le savait maintenant. Et Peter ne voulait à aucun prix qu'il arrive malheur aux enfants, aux siens comme à ceux des Barnes. Il y avait maintenant cinq vies dans la balance, sans parler de la sienne.

— Tu es complètement fou, dit-il en se rasseyant.

Il ne voyait aucune échappatoire, craignait qu'il n'y en ait pas.

— Fou mais intelligent, reconnais-le, déclara Addison avec un large sourire. Je crois que le plan tient la route. Maintenant, tu me trouves les hommes, et tu leur offres cent mille dollars cash. Je vais te donner tes deux cent mille. Avec ça, tu pourras acheter des vêtements convenables et trouver un logement, le temps de mettre les choses en route. Il faut bien sûr que tu déniches un endroit où garder les gosses jusqu'au paiement de la rançon. Dans la mesure où elle vient de perdre son mari, je ne pense pas que Mme Barnes mettra longtemps à verser l'argent pour récupérer ses enfants. Elle aura trop peur de les perdre, eux aussi.

A juste titre, il la devinait vulnérable, et tenait à battre le fer pendant qu'il était chaud. Le coup de fil providentiel de Peter avait été le signe qu'il attendait. Le destin lui amenait l'homme de la situation. Après quatre ans à Pelican Bay, il savait nécessairement qui choisir pour faire ce boulot. C'était le cas, bien sûr, mais ce n'était pas du tout ce que Peter aurait voulu faire. Il était même tenté de déclarer forfait. Mais qu'adviendrait-il de ses filles ? Addison le tenait. C'était aussi simple que cela. Si la vie de ses propres enfants était en jeu, il n'avait pas le choix. Il ne pouvait pas prendre le risque. Et si Janet refusait de lui parler au téléphone ? Le temps qu'il la retrouve pour l'avertir du danger que couraient leurs filles, elles seraient peut-être déjà mortes. Inutile de chercher à jouer au plus malin avec un homme aussi dangereux. Addison les ferait exécuter, sans l'ombre d'un remords.

— Et si ça tournait mal avec les petits Barnes ? Si l'un d'eux était tué ?

— C'est ton affaire. Arrange-toi pour que cela ne se produise pas. Les parents se précipitent rarement pour payer la rançon d'enfants morts. Et les flics n'aiment pas ça.

— Oublie les flics. On aura le FBI aux fesses dès que les mômes auront disparu.

— Exact. Seulement, « on », c'est toi. Ou quelqu'un d'autre. Je pars en Europe pour l'été. Nous serons dans le sud de la France. Je laisserai l'affaire entre tes mains et je compte sur ta compétence, déclara Addison d'un ton léger.

Naturellement. Il faisait en sorte de ne pas être impliqué.

— A propos, si un de tes hommes se fait pincer pendant l'opération, je paierai la moitié de la somme promise. Cela devrait couvrir leurs frais d'avocats, et même leur donner une bonne chance de quitter le pays.

Il avait pensé à tout.

— Quant à toi, mon ami, tu pourras rester ici, avec les risques que cela comporte, ou disparaître tranquillement en Amérique du Sud, ou dix millions de dollars te permettront de mener une vie très agréable. Libre à toi. Nous pourrions même travailler ensemble par la suite, qui sait ?

Addison le ferait chanter le reste de ses jours, menaçant de le dénoncer au FBI s'il n'obéissait pas. Mais Peter avait beau tourner le problème sous tous les angles, il en arrivait toujours à la même conclusion : la vie de ses filles était en jeu. Même s'il ne les avait pas revues depuis qu'elles étaient petites, il les aimait et préférerait mourir plutôt que de les mettre en danger. Pour les protéger, il était prêt à retourner en prison ou à être condamné à la peine de mort. Il devait veiller maintenant à ce qu'aucun des enfants Barnes ne soit tué pendant le kidnapping. C'était la seule chose qui lui importait, plus même que les dix millions de dollars.

— Qui me dit que tu paieras ?

Par cette question, Phillip sut que Peter acceptait et que l'affaire était conclue.

— Tu auras une avance de deux cent mille dollars en liquide. Le reste sera versé sur un compte en Suisse quand le boulot sera terminé et que la rançon aura été payée. Pour commencer, cela devrait suffire et te laisser les coudées franches. Pas mal comme fond de roulement pour un ex-taulard complètement fauché. Qu'en penses-tu ?

En plus, sa dette était annulée. Mais Peter ne répondit pas, se contentant de le fixer, sous le choc de ce qu'il venait d'entendre. En l'espace de deux heures, sa vie venait à nouveau de basculer du mauvais côté. Jamais il ne pourrait expliquer d'où il tenait son argent, et il passerait le reste de ses jours en cavale. Mais Addison avait prévu cela aussi :

— Je suis prêt à déclarer que je t'ai avancé de l'argent pour une affaire et que nous en avons retiré des bénéfices énormes. Personne ne se doutera de rien.

Mais Addison saurait. Et il aurait beau trafiquer ses livres de comptes, il y aurait toujours quelqu'un qui pourrait vendre la mèche. Les prisons étaient pleines de types qui se croyaient couverts, jusqu'à ce qu'un mouchard les dénonce. Addison aurait à jamais des droits sur lui. Il l'avait possédé, et le possédait encore. A la minute où il lui avait exposé son plan, c'en avait été fini de Peter. Ou de ses filles. Et des enfants Barnes, assurément.

— Et si elle n'avait pas cette somme ? S'il avait perdu une partie de son empire ? s'enquit Peter avec bon sens.

Dans le contexte économique actuel, tout pouvait arriver. Au cours des dernières années, des fortunes s'étaient faites et défaites, laissant dans leur sillage des dettes vertigineuses. Mais Addison éclata de rire.

— Ne sois donc pas ridicule ! Il y a un an, ce type valait un demi-milliard de dollars. Même en le faisant exprès, on ne peut pas perdre autant en si peu de temps.

C'était pourtant ce qui était arrivé à certains. Mais pas à Barnes, Addison en était sûr. Il avait été trop malin pour perdre tout ou partie de sa fortune.

— Il était en or massif. Il y a tout ce qu'il faut, crois-moi, et elle paiera. Qui ne le ferait pas à sa place ? Elle n'a que ses enfants et l'argent de son mari. Nous ne lui en demandons que la moitié. Cela lui en laissera largement assez, et sa famille demeurera intacte.

Si elle reste en vie, songea Peter. Tout dépendrait des hommes qu'il choisirait. L'affaire entière allait reposer sur ses épaules. En deux heures, sa vie était devenue un cauchemar, pire que tout ce qu'il avait connu ou qu'il aurait pu imaginer. Il risquait la peine de mort ou, au mieux, la prison à vie.

Addison ouvrit un tiroir de son bureau, en sortit une enveloppe qu'il avait préparée avant l'arrivée de Peter et la lui jeta à travers la table.

— Voilà déjà cent mille dollars. Cent mille autres te seront remis en liquide, la semaine prochaine, pour tes dépenses courantes. C'est un acompte sur les dix millions qui te reviendront quand l'affaire sera bouclée. Il y a deux heures, en entrant, tu n'étais qu'un ex-taulard sans le sou et te voici riche. Ne l'oublie pas. Si tu me mouilles de quelque façon que ce soit, ou si tu prononces mon nom, je te fais exécuter dans la journée, c'est compris ? Au cas où tu flancherais ou aurais envie de te défiler, pense à tes filles.

Il tenait Peter à la gorge et ne lui laissait aucun recours.

— Pars à la recherche de tes hommes et choisis-les bien. Je veux que nous commencions à la surveiller dès la semaine prochaine. Quand tu auras tes équipiers, dis-leur bien que, s'ils se tirent avec leurs cent mille dollars ou s'ils nous font faux bond, ils seront abattus dans les deux jours. Je te le garantis.

A l'expression de ses yeux, Peter comprit qu'il ne plaisantait pas et que la menace valait pour lui aussi. Avec un sentiment d'impuissance, il glissa l'enveloppe dans sa poche.

— Quand veux-tu que ça se fasse ? Tu as fixé une date ?

— Si tu engages tes trois hommes dans la semaine ou dans les quinze jours, je pense qu'en les surveillant pendant quatre à six semaines, nous saurons tout ce que nous avons besoin de savoir. Tu devrais pouvoir déclencher l'opération début juillet.

Il partait pour Cannes le 1er juillet et tenait à avoir quitté le pays avant l'enlèvement.

Peter s'en doutait. Il hocha la tête en le regardant. Sa vie venait de basculer. Il avait une enveloppe contenant cent mille dollars en poche. Dans une semaine, il en toucherait cent mille autres, mais il n'en éprouvait aucune satisfaction. En un après-midi avec Phillip Addison, il n'avait réussi qu'à vendre son âme pour sauver la vie de ses filles. Avec un peu de chance, il parviendrait aussi à sauver les enfants Barnes. Le reste lui était indifférent. Les dix millions de dollars étaient le prix du sang. Mieux aurait valu qu'il fût mort et, en un sens, il l'était. Sans un mot, il se retourna pour sortir. Addison le regarda partir et attendit qu'il atteigne la porte pour lui lancer :

— Bonne chance. Reste en contact.

Peter hocha la tête, quitta le bureau et prit l'ascenseur pour descendre. Il était 19 h 30 lorsqu'il se retrouva à l'air libre. La rue était déserte. Les gens étaient rentrés chez eux depuis longtemps. Personne ne vit Peter s'appuyer à une benne à ordures pour vomir. Il resta là un long moment à être pris de nausée.

9

Ce soir-là, étendu dans son lit, Peter songeait à contacter son ex-femme pour la prévenir et lui demander de veiller tout particulièrement sur les petites. Mais il savait qu'elle le prendrait pour un fou. En même temps, il ne tenait pas à ce qu'Addison lui joue un mauvais tour et les prenne en otage jusqu'à ce qu'il ait accompli le travail. Mais Addison était trop malin pour cela. Il savait que, s'il touchait à un cheveu des petites, Peter n'aurait plus rien à perdre et le dénoncerait. Tant qu'il obéirait et ferait ce pour quoi il avait été engagé, ses filles seraient à l'abri. Depuis six ans, peut-être même depuis leur naissance, c'était bien la seule chose qu'il eût faite pour elles ; il avait acheté leur sécurité au péril de la sienne. Car l'entreprise comportait des risques. Il ne réussirait que s'il trouvait les bons numéros. Tout reposait sur eux. S'il choisissait de petits malfrats sans envergure ni discipline, ils pourraient paniquer et tuer les mômes. Il lui fallait dénicher de vrais pros – durs, froids et compétents. En espérant qu'ils existent. Ceux qu'il avait rencontrés en prison s'étaient fait prendre, preuve qu'ils étaient médiocres, que leurs plans avaient des failles. Malgré ses réticences, Peter devait reconnaître que celui d'Addison tenait la route, à condition que la veuve d'Allan Barnes dispose des sommes requises. Or il était peu probable qu'elle gardât cent millions de dollars en liquide chez elle, dans une boîte à biscuits.

Etendu sur sa couchette, il réfléchissait à tout cela quand son compagnon de chambre entra dans la pièce. Dès le lendemain, il se mettrait en quête d'un hôtel correct, bon marché et discret. Inutile d'attirer l'attention sur sa soudaine richesse qu'il serait bien en peine d'expliquer, même si Phillip Addison lui avait promis de le faire figurer comme consultant sur les registres d'une de ses filiales, une petite entreprise d'étude de marché qui servait de couverture à un trafic de drogue et ne permettrait pas de remonter jusqu'à lui.

— Ça s'est bien passé, aujourd'hui ? s'enquit le nouveau venu, éreinté par sa journée au Burger King.

Il sentait les frites et le hamburger, ce qui constituait une amélioration par rapport à la semaine précédente, où il avait travaillé dans un fish and chips. La chambre avait empesté le poisson. A tout prendre, mieux valait l'odeur de hamburger.

— Pas mal. J'ai trouvé un boulot. Demain, je déménage, déclara Peter d'une voix sans timbre.

Son compagnon regrettait de le voir partir. Peter ne le dérangeait pas, ne se mêlait pas de ses affaires et ne faisait pas de bruit.

— Quel genre de boulot ?

Il avait tout de suite vu que Peter avait de la classe, il le portait sur lui, même en jean et tee-shirt. Il savait qu'il avait des diplômes. Malgré cela, il était dans la même galère que tous ceux qui sortaient de prison.

— Etude de marché. Rien d'extraordinaire, mais je pourrai me loger et me nourrir.

Le ton manquait d'enthousiasme. De fait, Peter en était malade. Il se sentait fini, aurait presque préféré être encore en prison. Au moins, la vie y était simple et permettait de rêver à des jours meilleurs. Il n'avait plus d'avenir, était un homme fichu depuis qu'il avait vendu son âme au diable.

— Hé, c'est chouette ! Je suis content pour toi, vieux. Si nous sortions manger dehors, pour fêter ça ?

C'était un brave type qui avait purgé sa peine au pénitencier du comté pour vente de marijuana. Peter l'aimait bien malgré son côté fruste.

— C'est gentil, je te remercie, mais j'ai mal au crâne. Et demain, il faut que j'aille bosser.

En réalité, il allait devoir réfléchir sérieusement aux hommes qu'il engagerait pour le projet d'Addison. Il avait d'ailleurs déjà commencé. Il serait extrêmement délicat de trouver des gars qui ne le dénonceraient pas si l'offre ne leur convenait pas, ou s'il les jugeait trop dangereux pour les sélectionner. Avant de leur exposer le plan, il devait les rencontrer, avoir confiance en eux, vérifier leurs références. Une tâche extrêmement importante. Il avait l'estomac noué rien que d'y penser. Pour le moment, il ne voyait qu'un seul homme qui puisse faire l'affaire. Il n'avait pas été condamné pour enlèvement, mais Peter le soupçonnait d'avoir les qualités requises, et il savait grosso modo où il était allé après sa libération. Restait à lui mettre la main dessus. Peter s'y emploierait dès le lendemain, lorsqu'il aurait emménagé à l'hôtel. Obsédé par cette idée, il passa une mauvaise nuit.

Sitôt levé, il prit le bus pour se rendre en ville et trouva un hôtel à la périphérie de Tenderloin, au sud de Nob Hill. Un établissement convenable, de dimensions modestes, mais avec suffisamment de passage pour qu'un client y passe inaperçu. Il paya un mois d'avance en liquide et regagna le foyer de Mission pour rassembler ses effets. Il signa sa décharge, laissa un mot à son compagnon de chambre en lui souhaitant bonne chance et reprit le bus dans l'autre sens. En ville, il entra chez Macy's pour acheter des vêtements – un plaisir qu'il n'avait pas eu depuis longtemps. Il choisit des pantalons, des chemises, quelques cravates, une veste sport, un blouson en cuir et des pulls. Il racheta des sous-vêtements et plusieurs paires de chaussures. De retour à l'hôtel et après une bonne douche, il eut l'impression d'avoir repris figure humaine. Il ressortit et se mit en quête d'un endroit où manger. Des prostituées allaient et venaient dans la rue, des ivrognes dormaient sous les portes cochères, quelqu'un achetait de la drogue à un dealer dans une voiture garée à proximité. Pour le reste, il y avait là une foule de gens normaux qui vaquaient à leurs occupations, et des touristes. C'était le genre de quartier où personne ne prêtait grande attention à vous, où il était facile de se fondre dans le décor. Exactement ce que Peter recherchait.

Il ne tenait pas à ce qu'on le remarque.

Après le repas, il passa une demi-heure au téléphone et s'étonna de trouver aussi facilement l'homme auquel il pensait. Il décida de se rendre en bus à Modesto le lendemain matin et, en attendant, se mit en quête d'un téléphone portable. Bien sûr, ceux qui étaient en liberté conditionnelle n'avaient pas le droit de posséder de mobile, surtout ceux qui, comme lui, avaient fait de la prison pour commerce de drogue. Mais Addison lui avait demandé d'en acheter un et, désormais, c'était Addison le chef. Son agent de probation n'avait aucune raison de savoir qu'il s'en était procuré un. Il s'était d'ailleurs montré content pour lui quand, dans la matinée, Peter lui avait signalé son changement d'adresse et de situation.

Il appela Addison au bureau et laissa son numéro de mobile et celui de son hôtel sur la messagerie vocale.

Le même soir, Fernanda prépara le dîner pour les enfants, excités à la perspective des vacances. Will était particulièrement heureux à l'idée de ses trois semaines de stage. Il en était de même pour les deux autres, impatients de réaliser leurs projets. Le lendemain, après les avoir conduits à l'école, elle se rendit en ville pour voir Jack Waterman. Ils avaient beaucoup à se dire, comme toujours. Elle l'aimait bien, l'avait toujours trouvé très sympathique même si, aujourd'hui, il était la voix des mauvaises nouvelles. Avocat chargé de régler la succession, c'était un vieil ami de son mari. En découvrant le désordre qu'Allan avait laissé dans ses affaires, les décisions catastrophiques qu'il avait prises et leurs répercussions sur Fernanda et les enfants, il était resté sidéré.

Lorsqu'elle entra dans le bureau, la secrétaire lui servit un café. Derrière sa table, Jack l'attendait, le visage grave. Il ne pardonnait pas à Allan ce qu'il avait fait. Elle était si charmante. Elle ne méritait pas cela. Personne ne le méritait.

— Tu as prévenu les enfants ? s'enquit-il tandis qu'elle posait sa tasse.

— Pour la maison ? Non, pas encore. Ils n'ont pas besoin de savoir. Nous ne la mettrons en vente qu'en août, autant le faire à ce moment-là. Je ne veux pas qu'ils s'inquiètent pendant tout l'été. Et puis, elle risque de ne pas se vendre tout de suite.

C'était une grande demeure, chère à entretenir, et l'immobilier tournait au ralenti. Jack lui avait déjà dit qu'elle devait absolument la vendre pour avoir l'argent avant la fin de l'année. Il lui avait également conseillé de la vider au maximum et de vendre tout ce qu'elle pourrait, séparément. Les meubles partiraient vite. Ils avaient dépensé près de cinq millions de dollars pour l'aménagement de la maison. Une partie ne serait pas récupérable, bien sûr, comme le marbre des salles de bains, ou l'équipement de la cuisine. Mais le lustre viennois qu'ils avaient payé quatre cent mille dollars pourrait être vendu aux enchères à New York et, avec un peu de chance, rapporter un bénéfice. Et il y avait tous les autres objets de valeur répartis à travers la maison… Mais elle savait que, dès qu'elle commencerait à faire le vide, les enfants s'inquiéteraient, et cette perspective l'effrayait. Elle s'efforça de ne pas y penser et sourit à Jack, qui fit de même. Il l'admirait pour le courage dont elle faisait preuve depuis quatre mois. Elle lui avait demandé si Allan avait pensé aux conséquences que sa conduite aurait sur elle. Le connaissant, Jack en doutait fort. Allan ne pensait qu'à ses affaires et à l'argent. Aussi bien, durant son ascension éclair dans le monde de la Net économie qu'au moment de sa chute record, il n'avait pensé qu'à lui. Bel homme, brillant et plein de charme, il était également très égocentrique. Même dans son suicide, il n'avait vu que son propre désespoir et ne s'était inquiété ni d'elle ni des enfants. Jack faisait au mieux, mais il aurait aimé pouvoir faire davantage pour elle.

— Tu vas quelque part, cet été ? s'enquit-il en se calant contre le dossier de son siège.

C'était un homme au physique agréable. Après avoir été à l'université avec Allan, il s'était orienté vers le droit. Tous trois se connaissaient depuis longtemps. Lui aussi avait eu sa part d'épreuves. Son épouse, avocate comme lui, était morte à trente-cinq ans d'une tumeur au cerveau. Ils n'avaient pas eu d'enfant et il ne s'était jamais remarié. Sa propre expérience le rendait plus sensible à la douleur de Fernanda. Il lui enviait un peu ses enfants et s'inquiétait pour eux tous. De quoi vivraient-ils quand elle aurait payé les dettes d'Allan ? Il savait qu'elle envisageait de prendre un emploi dans un musée ou comme enseignante. Elle se disait qu'en travaillant à l'école d'Ashley, de Sam ou même de Will, elle obtiendrait peut-être un tarif de faveur pour payer leurs études. Mais pour assurer le quotidien, son salaire ne suffirait pas. Ils étaient passés de la misère à la richesse, pour revenir à la misère. Beaucoup de gens avaient subi des revers quand les valeurs du Nasdaq avaient flambé, puis plongé, mais leur cas, à cause d'Allan, était en dehors des normes.

— Will part en stage de hockey, et Ash à Tahoe, expliqua-t-elle. Sam reste ici avec moi. Nous pourrons toujours aller à la plage.

En l'écoutant, il se sentit coupable de passer le mois d'août en Italie. S'il n'avait pas projeté ce voyage avec des amis, il l'aurait volontiers invitée avec ses enfants. Il n'avait pas de femme dans sa vie, et il avait toujours eu un faible pour Fernanda. Mais il savait, pour être passé par là, qu'il était beaucoup trop tôt pour tenter quelque chose avec elle. Allan n'était mort que depuis quatre mois. Après le décès de son épouse, il n'avait voulu voir personne pendant un an. Pourtant il y pensait depuis quelques mois. Elle avait besoin que quelqu'un s'occupe d'elle, et les enfants aussi. Il avait beaucoup d'affection pour eux tous, mais Fernanda n'en savait rien et ne s'en doutait pas.

— Dès que les cours auront pris fin, nous pourrions aller passer une journée à Napa, par exemple, suggéra-t-il prudemment.

Elle lui sourit. Ils se connaissaient depuis si longtemps qu'elle le considérait comme un frère et ne pensait pas qu'il en allait différemment pour lui. Elle avait été mariée dix-sept ans et n'imaginait pas refaire sa vie un jour. Elle avait des préoccupations beaucoup plus importantes en tête, telles que leur survie et le moyen de nourrir sa famille.

— Une excursion à Napa ? Les enfants seraient ravis.

— J'ai aussi un ami qui possède un bateau, un très joli voilier.

Il cherchait des idées pour la distraire et amuser les enfants, mais sans la brusquer ni risquer de la choquer. Elle finit son café et leva sur lui un regard gêné.

— Les enfants adoreraient cela. Allan les emmenait souvent en mer. Malheureusement, je suis malade en bateau.

Allan était fou de son yacht, qu'elle avait en horreur. Même à quai, elle avait la nausée. Et puis, la mer lui rappelait la mort de son mari. Elle ne voulait plus revoir de bateau de sa vie.

— Nous trouverons autre chose, dit-il, conciliant.

Ils passèrent ensuite deux heures à régler des affaires et, vers midi, ils achevèrent de remplir les derniers papiers. Elle avait une meilleure vue de l'ensemble à présent et prenait ses décisions en connaissance de cause. Il appréciait son sens pratique et regrettait seulement de ne pouvoir l'aider davantage.

Il l'invita à déjeuner, mais elle déclina l'offre, prétextant qu'elle avait à faire et un rendez-vous chez le dentiste dans l'après-midi. En réalité, ces discussions sans fin sur sa situation financière catastrophique l'angoissaient et l'épuisaient. Lorsqu'elle sortait de chez lui, elle avait besoin de respirer, besoin de se retrouver. S'ils déjeunaient ensemble, ils parleraient inévitablement de ses problèmes et des dettes d'Allan. Elle savait que Jack s'inquiétait pour elle. C'était gentil, bien sûr, mais elle avait l'impression d'être incapable et lamentable. En prenant congé de lui, elle éprouva un vif soulagement à l'idée de regagner Pacific Heights, seule au volant de sa voiture. Avec un profond soupir, elle tenta d'évacuer la sensation de panique qui lui nouait le ventre. Lorsqu'elle sortait du cabinet de Jack, elle avait toujours une boule dans l'estomac et c'est ce qui l'avait poussée à décliner son offre. Il avait alors proposé de venir dîner chez elle la semaine suivante et promis de l'appeler. Elle préférait le voir en présence des enfants plutôt que d'affronter l'horreur de la réalité en tête-à-tête avec lui. C'était un homme pragmatique, qui expliquait les choses de manière simple et concise. Elle aurait été choquée de savoir qu'il nourrissait des sentiments à son égard. Au cours de leurs nombreuses rencontres des derniers mois, cette idée ne l'avait pas effleurée une seule fois. A ses yeux, Jack était un homme merveilleux, solide comme un roc, et elle trouvait dommage qu'il ne se soit jamais remarié. Il leur avait toujours dit, à elle et à Allan, que c'était parce qu'il n'avait pas rencontré la femme idéale. Elle savait à quel point il avait aimé sa femme, et Allan lui avait enjoint à diverses reprises de ne pas lui présenter d'amies. Elle s'était donc abstenue. Jamais l'idée ne lui serait venue qu'elle puisse sortir avec lui un jour. Elle avait été très amoureuse d'Allan et le restait encore. Malgré ses défauts et la catastrophe financière qu'il avait provoquée, elle pensait qu'il avait été un merveilleux époux et elle ne souhaitait pas le remplacer, au contraire. Elle se sentait toujours mariée à lui, s'imaginait passer sa vie ainsi et ne se voyait pas sortir avec un autre. Elle en avait parlé à ses enfants et cela les avait rassurés d'une certaine façon, Sam en particulier, mais ils étaient pourtant tristes pour elle. Ashley en avait souvent discuté avec Will lorsqu'ils étaient seuls, Fernanda étant occupée ou sortie avec Sam.

« Je ne veux pas qu'elle reste seule éternellement », déclarait alors Ashley à son grand frère, que ce discours étonnait toujours.

Il n'imaginait pas sa mère avec un autre que son père. Ashley était beaucoup plus sentimentale que lui et rêvait toujours de belles histoires d'amour.

« Papa vient de mourir, répondait invariablement Will, agacé. Donne-lui le temps de se remettre. »

Puis il plissait le front et ajoutait, inquiet :

« Pourquoi tu me parles de ça ? Elle t'a dit quelque chose ?

— Oui. Qu'elle ne veut sortir avec personne, qu'elle sera toujours la femme de papa. C'est trop triste. »

Elle portait encore son alliance et ne sortait qu'avec eux, pour manger une pizza ou voir un film. Deux ou trois fois, après les matches de Will, ils étaient allés au Mel's Diner.

« J'espère bien qu'un jour elle rencontrera quelqu'un et tombera amoureuse », insistait Ashley, tandis que Will levait les yeux au ciel avant de répondre sèchement :

« Occupe-toi de tes affaires, cela ne te regarde pas.

— Si, ça me regarde. »

Et, plus perspicace que sa mère, l'adolescente ajoutait :

« Qu'est-ce que tu penses de Jack Waterman ? J'ai l'impression qu'il l'aime bien.

— Ne sois pas ridicule, Ash ! Jack est un ami.

— Justement. On ne sait jamais. Sa femme est morte et il ne s'est jamais remarié. Tu ne trouves pas ça bizarre, toi ? Tu crois qu'il est homo ?

— Bien sûr que non. Il a eu des tas de petites amies. Et puis tu es dégoûtante à la fin. »

Sur ces mots, Will la plantait là. Il ne supportait pas ces conversations sur Fernanda, se refusait à l'imaginer refaire sa vie. C'était sa mère et il ne voyait pas pourquoi elle ne resterait pas seule, si elle était heureuse ainsi. C'était son droit, et cela lui suffisait. Fine mouche malgré son jeune âge, sa sœur voyait plus loin que lui.

Ils passèrent le week-end comme à l'accoutumée et, le samedi, tandis que Fernanda regardait Will jouer au hockey à Marin, Peter Morgan se rendit en bus à Modesto. Dans ses nouveaux vêtements achetés avec l'argent qu'Addison lui avait donné, il était aussi discret qu'il semblait respectable. Il avait appelé deux foyers, Carlton Waters était inscrit sur le registre du second. Il n'avait aucune idée de ce qu'il lui dirait en arrivant. Il devrait d'abord sonder Waters, voir comment les choses se présentaient pour lui. Et même si le travail ne l'intéressait pas personnellement, après avoir passé vingt-quatre ans en prison pour meurtre, il connaîtrait certainement des gars que ça intéresserait. Restait à savoir comment lui soutirer les renseignements sans qu'il en prenne ombrage, s'il refusait le boulot. Les « recherches », selon l'expression d'Addison, n'étaient pas aussi faciles qu'il y paraissait, et Peter réfléchissait à la manière d'aborder le problème.

Le foyer n'était qu'à quelques pâtés de maisons de la gare routière. Par cette chaude journée de fin de printemps, Peter s'y rendit à pied. Il ôta son blouson en cuir, retroussa les manches de sa chemise et, lorsqu'il arriva à l'adresse indiquée, ses chaussures neuves étaient couvertes de poussière. Il avait cependant l'air d'un cadre dirigeant lorsqu'il gravit les marches du perron pour se présenter à la réception.

Là, on l'informa que Waters était sorti. Peter alla l'attendre dehors. On ne savait pas où il se trouvait ni quand il rentrerait. Le réceptionniste lui avait dit qu'il pouvait être chez des parents qui habitaient la région, ou n'importe où ailleurs avec des amis. Seule certitude, il serait de retour pour 21 heures.

Assis sur les marches, Peter attendit un long moment. Il songeait à aller manger un morceau, à 17 heures, quand il vit une silhouette familière, accompagnée de deux hommes, remonter la rue d'une démarche nonchalante. Waters en imposait par sa grande taille et sa carrure. Il était puissant, bâti comme un joueur de basket ou de football américain ; il faisait de la musculation depuis des années, et cela se voyait. S'il était contrarié, il pouvait devenir très méchant, mais Peter savait qu'en prison il n'avait pas commis de violences, ce qui le rassurait un peu, car sa proposition risquait fort de le mettre en rage et il craignait de se faire cogner rien que pour lui avoir posé une question. Il n'en menait pas large.

Tout en remontant lentement la rue, Waters fixait Peter. Ils n'avaient jamais été amis, mais ils s'étaient reconnus au premier coup d'œil. Carlton Waters avait exactement le profil requis par Addison : c'était un pro du crime et pas un amateur comme Peter Morgan, même si ce dernier, grâce à ce même Addison, jouait maintenant dans la cour des grands. Il n'en était pas fier pour autant et avait honte de lui, mais il n'avait pas le choix.

Les deux hommes se saluèrent d'un hochement de tête. Peter s'était levé et l'observait du perron. En gravissant les marches, Waters le regarda droit dans les yeux d'un air menaçant :

— Tu cherches quelqu'un ? demanda-t-il.

Peter fit signe que oui, sans vouloir préciser qui. Il ne se sentait pas rassuré.

— Comment vas-tu ?

Ils se flairaient, se tournaient autour comme des chiens de combat, et Peter redoutait une attaque. Les deux autres, Malcolm Stark et Jim Free, se tenaient en retrait et attendaient la suite.

— Pas mal, et toi ?

Peter hocha de nouveau la tête. Ils ne s'étaient pas quittés des yeux, comme si leurs regards ne pouvaient se détacher l'un de l'autre. Peter ne savait comment commencer, mais il sentait que Waters se doutait qu'il était venu pour lui parler. Sans lui dire un mot, celui-ci se tourna vers ses deux compères.

— Je vous rejoins à l'intérieur dans cinq minutes.

Ils passèrent près de Peter en le dévisageant, puis le battant à moustiquaire du foyer claqua derrière eux. Alors, Waters reporta son attention sur lui, le regard interrogateur.

— Tu voulais me parler ?

Une fois de plus, Peter fit signe que oui, et soupira. C'était plus pénible qu'il ne l'imaginait et plus dangereux aussi. Mais il y avait beaucoup d'argent en jeu. Il était difficile de prévoir la réaction de Waters. De plus, le lieu ne se prêtait pas à ce genre de conversation. Mais, d'instinct, Waters avait senti qu'il avait quelque chose d'important à lui dire. Cela tombait sous le sens. Ils avaient à peine échangé trois phrases au cours des quatre années qu'ils avaient passées dans la même prison, et voilà qu'il venait de San Francisco pour le voir. Waters était curieux de savoir pourquoi Peter avait passé trois heures dans l'autobus et toute la journée à l'attendre.

— Il y a un endroit tranquille où nous pourrions parler ? s'enquit simplement ce dernier.

— Il y a un jardin public un peu plus bas.

Waters avait compris que Peter ne tenait pas à aller dans un bar, un restaurant ou dans la salle commune du foyer, où quelqu'un pourrait les entendre.

— Bien, répondit Peter.

Ils descendirent la rue en silence. Peter avait faim et était tendu. Ils marchèrent dix bonnes minutes avant d'atteindre le parc. Peter s'assit sur un banc et Waters hésita un moment avant de se décider à s'asseoir à côté de lui. Il sortit du tabac à chiquer de sa poche – une habitude qu'il avait prise en prison. Il n'en offrit pas à Peter et resta là, sans rien dire. Enfin, il se tourna vers lui, mi-agacé, mi-curieux. Il n'avait que faire des détenus comme Peter – un gosse de riche imbécile qui s'était fait prendre avec de la came par pure stupidité et qui avait ensuite fait de la lèche au gardien pour obtenir un boulot dans son bureau. Waters avait fait son temps dans des conditions autrement plus dures, avec de longs séjours à l'isolement. Il fréquentait des assassins, des violeurs, des kidnappeurs, des types qui en avaient pris pour un bail. Les quatre ans de Peter n'étaient rien en comparaison de ses vingt-quatre. Il avait toujours revendiqué son innocence et la revendiquait encore. Peu importait qu'il fût innocent ou coupable, il avait passé la majeure partie de sa vie derrière les barreaux et Peter Morgan ne l'intéressait pas. Puisqu'il s'était déplacé depuis San Francisco, il l'écouterait. Mais il s'en tiendrait là. Cela se lisait sur son visage tandis qu'il crachait son jus de chique et se tournait vers lui. Sous son regard, Peter réprima un frisson. Le moment était venu de parler, mais il ne savait que dire. Waters cracha de nouveau.

— Alors ? Qu'est-ce qui t'amène ?

Il le fixait droit dans les yeux, avec une intensité telle que Peter en eut le souffle coupé. Cette fois, il lui fallait se lancer.

— On m'a proposé une affaire, commença-t-il.

Waters, qui l'observait, remarqua que ses mains tremblaient et qu'il portait des vêtements neufs. Le blouson paraissait coûteux ; les chaussures aussi. Apparemment, il s'en sortait bien, alors que Waters mettait des tomates en cagettes à la ferme pour un salaire de misère. Il souhaitait obtenir un emploi dans les bureaux, mais on lui avait dit qu'il devrait attendre.

— Je ne sais pas si cela peut t'intéresser, mais je tenais à t'en parler. J'ai besoin de ton avis.

A ces mots, Waters comprit qu'il s'agissait d'une affaire louche. Il se cala contre le dossier du banc, sourcils froncés.

— Qu'est-ce qui te dit que ça m'intéresse ou que j'ai envie de t'aider ? s'enquit-il, prudent.

— Rien. Absolument rien.

Autant être franc avec lui. Face à quelqu'un d'aussi dangereux, c'était la meilleure solution.

— Je suis dans la merde. Je devais de l'argent à un type quand je suis allé en taule, dans les deux cent mille dollars. Et je suis tombé tout droit dans ses filets. Il dit qu'il peut me faire descendre quand bon lui semble, et c'est sûrement vrai, même s'il s'en est abstenu jusqu'ici. Il m'a proposé une affaire. Je n'ai pas le choix. Si je refuse, il menace de tuer mes gosses, et je sais qu'il en est capable.

— Tu fréquentes du beau monde, à ce que je vois, commenta Waters en étendant les jambes et en contemplant ses bottes poussiéreuses. Il pourrait vraiment le faire ?

Sa curiosité était éveillée.

— Ouais. Il en est capable. Je suis dans la merde jusqu'au cou. Il veut que je fasse un boulot pour lui.

— Quel genre de boulot ?

Le ton était neutre et il fixait toujours ses bottes.

— Un gros coup. Un truc énorme. Il y a beaucoup d'argent à la clé. Cinq millions pour toi si tu marches. Cent mille d'avance en liquide, le reste à la fin.

En lui parlant, Peter se disait que sa proposition n'avait rien d'insultant, comme il l'avait craint. Même si Waters refusait, son offre était intéressante. Froid et détaché, Waters hocha la tête.

— Et pour toi ?

Franchise encore. C'était la seule solution. Honneur de bandit.

— Dix, quand tout sera terminé. Deux cent mille d'avance en cash. Je dois organiser le truc et engager les gars.

— Combien ?

— Trois. Dont toi, si tu es d'accord.

— Drogue ?

Il ne pouvait même pas imaginer quelle quantité d'héroïne ou de cocaïne représentait une telle somme, mais ne voyait rien d'autre qui puisse rapporter autant. C'était beaucoup d'argent, même sur le marché de la drogue. Si quelqu'un était prêt à payer aussi cher, il fallait que ce soit une opération à haut risque. Waters leva les yeux sur Peter, qui fit un signe négatif de la tête.

— Non, pas de la drogue. Pire. Ou mieux. C'est selon. En théorie, c'est un boulot propre. Ils veulent qu'on enlève quelqu'un, qu'on le garde une semaine ou deux, le temps de récupérer la rançon. Ensuite, tout le monde rentre chez soi et nous, on se tire. Avec un peu de chance, il n'y aura pas de grabuge.

— C'est qui, l'otage ? gronda Waters. Le président ?

Peter réprima un sourire. L'affaire était sérieuse, pour tous les deux.

— Trois gamins, si nous pouvons les prendre tous les trois, mais un seul suffira.

— Il est malade, ce mec ? Il nous paye vingt-cinq millions pour enlever trois mômes et les renvoyer ensuite chez eux ? Et lui, qu'est-ce qu'il y gagne ? C'est combien, la rançon ?

Peter hésitait à lui donner tous les détails, mais il devait en dire suffisamment pour l'appâter.

— Cent millions. Il en garde soixante-quinze. C'est son idée.

Waters émit un sifflement, fixa Peter un long moment puis, sans prévenir, le saisit à la gorge et le serra à l'étouffer. Peter sentait ses veines exploser sous la pression tandis que Waters collait son visage au sien.

— Si tu te fous de moi, je te tue. Tu sais ça ?

Et, de sa main libre, il ouvrit la chemise de Peter, arrachant les boutons pour vérifier que les flics ne lui avaient pas collé un micro. Mais il ne trouva rien.

— Ce n'est pas du flan, murmura Peter dans un souffle.

Waters maintint sa prise jusqu'à lui faire voir des étoiles. Peter était à deux doigts de perdre connaissance quand enfin Waters le relâcha et se recala contre le banc comme si de rien n'était.

— C'est qui, ce type ?

— Je ne peux pas te le dire, haleta Peter en se frottant la gorge. Ça fait partie du contrat.

Waters hocha la tête. Cela lui paraissait logique.

— Et les gosses ?

— Je ne peux pas te le dire tant que tu n'es pas dans le coup. Mais tu le sauras bientôt, si tu acceptes. Il veut que nous les surveillions pendant plus d'un mois pour voir ce qu'ils font, quelles sont leurs habitudes et décider du meilleur moment pour les enlever. Je vais devoir trouver une planque pour eux.

— Je ne peux pas me charger de la surveillance, j'ai un emploi, déclara Carlton Waters comme s'il s'agissait d'une affaire courante. Mais je peux prendre les week-ends. Ça se passe où ? A San Francisco ?

Peter fit oui de la tête.

— Je peux surveiller en semaine. Nous serons moins repérables si nous nous relayons.

L'argument leur parut sensé à tous les deux.

— Ils ont vraiment tant de fric que ça, ou ton mec se raconte des histoires ?

— Ils avaient un demi-milliard de dollars, l'an dernier. On ne dépense pas ça en un an. Le mari est mort. On va demander la rançon à sa femme. Elle paiera pour retrouver ses mômes.

Logique. Waters approuva d'un hochement de tête, avant de remarquer :

— Tu sais qu'on risque la peine de mort, si on se fait prendre ? Qui me prouve que ce type ne va pas nous dénoncer ? Je n'ai pas confiance dans les gens que je ne connais pas.

Il n'en dit rien, mais il avait confiance en Peter, même s'il le trouvait naïf. Il n'avait pas entendu dire de mal de lui en prison. Ce n'était pas un dur, mais il avait fait son temps sans histoire. Pour Waters, ce n'était pas rien.

— Je crois qu'il va falloir prévoir où nous irons ensuite, réfléchit Peter à voix haute. On fait le coup et après, on sera tout seuls. Si quelqu'un parle, on sera perdus.

— Ouais. Et lui aussi, si tu l'ouvres. Il doit avoir une sacrée confiance en toi.

— Peut-être bien. C'est un chacal. Mais je n'ai pas le choix, je ne peux pas risquer la vie de mes gosses.

Waters hocha la tête une fois de plus. Il n'avait pas d'enfant, mais il comprenait.

— Tu en as parlé à quelqu'un d'autre ?

— Non. J'ai commencé par toi. J'ai pensé que si l'affaire ne t'intéressait pas, tu pourrais me donner des pistes. Ou que tu me ficherais une raclée avant de m'envoyer balader.

Ils échangèrent un sourire, et Waters éclata de rire.

— Tu as du courage, pour venir me demander un truc pareil. J'aurais pu te flanquer une trempe.

— Ou m'étrangler, plaisanta Peter.

Waters rit de nouveau, un rire grave, énorme, en accord avec son physique.

— Alors ? Qu'est-ce que tu en dis ?

— Que le mec est malade. Ou que ses amis sont horriblement riches. Tu les connais ?

— Je sais qui ils sont, oui.

— Ils existent vraiment ?

— Tout à fait. Je te le garantis.

Waters parut impressionné. En dehors du marché de la drogue, il n'avait jamais entendu parler de sommes pareilles.

— Il faut encore que je trouve un endroit où emmener les gamins, ajouta Peter.

— Rien de plus simple. Un petit chalet dans la montagne ou un camping-car garé dans un coin désert fera l'affaire. Ça ne doit pas être si compliqué de jouer les baby-sitters pour trois mômes. Au fait, ils ont quel âge ?

— Six, douze et seize ans.

— Merde. Sacrée galère. Mais pour cinq millions de dollars, je serais prêt à garder Dracula et toute sa famille.

— On ne leur fera aucun mal. Ils rentreront chez eux indemnes. C'est la condition du contrat.

— Merci, j'avais pigé, répondit Waters, irrité. Personne ne va payer cent millions de billets pour trois cadavres. Pas même pour un seul.

— Je pense qu'elle paiera la rançon rapidement. Elle vient de perdre son mari, elle ne voudra pas perdre aussi ses gosses. Il lui faudra peut-être une semaine ou deux pour rassembler l'argent, mais pas plus. Pour ses enfants, elle ne traînera pas.

— L'idée que ce soit une femme me plaît bien, commenta Waters, pensif. Elle ne nous en fera pas baver pendant six mois. Elle voudra récupérer ses mômes rapidement.

Sur ces mots, Waters se leva et regarda Peter toujours assis. Il en savait assez et désirait rentrer pour réfléchir.

— J'y pense et je te contacte. Où est-ce que je peux te joindre ?

Peter lui tendit un morceau de papier, sur lequel il avait noté son numéro de portable.

— Si tu acceptes, tu me trouveras les deux autres ? s'enquit-il en se levant à son tour.

— Oui. Ils devront être de toute confiance. C'est facile de trouver les types pour un kidnapping, mais beaucoup plus difficile d'en trouver qui sauront la boucler ensuite. On aura chaud aux fesses après ça. Je ne tiens pas à ce que les miennes moisissent en taule.

C'était aussi la crainte de Peter.

— Il veut que nous déclenchions l'opération en juillet. Il sera à l'étranger et souhaite que l'affaire soit terminée à son retour.

Cela leur laissait un peu plus d'un mois pour constituer l'équipe, mettre les choses au point, surveiller la femme… et enlever les enfants.

— Ça devrait être jouable, dit Waters.

Ils se levèrent et marchèrent en silence. Peter se demandait ce que Waters pensait et s'il le rappellerait. En arrivant au foyer, Waters ne lui jeta même pas un coup d'œil. Ce n'est qu'en gravissant les marches qu'il se retourna vers lui et murmura :

— O.K., ça marche.

Puis il disparut à l'intérieur, plantant là Peter, qui resta un moment à fixer le battant de la porte. Vingt minutes plus tard, il était dans le bus qui le ramenait chez lui.

10

Dans la semaine, Carlton Waters appela Peter sur son portable. Il avait ses deux comparses, Malcolm Stark et Jim Free, et était certain qu'ils pourraient faire le travail et se taire. Tous trois avaient décidé de partir en Amérique du Sud via le Canada ou le Mexique dès que l'affaire serait terminée. Ils souhaitaient que leurs cinq millions soient versés sur des comptes en Amérique latine. Ils se reconvertiraient alors dans la drogue, mais rien ne pressait. Waters connaissait des gars qui leur trouveraient des passeports et leur feraient passer la frontière mexicaine. De là, ils pourraient aller n'importe où. Dans l'immédiat, ils ne demandaient qu'à faire le boulot, récupérer leur fric et mettre les voiles. Ils n'avaient pas d'attaches, aucun des trois n'était marié. Jim Free n'avait pas eu de chance avec la fille de la cafétéria. En fait, elle avait déjà un petit copain et ne s'intéressait pas vraiment à lui. Elle avait juste eu envie de flirter pour s'amuser.

Une vie nouvelle les attendait en Amérique du Sud. Mais auparavant, ils devaient trouver un endroit où se planquer avec les enfants Barnes une fois qu'ils les auraient kidnappés. Peter promit de s'en occuper. Waters accepta de commencer la surveillance dès le week-end. Pour cela, ils se partageraient une voiture que

Peter allait acheter. Un véhicule ordinaire qui n'attirerait pas l'attention. Ils avaient également besoin d'un fourgon pour l'enlèvement. Les deux hommes se donnèrent rendez-vous à l'hôtel de Peter, le samedi suivant. Carlton assurerait son service de 9 heures à 18 heures chaque week-end. Peter prendrait la relève en soirée et serait en faction toute la semaine. Il avait l'impression que Mme Barnes ne devait pas sortir beaucoup, si elle était seule avec trois enfants. Mais la mission d'observation ne durerait guère qu'un mois et, pour dix millions de dollars, il était prêt à passer ses journées et ses nuits dans une voiture. Lorsqu'il fit son rapport à Addison, il lui annonça qu'il avait formé l'équipe. Ce dernier sembla satisfait et offrit de payer les deux véhicules. Ils les abandonneraient sitôt le travail terminé.

Cet après-midi-là, Peter acheta un vieux break Ford qui avait beaucoup roulé et qui, par chance, était de couleur noire. Le lendemain, il fit l'acquisition d'un vieux fourgon et loua une place dans un parking. A 18 heures ce même jour, il était garé devant la maison de Fernanda. Grâce aux photos contenues dans le dossier de Phillip, il la reconnut aussitôt, ainsi que ses enfants dont les prénoms étaient restés gravés dans sa mémoire.

Il vit Fernanda rentrer avec Ashley, puis sortir de nouveau. Il la suivit. Elle conduisait de manière imprévisible et grilla deux feux rouges. Il se demanda si elle buvait. Elle s'arrêta au stade de Presidio, et il se gara à trois voitures de la sienne. Là, elle alla s'asseoir sur les gradins pour regarder Will jouer. Après le match, ils revinrent ensemble et, avant de monter, ils s'étreignirent. Peter en eut le cœur serré, sans trop savoir pourquoi. Elle était ravissante, blonde et menue. Quand ils arrivèrent chez eux, le garçon sortit de la voiture en riant. Il était de bonne humeur, ils avaient gagné. Peter les regarda monter les marches bras dessus, bras dessous. Les voir ainsi lui donna envie d'être à leurs côtés, et il se sentit exclu quand ils entrèrent et que la porte se referma sur eux. A travers la vitre, il suivit ses mouvements pour voir si elle branchait l'alarme. Elle n'en fit rien et se rendit directement à la cuisine.

Peter vit la fenêtre s'éclairer et l'imagina préparant le dîner. Il avait déjà aperçu Ashley et Will, mais pas Sam. D'après la photo du dossier, c'était un petit garçon roux et rieur. Beaucoup plus tard cette nuit-là, il vit Fernanda devant la fenêtre de sa chambre. Il l'observait avec des jumelles et remarqua qu'elle pleurait. Elle resta là un long moment, laissant les larmes couler sur son visage, puis elle se retourna et disparut. Il éprouvait une impression étrange à l'épier ainsi. Il volait des petits morceaux de leur vie. La gamine en collant de danse, le garçon qu'elle serrait contre elle après le match, les larmes qui coulaient sur ses joues à la fenêtre de sa chambre, pleurant sans doute son mari. Il était 2 heures du matin quand Peter s'en alla. Toutes les lumières de la maison étaient éteintes depuis trois heures. Il comprit alors qu'il n'aurait plus besoin de rester aussi tard. Il apprenait à les connaître, et de tels détails comptaient.

Le lendemain matin, il était sur place à 7 heures. Il attendit trois bons quarts d'heure avant qu'il se passe quelque chose. Il ne détectait aucune activité dans la cuisine, ne savait même pas si elle avait allumé des lumières, car le soleil du matin donnait sur cette partie de la maison. Enfin, à 7 h 50, elle sortit en trombe et se retourna pour parler à quelqu'un dans l'entrée. La jeune danseuse apparut alors, traînant un sac très lourd que son frère l'aida à porter jusqu'à la voiture, avant d'aller chercher la sienne au garage. Fernanda s'impatientait devant la porte de la maison, quand le petit dernier se décida à sortir. Peter ne put s'empêcher de sourire en le voyant. Sam portait un tee-shirt rouge avec un camion de pompiers dans le dos, un pantalon en velours bleu marine et des baskets rouges, et il chantait à tue-tête. Sa mère riait maintenant en lui faisant signe de se presser. Il monta à l'arrière de la voiture, sa sœur était devant, son sac sur les genoux. Peter les prit en filature alors qu'ils se rendaient à l'école. Lorsqu'ils furent parvenus à destination, Fernanda aida la gamine à sortir. Que pouvait-il y avoir dans ce sac qu'elle traînait en montant les marches, suivie de Sam qui bondissait derrière elle comme un jeune chien ? En haut, il se retourna, sourit à sa mère et lui fit au revoir de la main. Elle lui sourit en retour, lui souffla un baiser et attendit qu'ils soient tous les deux à l'intérieur pour redémarrer.

Elle se rendit ensuite à l'épicerie de Laurel Village, où elle passa un bon moment dans les allées à lire les étiquettes et à comparer les produits, avant de les mettre dans son chariot. Elle achetait beaucoup pour les enfants : des biscuits, des céréales, des friandises, une demi-douzaine de steaks surgelés ; elle s'arrêta devant les fleurs, parut tentée, puis s'éloigna tristement sans rien prendre. Plutôt que de l'attendre dans la voiture, Peter avait préféré la suivre pour se faire d'elle une idée plus précise. Plus il l'observait, plus elle le fascinait. A ses yeux, elle incarnait la maman idéale. Ses gestes, ses pensées, ce qu'elle achetait, tout semblait destiné à ses enfants. Derrière elle, à la caisse, il la vit prendre un magazine, le feuilleter, puis le remettre sur le présentoir. Il s'étonnait qu'elle s'habille aussi simplement. A sa tenue, personne n'aurait deviné que son mari lui avait laissé un demi-milliard de dollars. Avec son tee-shirt rose, son jean et ses sabots, elle avait presque l'air d'une adolescente. Pendant qu'ils attendaient à la caisse, elle se retourna pour le regarder et lui adressa un sourire inattendu. En chemise bleue, pantalon kaki et mocassins, il présentait bien et ressemblait aux hommes parmi lesquels elle avait grandi et aux amis d'Allan. Il était grand, blond, bel homme, et, d'après ce qu'il avait lu la concernant, il n'avait que six mois de moins qu'elle. Ils avaient tous deux étudié dans de bonnes écoles, elle à Stanford, lui à Duke. Il avait poursuivi ses études à Harvard, tandis qu'elle se mariait et avait des enfants. Leurs enfants étaient presque du même âge. Sam avait six ans, Isabelle et Heather en avaient huit et neuf. Elle lui rappelait un peu Janet, en plus jolie. Lui ressemblait à Allan, plus qu'il ne l'imaginait, en blond. Elle l'avait remarqué en posant le magazine et l'avait fixé. Et lorsqu'elle fit tomber un rouleau d'essuie-tout en vidant le contenu de son chariot à la caisse, il le ramassa et le lui tendit.

— Je vous remercie, dit-elle aimablement.

Il nota qu'elle portait toujours son alliance, preuve d'amour qu'il trouva touchante. Tout lui plaisait en elle. Il l'écouta bavarder avec le caissier, qui, apparemment, la connaissait bien. Elle lui expliqua que les enfants se portaient bien, que Will partirait bientôt en stage de hockey. Peter ne devait pas oublier le but de sa présence et il se demanda quand aurait lieu le départ du garçon. Si c'était en juillet, Waters et ses sbires pourraient bien n'avoir que deux enfants à enlever. Cette pensée lui souleva le cœur. La jeune femme était si digne, si fidèle à son mari, si dévouée envers ses enfants que leur projet lui parut plus odieux que jamais. Ils allaient lui demander de payer cent millions de dollars juste pour avoir le droit de retrouver les êtres qui lui restaient et qu'elle chérissait.

Il était accablé par cette idée sur le chemin du retour. Il la vit griller deux autres feux et un stop au coin de California Street. Elle conduisait dangereusement. A quoi pouvait-elle bien penser pour ne pas remarquer les feux de signalisation ? Il se posa d'autres questions lorsqu'elle arriva chez elle. Il s'attendait à ce qu'une domestique ou même une flopée de serviteurs vienne décharger la voiture. Au lieu de cela, elle alla ouvrir la porte et rentra elle-même les provisions, sac après sac.

Peut-être était-ce le jour de congé de la bonne ? Après cela, il ne la revit plus jusqu'à midi. Elle ressortit alors prendre quelque chose qu'elle avait oublié dans la voiture et laissa à nouveau tomber le rouleau d'essuie-tout, mais cette fois il ne se précipita pas pour le ramasser et le lui rendre. Il ne bougea pas, elle ne devait pas le voir. Il était là pour l'observer.

Elle avait les cheveux en bataille lorsque, à 15 heures, elle sortit en trombe et démarra sur les chapeaux de roues, au volant du break familial. Elle conduisait trop vite et manqua d'emboutir un bus. Après une journée d'observation, Peter savait déjà qu'elle était un danger public. Elle roulait à une vitesse excessive, grillait les feux, changeait de file sans le signaler ; à deux reprises, elle avait failli renverser des gens qui traversaient au passage pour piétons. Elle semblait distraite en arrivant devant l'école. Ashley l'attendait, bavardant et riant avec des amies. Cinq minutes plus tard, Sam apparut en sautillant, brandissant un gros avion en papier mâché. Il souriait aux anges et courut se jeter dans les bras de sa mère. Peter en aurait presque pleuré, moins par sentiment de culpabilité que par regret de ce qu'il avait raté. Brusquement, il prenait conscience de ce que sa vie aurait pu être s'il n'avait pas tout gâché, s'il était resté avec Janet et leurs deux filles. Les petites lui sauteraient au cou, et il aurait une merveilleuse épouse comme cette jolie femme blonde. Il se sentit bien seul en pensant à tout ce qu'il n'avait jamais eu.

Sur le trajet de retour, ils s'arrêtèrent à la quincaillerie où elle acheta des ampoules électriques, un balai et une boîte pour le déjeuner de Sam, lorsqu'il irait au centre aéré. Elle le déposa devant la maison, dit quelque chose à Will lorsqu'il vint ouvrir la porte à son frère, et repartit pour l'école de danse avec Ashley. Ce même jour, après être retournée chercher Ashley, elle partit assister à un match de Will. Toute sa vie semblait tourner autour d'eux. Arrivé en fin de semaine, Peter ne l'avait rien vue faire d'autre que les accompagner à l'école, à la danse ou au stade. Quand il fit le point avec Addison, il lui précisa qu'elle n'avait pas de domestiques, ce qui lui semblait curieux pour quelqu'un possédant de tels moyens.

— Et alors ? Quelle importance ? répliqua Addison agacé. Elle est peut-être économe.

— Ou alors fauchée, remarqua Peter.

Fernanda l'intriguait. Elle paraissait sérieuse. Seule, elle avait l'air triste, mais lorsqu'elle était avec les enfants, elle souriait, riait, se montrait affectueuse et démonstrative. Le soir, il la voyait pleurer à la fenêtre de sa chambre, et il avait envie de la prendre dans ses bras comme elle le faisait avec ses enfants. Elle avait besoin de réconfort, et n'avait personne pour la consoler.

— On ne claque pas un demi-milliard de dollars en un an, déclara Phillip, catégorique.

— Certes, mais on peut perdre bien davantage sur de mauvais investissements, surtout quand les marchés s'effondrent comme ils l'ont fait.

Phillip avait de bonnes raisons de le savoir. Il pensait cependant que ce qu'il avait perdu n'était rien par rapport à la fortune d'Allan Barnes.

— Si les affaires de Barnes allaient mal, cela se saurait. Je n'ai rien lu de tel dans la presse. Crois-moi, Morgan, le fric est là. Elle en a hérité. Elle n'est probablement pas dépensière. Tu la surveilles ?

Addison se frottait les mains. Tout se passait à merveille ; Peter avait constitué son équipe rapidement et lui avait dit qu'il irait à Tahoe ce week-end pour y chercher un chalet isolé où ils s'installeraient avec les gosses, en attendant qu'elle trouve l'argent de la rançon. Aux yeux d'Addison, c'était une affaire comme une autre ; rien là de personnel ou de sentimental. Il en allait différemment de Peter qui, à force de voir quotidiennement Fernanda accompagner ses enfants à leurs activités, aller les chercher, les prendre dans ses bras et les embrasser, sans parler de ses pleurs, la nuit, à sa fenêtre, se sentait proche d'elle, plus impliqué.

— Oui, je la surveille, répondit-il. A part transporter ses gamins et griller les feux rouges, elle ne fait pas grand-chose.

— Très bien. Espérons qu'elle ne les tuera pas avant que nous agissions. Tu crois qu'elle boit ?

— Je ne sais pas. Elle n'en a pas l'air. Je dirais plutôt qu'elle est distraite, que quelque chose la ronge.

La veille, elle avait encore failli renverser une femme sur un passage pour piétons, provoquant un concert de klaxons. Elle s'était précipitée hors de la voiture pour se confondre en excuses et Peter avait alors remarqué qu'elle pleurait. Fernanda le rendait fou. Elle occupait ses pensées en permanence, moins à cause du projet que parce qu'il aurait aimé lui parler, passer du temps avec elle. En d'autres circonstances, il aurait aimé la connaître. Elle était devenue pour lui la femme idéale. A force de la regarder vivre avec ses enfants, il éprouvait pour elle une admiration sans bornes. Il aimait l'observer et se demandait comment elle était quand Barnes l'avait épousée. Le seul fait de l'imaginer jeune fille lui mettait la tête à l'envers.

Pourquoi ne l'avait-il pas rencontrée, alors ? Pourquoi la vie était-elle si cruelle ? Tandis qu'il sabordait la sienne et celle de son ex-femme, Fernanda fondait une famille. Son mari avait bien de la chance. Elle était d'une beauté renversante. Le petit Sam l'avait conquis au premier coup d'œil. Ashley était ravissante. Et Will était le fils que tout homme rêvait d'avoir. Quoi qu'ait accompli Allan Barnes dans le monde des affaires et la réputation qu'il s'était taillée, il laissait derrière lui la famille idéale. Peter se faisait l'effet d'un voyeur, à épier ainsi leurs moindres gestes et, la nuit, lorsqu'il regagnait son hôtel pour dormir, il rêvait de Fernanda et avait hâte d'être au lendemain pour la revoir. Elle le hantait, comme le souvenir d'un amour perdu. De fait, elle lui rappelait un monde disparu, un monde auquel il aurait toujours voulu appartenir et auquel il avait appartenu pendant un temps ; elle lui rappelait la vie et toutes les occasions gâchées, représentait tout ce qu'il désirait et n'aurait jamais plus.

Le samedi, il détestait que ce soit au tour de Carlton Waters de la surveiller, quand il lui remettait la voiture et se rendait à Tahoe avec le fourgon. Préférant éviter les agences immobilières, il avait relevé une liste de maisons à louer sur Internet. Tant que personne n'aurait vu Waters et ses sbires, il n'y aurait pas de problème. En cas de pépin, Peter pourrait toujours prétendre qu'ils étaient entrés par effraction et s'étaient installés pour squatter, pendant qu'il vaquait à ses occupations en ville. Chacun s'efforçait de ne pas mouiller les autres et, jusque-là, tout se passait bien. En dehors de Stark et de Free, personne ne savait à Modesto que Waters était à San Francisco. Il serait rentré à temps pour 21 heures.

Ce soir-là, personne ne suivrait Fernanda après 18 heures. Peter prendrait la relève à son retour de Tahoe vers 22 heures. Si elle conservait ses habitudes, elle serait depuis longtemps chez elle avec les enfants. Elle ne sortait le soir que pour déposer Will ou Ashley chez des amis, ou pour aller les chercher après une fête. Elle n'aimait pas que Will conduise la nuit, alors que, comme il le lui avait souvent répété, elle conduisait beaucoup moins bien que lui, et Peter aurait pu confirmer qu'au volant elle était un danger public.

— Tu as une idée de ce qu'elle pourrait faire aujourd'hui ? s'enquit Waters venu chercher les clés.

Le visage partiellement caché par sa casquette de baseball et ses lunettes noires, il était méconnaissable. Peter, lui, ne se déguisait pas lorsqu'il la filait. S'il y avait trop de monde dans la rue, il faisait deux ou trois fois le tour du pâté de maisons en voiture, avant de revenir. Jusqu'ici, personne ne semblait l'avoir repéré, Fernanda moins que tout autre.

— Elle emmènera sans doute son aîné à un match. Peut-être à Marin. Ou elle conduira sa fille à la danse. En général, le petit reste avec elle, le samedi. Ils n'ont pas l'air de faire grand-chose, même le week-end.

Malgré le temps splendide, elle n'était pas beaucoup sortie de chez elle.

— Tu auras tout loisir de voir les gamins. Elle passe la majeure partie de son temps avec eux et le plus jeune ne la quitte pas.

Peter avait le sentiment de la trahir. Waters hocha la tête. Il n'était pas là pour se lier d'amitié avec eux, mais en mission de reconnaissance. Pour lui, c'était un boulot, rien de plus. Pour Peter, c'était devenu une obsession, mais Carlton Waters l'ignorait. Il prit les clés, monta en voiture et se rendit à l'adresse que Morgan lui avait indiquée. Il était 10 heures quand Peter se mit en route pour Tahoe, par cette belle matinée de mai ensoleillée.

Tout au long du trajet, il pensa à elle, se demandant ce qui se passerait s'il renonçait maintenant. C'était simple, Addison tuerait ses filles et le liquiderait ensuite. Et s'il le dénonçait à la police, il retournerait en taule, et Addison l'y ferait supprimer. Il ne pouvait plus reculer, c'était aussi simple que cela. Les dés étaient jetés. Au moment où il atteignait Truckee, Waters suivait Fernanda jusqu'à Marin, où elle accompagnait Will à un match de hockey. Il avait maintenant vu les trois gosses. Quant à elle, elle était en tous points conforme à ce qu'il attendait. Ce n'était qu'une femme au foyer de banlieue chic, une bourgeoise sans intérêt. Pour lui, elle n'était qu'une victime, rien de plus. Peter la voyait comme un ange, mais Waters n'avait pas ses yeux. Les femmes qui l'attiraient étaient plus voyantes que Fernanda. Il la trouvait mignonne, sans plus, et avait remarqué qu'elle ne se maquillait pas. Pas quand elle sortait avec ses enfants, en tout cas. En fait, elle ne se maquillait plus depuis la mort d'Allan. C'était devenu pour elle sans importance. Comme les tenues élégantes, les talons hauts et les bijoux qu'il lui avait offerts. Elle en avait déjà vendu une grande partie, et le reste était dans un coffre depuis janvier. Pour ce qu'elle faisait, pour la vie qu'elle menait à présent, elle n'avait pas besoin de bijoux ni de vêtements de luxe.

Peter se rendit à la première adresse de sa liste et s'aperçut que la maison était entourée de trois autres beaucoup trop proches. Moins d'un mètre les séparait, ce qui était incompatible avec leur projet. Il en alla de même des quatre suivantes. La sixième atteignait un prix hallucinant. Suivirent quatre maisons qui ne convenaient pas davantage. Enfin, à son grand soulagement, la dernière de la liste se révéla être la bonne. Le cadre parfait pour leur opération. On y accédait par une longue allée sinueuse, envahie de mauvaises herbes et criblée de nids-de-poule. Le bâtiment lui-même semblait en mauvais état et la végétation le cachait à la vue. Il y avait des volets aux fenêtres. Un avantage supplémentaire. A l'intérieur, il y avait quatre chambres, une cuisine qui avait connu des jours meilleurs mais qui demeurait fonctionnelle, et un salon avec une cheminée dans laquelle Peter aurait pu se tenir debout. Située au bord d'une falaise, elle donnait à l'arrière sur un pan de roche à pic. Le propriétaire la lui fit visiter et lui dit qu'il n'y venait plus. Ses fils l'avaient occupée un temps, mais ils étaient partis depuis des lustres. Il la gardait comme placement et la louait, puisque sa fille n'en voulait pas non plus. Ses deux garçons vivaient maintenant en Arizona, et il passait l'été chez sa fille, dans le Colorado. Peter la loua pour six mois et demanda au propriétaire s'il pourrait l'arranger un peu, débroussailler le jardin pour les clients qu'il comptait y accueillir. Le bonhomme fut ravi de tomber sur un locataire pareil ; Peter ne discuta pas le prix, signa le contrat sans sourciller, paya trois mois d'avance et le dépôt de garantie en liquide. A 16 heures, il reprenait la route, quand son portable sonna. C'était Carlton Waters.

— Il y a un problème ? s'enquit Peter, inquiet.

Il redoutait un incident. Waters pouvait s'être fait repérer, avoir effrayé Fernanda ou l'un des enfants…

— Non, tout va bien, elle est au match du grand. Elle n'en fiche pas lourd, hein ? Et elle a toujours un gosse accroché à ses basques.

Cela leur compliquerait la tâche, le moment venu, mais pas beaucoup. Elle était trop menue pour leur donner du fil à retordre.

— Je viens de penser à un truc. Qui se charge de fournir les armes ?

Peter ne répondit pas tout de suite, il réfléchissait.

— Toi, je suppose. Je peux demander, mais je doute qu'il accepte de nous fournir des trucs qui risqueraient de le trahir. Tu peux t'en occuper ?

Peter savait qu'Addison avait les contacts nécessaires pour les équiper en armes, mais il savait aussi qu'il ne voulait pas que son nom soit lié à l'affaire.

— Possible. Je veux des automatiques.

Le ton était catégorique.

— Tu veux parler de fusils-mitrailleurs ? Pourquoi ? demanda Peter, surpris.

Les gosses ne seraient pas armés, elle non plus. Mais les flics le seraient en cas de confrontation. Les fusils-mitrailleurs semblaient excessifs à Peter.

— Ça simplifiera les choses, déclara froidement Waters.

Au bout de la ligne, Peter hocha la tête. C'étaient là les professionnels qu'Addison avait exigés.

— O.K., tu t'en occupes, répondit-il, inquiet.

Il lui parla ensuite de la maison et Waters fut d'accord avec lui. Elle semblait parfaite. Tout était prêt maintenant. Il ne leur restait plus qu'à choisir une date en juillet, et à passer à l'acte. Tout paraissait simple, et pourtant, dès que Peter eut raccroché, une douleur désormais familière lui rongea l'estomac. Il commençait à croire que c'était sa conscience. Filer Fernanda, des cours de danse aux matches de base-ball, était une chose. Lui enlever ses enfants, s'armer de fusils-mitrailleurs et exiger une rançon de cent millions de dollars en était une autre. Entre les deux, il y avait un gouffre que Peter ne pouvait ignorer.

11

La première semaine de juin marquait la fin de l'année scolaire. La dernière journée de classe fut chargée pour Fernanda. Ashley et Sam avaient tous deux leur spectacle à l'école. Elle devait ensuite les aider à rassembler leurs livres et leurs affaires pour les rapporter à la maison. Will avait un dernier match de base-ball et, plus tard ce soir-là, un match de hockey, auquel elle ne put aller car elle assistait au ballet d'Ashley. A courir toute la journée d'un enfant à l'autre, elle se faisait l'impression d'une souris en cage. Et, bien sûr, elle n'avait personne pour la seconder. Même s'il avait encore été là, Allan ne lui aurait été d'aucun secours. Jusqu'en janvier, elle avait eu une nourrice pour l'aider, mais à présent elle était seule. Elle n'avait plus de famille, avait perdu contact avec ses amies les plus proches pour diverses raisons et se rendait soudain compte que, depuis des années, elle avait totalement dépendu d'Allan. Lui disparu, il ne lui restait que les enfants. Leur situation était par trop précaire pour qu'elle songe à renouer avec ses amies d'autrefois. Elle se sentait si isolée qu'il lui semblait parfois vivre sur une île déserte avec les enfants.

Entre-temps, Peter lui avait parlé par deux fois. Au supermarché le premier jour et, plus tard, dans une librairie ; là, elle avait levé les yeux vers lui et avait souri en songeant qu'il avait un visage vaguement familier. Des livres étaient tombés de la pile qu'elle portait, et Peter les lui avait aimablement ramassés. Depuis, il l'observait à distance. Au stade du Presidio, il avait assisté à un match de Will depuis les gradins en prenant soin de se placer exactement derrière elle, et elle ne l'avait pas vu. Il ne la quittait pas.

Il avait remarqué qu'elle ne pleurait plus, le soir à sa fenêtre. Elle y venait encore, fixant la rue déserte, comme si elle attendait quelqu'un. Il avait alors l'impression de plonger dans son âme, de lire ses pensées. Il aurait juré qu'elle rêvait à Allan. Quelle chance il avait eue d'épouser une telle femme ! Il se demandait s'il s'en était rendu compte. Souvent, ce n'était pas le cas, les gens ne se rendaient pas compte de leur bonheur. Peter, lui, appréciait tous les gestes de Fernanda, ses retrouvailles avec les enfants lorsqu'ils sortaient de l'école et leurs câlins. Elle était le genre de mère qu'il aurait aimé avoir à la place de la sienne – un vrai cauchemar, une alcoolique par qui il s'était senti rejeté. En fin de compte, elle l'avait laissé à son beau-père qui, lui aussi, l'avait abandonné.

Contrairement à lui, les enfants de Fernanda ne manquaient pas d'amour. Il en était presque jaloux. Et, lorsqu'il la voyait le soir à sa fenêtre, il aurait aimé la prendre dans ses bras pour la consoler, tout en sachant que jamais il ne le ferait. Enchaîné à son poste d'observation, Peter était condamné à lui causer encore plus de peine et de douleur, et cela par la faute d'un homme qui menaçait de tuer ses deux filles. L'ironie de la situation était cruelle. Pour sauver ses propres enfants, il devait risquer la vie de ceux de Fernanda, faire souffrir une femme qui suscitait son admiration et déchaînait en lui un torrent d'émotions, confuses pour certaines mais toutes douces-amères. En la voyant, il éprouvait une sorte de désir nostalgique.

Ce soir-là, il la suivit au spectacle de danse d'Ashley et s'arrêta derrière elle chez la fleuriste où elle prit les fleurs qu'elle avait commandées. Elle en sortit avec deux bouquets de roses d'un rose tendre, dont l'un pour le professeur de danse. La petite se préparait déjà à l'école et Sam assistait au match de Will ; la mère d'un ami de ce dernier, qui avait également un fils du même âge, avait proposé de l'emmener. Dans l'après-midi, le petit garçon avait déclaré que la danse était « un truc de filles ». En les regardant partir au stade, Peter s'était dit que, si Waters et les autres avaient décidé de frapper aujourd'hui, ils auraient pu très facilement kidnapper les deux garçons.

Waters s'était procuré des fusils-mitrailleurs par le biais d'un ami de Jim Free. L'homme à qui il les avait achetés les avait transportés de Los Angeles en car, dans des sacs de golf. La livraison était arrivée sans dommage. Personne n'avait ouvert les sacs. Peter tremblait comme une feuille en allant les chercher. Il les laissa dans le coffre de la voiture par précaution, car sa chambre d'hôtel pouvait être fouillée sans mandat de perquisition ni préavis si son agent de probation le décidait. Jusque-là, il ne s'était pas manifesté et ne s'inquiétait plus guère de Peter depuis qu'il avait du travail. Mais mieux valait se méfier que courir ce risque. Pour le moment, tout se déroulait sans accroc.

Ce soir-là, il attendit Fernanda et Ashley devant l'école de danse, et vit Ashley en sortir, radieuse, sa gerbe de roses dans les bras. Fernanda paraissait très fière de sa fille. Après la représentation, elles rejoignirent Will et Sam pour fêter l'événement au Mel's Diner de Lombard Street. Lorsque la famille se fut installée, Peter se glissa discrètement dans une petite alcôve en coin et commanda un café. Il était tout près d'eux, presque à portée de main et, lorsque Fernanda passa à côté de lui, il sentit l'odeur de son parfum. Elle portait une jupe kaki avec un pull en cachemire blanc à col en V ; ses cheveux flottaient en liberté et, pour la première fois depuis qu'il l'observait, elle avait des talons et du rouge à lèvres. Elle était ravissante et paraissait heureuse. Toujours en collant de danse, Ashley était maquillée, elle aussi, et Will était en tenue de hockey. Sam leur racontait le match avec enthousiasme. L'équipe de Will avait gagné et, dans l'après-midi, son équipe de base-ball avait triomphé aussi. Solitaire et exclu, Peter les regardait célébrer leurs succès, la mort dans l'âme. Il savait ce qui allait arriver, et la joie de Fernanda lui serrait le cœur. Il se sentait comme un fantôme. Conscient des souffrances que leur réservait l'avenir, il était impuissant à changer le cours des choses. Pour sauver ses propres enfants, il était contraint au silence, avait muselé la voix de sa conscience.

La famille resta chez elle tout le mois de juin. Des amis allaient et venaient. Fernanda emmenait Sam au supermarché et Ashley dans les magasins, pour lui acheter quelques affaires en prévision de son séjour à Tahoe. Un jour, elle partit même faire les boutiques seule, pour le plaisir, mais ne revint qu'avec une paire de sandales. En janvier, elle avait promis à Jack Waterman de ne rien dépenser ou presque. Il l'avait invitée à passer la journée à Napa avec les enfants pour le Jour du Souvenir, mais Will avait un match de hockey à Marin, et elle avait décliné l'offre pour accompagner son fils. Elle ne voulait pas le savoir seul sur la route, un week-end de grande circulation. Jack avait renouvelé l'invitation pour le 4 Juillet, quand Will serait à son stage et Ashley à Tahoe. Fernanda lui avait promis de venir avec Sam au pique-nique prévu par ses amis pour la fête nationale. Tous deux s'en réjouissaient et Jack aussi, mais Fernanda était loin de se douter à quel point. Leur amitié lui semblait innocente, comme elle l'avait toujours été. Mais il n'en était pas de même pour lui. Il la considérait maintenant comme une jeune femme libre, à nouveau disponible. Depuis l'invitation, Ashley taquinait sa mère à propos du pique-nique et lui disait que Jack avait le béguin pour elle.

« Ne sois pas ridicule, Ash ! Ce n'est qu'un vieil ami. »

Ce matin-là au petit déjeuner, l'adolescente avait insisté et déclaré que Jack était amoureux d'elle. Levant les yeux de son assiette de galettes, Sam avait demandé avec curiosité :

« C'est vrai, ça, maman ?

— Non, ce n'est pas vrai. Jack était un ami de papa. »

Comme si cela changeait quelque chose. Leur père n'était plus là à présent.

« Et alors ? Cela n'empêche rien, avait remarqué Ashley en chapardant un morceau de galette à son frère, qui l'avait frappée de sa serviette.

« Tu vas te marier avec lui, maman ? » avait insisté Sam en levant sur elle de grands yeux tristes.

Il aimait l'avoir toute à lui, dormait encore avec elle presque quotidiennement. Son père lui manquait et, pour compenser, il s'était rapproché de sa mère, qu'il n'avait pas envie de partager.

« Bien sûr que non ! s'était récriée Fernanda. Je n'épouserai personne. J'aime toujours papa.

— Tant mieux », avait déclaré l'enfant avec franchise.

Puis, satisfait, il avait enfourné un énorme morceau de galette dans sa bouche, et le sirop d'érable avait dégouliné sur son tee-shirt.

Trop occupée à faire les bagages, c'est à peine si Fernanda sortit de chez elle pendant la dernière semaine de juin. Il lui fallait préparer le matériel et les tenues de Will pour son stage de hockey, décider de ce qu'Ashley emporterait à Tahoe et tout mettre dans les sacs et les valises. C'était un travail sans fin. Dès qu'elle rangeait un vêtement, il fallait que l'un d'entre eux le ressorte des bagages pour le porter. A la fin de la semaine, il n'y avait plus rien de propre et elle dut recommencer. Ashley avait essayé toute la garde-robe de sa mère et emprunté la moitié de ses affaires. Quant à Sam, il décréta brusquement qu'il ne voulait plus aller en centre aéré.

— Allons, Sam, tu t'y amuseras bien. Je suis sûre que tu t'y plairas, l'encouragea-t-elle.

Au même moment, Ashley entra dans la buanderie, portant un de ses pulls et ses talons aiguilles.

— Enlève-moi ça tout de suite ! gronda-t-elle tandis que Sam s'en allait en traînant les pieds.

Il n'était pas plus tôt sorti que Will entrait à son tour pour lui demander si ses chaussures à clous étaient dans la valise, parce qu'il en avait besoin pour l'entraînement.

— Je vous préviens tous les deux, si vous touchez encore à ces bagages que j'ai rangés pour la vingtième fois, je vous tue !

Ashley la regarda comme si elle était folle, et Will se précipita à l'étage à la recherche de ses chaussures.

Leur mère était irritable depuis le matin. En fait, elle était triste de les voir partir. Elle comptait sur eux plus que jamais pour lui tenir compagnie et la distraire. Elle allait se sentir perdue, seule avec Sam à la maison. Il en était perturbé, lui aussi, ce qui expliquait son refus du centre aéré. Elle lui avait alors rappelé le pique-nique à Napa, le 4 juillet, pensant que cette idée le consolerait, mais cela n'avait pas éveillé son enthousiasme. Son frère et sa sœur allaient lui manquer. Will partait pour trois semaines, Ashley pour deux. Pour Sam et Fernanda, c'était une éternité.

— Ils seront rentrés plus vite que tu ne crois, dit-elle, tant pour rassurer l'enfant que pour se donner du courage.

Dehors, Peter broyait du noir, lui aussi. Ils allaient passer à l'action dans six jours, et elle disparaîtrait de sa vie. Peut-être se rencontreraient-ils de nouveau un jour et, avec un peu de chance, elle ne saurait jamais le rôle qu'il avait joué dans le drame qui était sur le point de la frapper. Il fantasmait, rêvait de la croiser par hasard, ou de reprendre sa surveillance juste pour le plaisir de la regarder. Il la suivait depuis plus d'un mois maintenant, et elle n'en avait jamais rien soupçonné. Les enfants non plus. Il avait été aussi prudent que discret, de même que Carlton Waters le week-end. Ce dernier n'était pas, comme lui, tombé sous le charme de Fernanda. Il trouvait sa vie très ordinaire et d'un ennui mortel, au point qu'il se demandait comment elle la supportait. Elle mettait à peine le nez dehors et ne sortait qu'accompagnée de ses enfants. C'était justement ce qui touchait Peter.

« Elle devrait nous remercier de la débarrasser des mômes une semaine ou deux, lui avait déclaré Waters un samedi. Tu te rends compte qu'elle les traîne avec elle où qu'elle aille ?

— Tu devrais l'admirer, au contraire », avait rétorqué Peter.

C'était son cas, mais pas celui de Waters.

« Tu m'étonnes que le mari soit mort. Le pauvre bougre a dû s'ennuyer à périr ! »

Pour Waters, l'opération de surveillance avait été le plus pénible de la mission. Pour Peter, c'était un plaisir.

« Peut-être qu'elle sortait davantage, avant d'être veuve », avait-il remarqué.

Waters s'était contenté de hausser les épaules. Il lui avait rendu les clés de la voiture et était reparti prendre son car pour Modesto, ravi que le pensum se termine. Il avait hâte de passer à l'action et de toucher l'argent. Addison avait tenu parole. Free, Stark et lui avaient reçu chacun cent mille dollars en liquide, qui les attendaient dans des valises déposées à la consigne de la gare routière de Modesto. Ils les emporteraient avec eux à Tahoe. Tout était fin prêt. Le compte à rebours avait commencé.

Jusque-là, l'opération s'était déroulée comme prévu, et Peter avait assuré à Addison qu'il n'y aurait pas de retard ni de contretemps de leur côté. De manière inattendue, le premier problème qu'ils rencontrèrent vint d'Addison. Il était à son bureau, occupé à dicter du courrier à sa secrétaire, quand deux hommes entrèrent, lui présentèrent leur badge et l'informèrent qu'il était en état d'arrestation. La secrétaire se précipita hors du bureau en larmes et personne ne chercha à la retenir. Phillip ne montra pas la moindre surprise ; une lueur ironique dans le regard, il examina les nouveaux venus et déclara d'un ton posé :

— Je n'ai jamais rien entendu de plus ridicule.

Il se demandait si cette visite était liée à ses laboratoires de drogue de contrebande. Si oui, c'était la première fois que ses affaires douteuses l'emportaient sur ses activités légales. Les deux hommes qui lui montraient leurs badges étaient en jeans et chemises à carreaux. L'un était de type hispanique, et l'autre, noir. Il n'avait aucune idée de ce qu'ils lui voulaient. A sa connaissance pourtant, son commerce de drogue tournait discrètement. La filière ne pouvait être remontée jusqu'à lui, et ceux qui la dirigeaient étaient de toute confiance.

— Addison, vous êtes en état d'arrestation, répéta l'Hispanique.

L'intéressé ne put s'empêcher de rire.

— Mais à quel titre, grand Dieu ? Vous plaisantez !

Il n'avait pas l'air plus affolé que ça.

— Il s'agit apparemment de transferts d'argent suspects. Vous passez de grosses sommes en liquide d'un Etat à l'autre. Cela ressemble à une opération de blanchiment, expliqua l'agent, qui se sentait un peu ridicule.

Les deux hommes avaient passé la matinée en mission secrète sur une autre affaire et n'avaient pas eu le temps de se changer quand on les avait dépêchés au bureau d'Addison. Devant sa désinvolture, ils se sentaient un peu bêtes et regrettaient de ne pas être en uniforme pour l'intimider ou tout au moins l'impressionner. Impassible, Addison leur souriait comme à des enfants pris en faute.

— Mes avocats seront certainement en mesure d'arranger ça sans qu'il vous soit nécessaire de m'arrêter. Vous désirez du café, peut-être ?

— Non, merci, dit poliment le Noir.

Ils étaient jeunes tous les deux, et l'agent spécial chargé de l'enquête leur avait dit de ne pas sous-estimer Addison. Ils en avaient déduit qu'il cachait son jeu et pouvait être armé ou dangereux. Visiblement, ce n'était pas le cas. Tandis que le jeune Hispanique lui lisait ses droits, Addison comprit qu'il n'avait pas affaire à la police, mais à des représentants du FBI, ce qui, même s'il n'en montrait rien, l'inquiétait davantage. En fait, son arrestation était un coup de poker des autorités supérieures, qui espéraient ainsi faire avancer l'enquête. Les fédéraux le surveillaient depuis longtemps. Ils soupçonnaient des activités louches, sans parvenir à mettre le doigt dessus, et faisaient feu de tout bois.

— Il doit y avoir erreur, monsieur le... Agent spécial, j'entends.

Le titre même lui semblait grotesque, sorti d'un mauvais feuilleton télévisé.

— C'est possible, mais il faut que vous nous suiviez. Vous êtes en état d'arrestation, monsieur Addison. Venez-vous de votre plein gré, ou tenez-vous à ce que nous vous passions les menottes ?

Phillip n'avait pas l'intention de sortir menottes aux poings entre deux fédéraux. Furieux, il se leva. La situation ne l'amusait plus. Malgré leur jeunesse, les deux agents ne plaisantaient pas.

— Vous savez ce que vous faites, au moins ? Vous avez une idée du procès que je peux vous intenter pour arrestation abusive, diffamation et atteinte à ma réputation ?

Phillip était blême de rage. Ces hommes n'avaient aucun motif de l'arrêter. Ils ne pouvaient pas en avoir.

— Nous ne faisons qu'obéir aux ordres, monsieur, déclara poliment le Noir, l'agent spécial Price. Et maintenant, si vous voulez bien venir avec nous…

— Dès que j'aurai appelé mon avocat.

Tandis que les deux fédéraux attendaient de l'autre côté de la table, il composa le numéro, puis expliqua la situation à son avocat, qui lui conseilla d'obtempérer et promit de le rejoindre au bureau du FBI dans la demi-heure. Phillip mettrait à peu près autant de temps pour y arriver. C'était le procureur général qui avait délivré le mandat d'arrestation, après une plainte pour fraude fiscale impliquant des sommes ridicules. Phillip n'avait pas besoin de cela en ce moment.

— Je pars pour l'Europe dans trois jours, déclara-t-il outré en quittant le bureau, escorté des deux hommes.

Sa secrétaire avait disparu, mais il put voir, aux regards des employés, qu'elle avait parlé.

En arrivant au siège du FBI, sa rage ne fit que croître. Accueilli par l'agent spécial Rick Holmquist, chargé de l'enquête, il découvrit qu'on le soupçonnait de fausses déclarations de revenus, de fraude fiscale et de transferts de fonds illicites d'un Etat à un autre. Ce n'était pas une mince affaire et les autorités n'avaient pas l'intention de la prendre à la légère. Lorsque son avocat le rejoignit, il conseilla à Phillip de coopérer. L'accusation venait du procureur général, qui avait remis le dossier entre les mains du FBI. On le fit entrer dans une salle pour être interrogé, avec son avocat et l'agent spécial Holmquist, que les manières hautaines de Phillip et ses protestations d'innocence outragée laissaient froid. Holmquist n'avait aucune sympathie pour le personnage et n'avait pas apprécié la condescendance avec laquelle il avait traité ses émissaires.

Il autorisa l'avocat à parler avec son client, puis il interrogea Phillip pendant trois heures et ne fut pas satisfait de ses réponses. Holmquist avait signé l'ordre de perquisitionner les bureaux d'Addison, et ses hommes étaient déjà sur place. A la requête du procureur général, un juge fédéral avait signé le mandat autorisant la perquisition. Ils se posaient des questions sur la légitimité des affaires d'Addison et le soupçonnaient de blanchir de l'argent sale, beaucoup d'argent. Comme toujours, un indic les avait mis sur la voie, mais cette fois il s'agissait de quelqu'un de très haut placé. Phillip faillit avoir une attaque lorsqu'il apprit qu'au même moment une demi-douzaine d'agents fédéraux fouillaient son bureau.

— Vous ne pouvez pas faire quelque chose ? C'est scandaleux ! hurla-t-il à son avocat.

Ce dernier secoua la tête et lui expliqua que l'ordre de perquisition était en règle et qu'il ne pouvait rien faire pour s'y opposer.

— Mais je pars vendredi pour l'Europe ! protesta Phillip, comme s'il s'attendait à ce qu'ils mettent l'enquête de côté pendant qu'il prenait ses vacances.

— Cela reste à voir, monsieur Addison, déclara courtoisement Holmquist.

Il avait déjà eu affaire à ce genre de personnage, qu'il trouvait extrêmement déplaisant. Il prenait donc un malin plaisir à les titiller, quand c'était possible, et il comptait bien ne pas lâcher Addison pendant qu'il le tenait. Quelle que soit la caution demandée, il savait qu'étant donné sa fortune il sortirait aussitôt, mais tant que le montant n'était pas établi, il avait tout loisir de le questionner.

Holmquist passa ainsi le reste de la journée à l'interroger, après quoi Addison fut officiellement mis en garde à vue et informé qu'il était trop tard pour qu'un juge fédéral établisse le montant de la caution. En conséquence, il resterait en prison pour la nuit et ne serait relaxé que le lendemain matin, après l'audience prévue à 9 heures au tribunal. Phillip Addison était exaspéré au plus haut point, mais son avocat ne pouvait rien pour lui. Il ne comprenait toujours pas ce qui avait motivé l'enquête. C'était apparemment une histoire de retraits et de dépôts irréguliers hors des frontières de l'Etat, principalement dans une banque du Nevada, où il avait un compte sous un nom d'emprunt, et le gouvernement voulait savoir pourquoi, d'où provenait l'argent et ce qu'il en faisait. Au moins était-il certain que ça n'avait rien à voir avec ses laboratoires de drogues frelatées au Mexique. Toutes les sommes nécessaires à leur fonctionnement venaient d'un compte qu'il avait ouvert à Mexico sous une fausse identité, et les bénéfices placés sur plusieurs comptes numérotés en Suisse. Ses difficultés actuelles semblaient bien relever de la fraude fiscale. Selon l'agent Holmquist, on avait constaté des mouvements de plus de onze millions de dollars sur le compte du Nevada au cours des derniers mois – principalement des retraits – et il s'avérait qu'il n'avait payé ni impôt ni intérêt sur ces sommes. Addison continuait à jouer l'indifférence tandis qu'on le conduisait dans sa cellule, mais il jeta au passage un regard noir à Holmquist et à son avocat.

Holmquist réunit ensuite les agents qui avaient effectué la perquisition, sans résultat. Ils avaient épluché le contenu des ordinateurs et des dossiers, qui seraient retenus comme pièces à conviction. Ils en avaient rapporté de pleins cartons. Ils avaient également ouvert les tiroirs de son bureau et découvert une arme de poing chargée, des dossiers personnels et quatre cent mille dollars en billets de banque, ce qui n'avait pas manqué d'intéresser Holmquist. Même pour un homme d'affaires aisé, cela faisait une grosse somme en liquide. Ses hommes l'informèrent par ailleurs qu'Addison n'avait pas de permis pour le pistolet. Un agent remit à Holmquist les deux cartons contenant ce qu'ils avaient trouvé dans ses tiroirs.

— Qu'est-ce que tu veux que j'en fasse ? s'enquit Rick en les regardant.

— Je pensais que tu voudrais y jeter un œil, répondit son collègue.

Holmquist allait lui dire de ranger les cartons avec les autres pièces à conviction, quand il se ravisa et les emporta dans son bureau.

L'arme avait été mise dans un sac plastique ; d'autres enveloppes plastifiées contenaient de petits morceaux de papier et, sans raison particulière, il se mit à les lire. Il s'agissait de notes avec des noms et des numéros de téléphone et il remarqua que le nom de Peter Morgan figurait sur deux d'entre elles, avec des numéros de téléphone différents. Il en était à la moitié du second carton quand il tomba sur un dossier plus épais que l'annuaire de San Francisco : celui qui couvrait trois ans de la carrière d'Allan Barnes. Bizarre, songea Holmquist en mettant le dossier de côté pour en parler à Addison. Il contenait plusieurs photos de Barnes, découpées dans des journaux ou des magazines, dont une sur laquelle on le voyait avec sa femme et ses enfants. Cela ressemblait à de l'obsession, à une sorte de jalousie. Rick ne trouva rien d'autre d'intéressant pour lui, mais il en irait peut-être autrement chez le procureur général. Les agents qui avaient perquisitionné lui avaient assuré qu'ils n'avaient rien laissé dans les tiroirs d'Addison. Ils avaient tout saisi, jusqu'au téléphone portable qu'il avait oublié d'emporter en partant.

— S'il a un répertoire téléphonique dedans, n'oubliez pas de noter les numéros.

— C'est déjà fait, répondit en souriant l'un des agents.

— Il y avait des choses intéressantes ?

— Rien de plus que dans ses tiroirs. Un dénommé Morgan a appelé pendant que nous faisions le relevé. Quand je lui ai dit que j'étais du FBI, il a raccroché aussitôt.

— Tu m'étonnes !

Les deux hommes riaient, mais le nom de Morgan avait frappé Holmquist. Il l'avait déjà trouvé sur deux morceaux de papier dans les cartons. A l'évidence, cet homme était en contact fréquent avec Addison, s'il l'appelait sur son portable. Cela ne signifiait probablement rien, pourtant son instinct lui disait le contraire. Ce nom lui avait parlé, et il l'avait retenu définitivement sans raison apparente. Il lui suffisait d'attendre pour savoir à quoi il correspondait.

Il était plus de 19 heures quand Rick Holmquist quitta son bureau ce soir-là. Phillip Addison passerait la nuit en garde à vue. Son avocat avait cessé de les empoisonner pour qu'ils fassent une exception et le libèrent. De guerre lasse, il avait fini par rentrer chez lui. La plupart des agents étaient partis aussi. Et, comme sa petite amie était en déplacement, sur le chemin du retour Rick décida d'appeler Ted Lee. C'était son ami le plus proche depuis leurs études à l'école de police, et ils avaient travaillé en équipe pendant quinze ans. Rick avait toujours désiré intégrer le FBI, où l'âge limite d'entrée était fixé à trente-cinq ans. Il avait réalisé son rêve en y arrivant à trente-trois et, depuis quatorze ans, il était agent spécial. Il prendrait sa retraite dans six ans, à cinquante-trois ans, après vingt ans de service au FBI. Ted aimait à lui rappeler que lui n'avait plus qu'un an à faire pour atteindre les trente ans de service et se retirer, mais, dans l'immédiat, ni l'un ni l'autre n'envisageaient de partir. Ted encore moins que Rick, dont le travail au FBI était parfois ennuyeux, entre autres la paperasse, qu'il avait en horreur. Il y avait aussi des moments, comme ce soir, où il regrettait le travail d'équipe avec

Ted dans un commissariat. Il détestait les types comme cet Addison, qui lui faisaient perdre du temps avec leurs mensonges et leur comportement odieux.

Ted répondit sur son portable à la première sonnerie et sourit en reconnaissant la voix de Rick. Ils dînaient ou déjeunaient ensemble toutes les semaines depuis quatorze ans. Ces rendez-vous rituels leur permettaient de garder le contact.

— Qu'est-ce qui t'arrive ? Tu t'ennuies ? plaisanta Holmquist. Tu décroches plus vite que ton ombre. Il faut que la nuit soit bien calme, en ville.

— Effectivement, ça ne bouge pas beaucoup, reconnut Ted, qui appréciait parfois ces moments de tranquillité.

Jeff Stone, son collègue, était malade. Seul dans le bureau, les pieds sur la table, il rédigeait un rapport sur un cambriolage survenu la veille. Pour le reste, Rick n'avait pas tort, il s'ennuyait.

— Et de ton côté, comment ça va ?

— J'ai passé une journée à me faire regretter d'avoir quitté la police. Je sors tout juste, et j'ai remué plus de papier aujourd'hui qu'une imprimerie. On a coffré une belle ordure pour fraude fiscale et blanchiment d'argent. Un prétentieux de première.

— Je le connais ? On en voit aussi de temps en temps chez nous, des types comme ça.

— Comme lui, ça m'étonnerait. Je préfère un bon vieux vol à main armée ou un tireur fou. Tu as sûrement entendu parler de lui : c'est Phillip Addison. Il dirige plusieurs groupes et mène une vie très mondaine. Il chapeaute près de deux cents boîtes, qui lui servent sans doute de couverture pour ne pas payer d'impôts.

— C'est du gros gibier, remarqua Ted.

Il s'étonnait toujours que des hommes comme Addison se fassent arrêter, mais cela arrivait parfois. Ils étaient finalement comme les autres.

— Vous en avez fait quoi ? J'imagine que vous l'avez relâché sous caution, affirma-t-il.

Les suspects de cette importance avaient généralement des armées d'avocats, et pas des moindres. Car, en dehors de ceux qui passaient de la drogue ou des armes d'un Etat à un autre, ceux que Rick arrêtait ne présentaient pas de risque de fuite. Les faussaires et ceux qui volaient le fisc étaient toujours mis en liberté sous caution.

— Il est à l'ombre pour la nuit. Le temps qu'il vide son sac, il n'y avait plus un juge dans le secteur pour fixer le montant de la caution.

Rick riait, et Ted souriait. L'idée qu'une huile comme Addison passe une nuit au trou ne manquait pas de piquant et les amusait tous les deux.

— Peg est à New York chez sa sœur. Tu veux que nous dînions quelque part ? Je n'ai pas le courage de cuisiner, je suis vanné.

Ted consulta sa montre. Il était encore tôt et il n'avait rien à faire, hormis son rapport à finir. Il avait son bip, sa radio et son portable, et si on avait besoin de lui on pourrait facilement le trouver. Rien ne l'empêchait de dîner avec Rick.

— Je te retrouve chez Harry, dans dix minutes.

Ted aimait bien ce restaurant où ils allaient depuis des années et dont ils appréciaient les hamburgers. Comme à l'accoutumée, on leur donnerait une table tranquille au fond de la salle, où ils pourraient discuter en paix. A cette heure-ci, il n'y aurait pas trop de monde ; la clientèle du soir venait plutôt boire un verre que manger.

Rick était déjà là et buvait une bière au bar quand Ted le rejoignit. Il avait terminé son service et pouvait se permettre un peu d'alcool. Ted n'en prenait jamais, il avait besoin de toutes ses facultés lorsqu'il était en service.

— Tu as une sale tête, dit-il en souriant à son ami.

Il exagérait, par facétie. Rick avait juste l'air fatigué après une rude journée de travail, alors que Ted commençait juste la sienne. Son ami lui rendit aussitôt le compliment :

— Je te remercie. Toi aussi.

Ils s'installèrent à une table en coin et commandèrent deux steaks. Il était presque 20 heures. Ted terminait à minuit. Tout en mangeant, ils discutèrent de leurs métiers jusqu'à 21 h 30. C'est alors que Rick se souvint de quelque chose.

— Ecoute, j'aurais besoin d'un petit service. Ce n'est probablement rien, mais j'ai eu une de mes intuitions bizarres, aujourd'hui. En général, elles ne mènent à rien, mais il arrive qu'elles paient. Dans le bureau d'Addison, il y avait deux bouts de papier avec le même nom dessus. Je ne sais pas pourquoi, mais cela m'a frappé, comme si c'était un signe. Peut-être parce que le nom apparaissait deux fois, va savoir.

— Epargne-moi le numéro du médium, dit Ted en levant les yeux au ciel.

Rick faisait toujours attention à ses intuitions, qui parfois tombaient juste. Mais pas assez souvent pour que Ted les prenne en compte. Cela étant, il n'avait rien de mieux à faire.

— Donne-moi le nom. Je vérifierai pour toi en rentrant. Tu peux venir, si tu veux.

Grâce aux bases de données, ils verraient si l'homme possédait un casier judiciaire ou avait fait de la prison en Californie.

— Pas bête. Je vais venir regarder ça avec toi. Je n'aime pas rentrer chez moi quand Peg est absente. C'est terrible, Ted. Je crois que je me suis habitué à elle.

Il semblait presque inquiet en disant cela. Après son divorce, il était resté des années célibataire et s'en trouvait fort bien mais, comme il le répétait souvent à Ted ces derniers temps, Peg n'était pas une fille comme les autres. Ils avaient même parlé de mariage.

— Je t'avais prévenu que tu finirais par l'épouser. Au point où vous en êtes, tu ferais aussi bien. Peg est une femme sérieuse. Tu aurais pu tomber plus mal.

Ce qui lui était arrivé à plusieurs reprises. Il avait un faible pour les femmes faciles, mais ce n'était pas le cas de Peg.

— C'est ce qu'elle me dit aussi, répondit Rick en souriant.

Il paya l'addition puisque c'était son tour, et les deux hommes regagnèrent à pied le bureau de Ted. Rick avait noté le nom et les deux numéros de téléphone sur un papier, qu'il remit à Ted. Il avait vérifié de son côté, sans trouver trace de condamnations au niveau fédéral, mais la police d'Etat avait ses propres fichiers.

En arrivant, Ted se mit devant l'ordinateur, tapa le nom et lança la recherche, puis il leur servit du café en attendant que les résultats tombent. Rick lui parlait de Peg en termes dithyrambiques, et il se réjouissait de le voir aussi épris. Marié lui-même, il pensait que tout le monde devrait l'être. Mais Rick avait fui tout engagement depuis son divorce.

Ils buvaient encore leur café quand l'imprimante se déclencha. Ted jeta un coup d'œil au feuillet, haussa un sourcil et le tendit à Rick.

— Apparemment, ton gars qui truande le fisc a des copains intéressants. Peter Morgan est sorti de Pelican Bay il y a six semaines. Il est en liberté conditionnelle à San Francisco.

— Pourquoi était-il en taule ?

Rick prit le papier et le lut attentivement. Tous les détails de la condamnation de Peter Morgan étaient là, ainsi que le nom de l'agent de probation et l'adresse d'un foyer dans le quartier de Mission.

— A ton avis, qu'est-ce que mon frimeur mondain fabrique avec un type pareil ? commenta Rick, tant pour lui-même que pour Ted.

Une pièce nouvelle venait de s'ajouter au puzzle.

— Difficile à dire. Va comprendre ce qui rapproche les gens... Peut-être qu'ils se connaissaient avant que l'autre aille en taule et qu'il l'aura appelé à sa sortie. Peut-être qu'ils sont copains, suggéra Ted en leur resservant du café.

— Peut-être...

Les alarmes s'étaient mises au rouge dans la tête de Rick, sans qu'il sache pourquoi. Il reporta son attention sur Ted.

— Addison avait de drôles de trucs dans les tiroirs de son bureau. Entre autres, un pistolet chargé, quatre cent mille dollars en liquide – de l'argent de poche, apparemment – et un dossier très épais sur Allan Barnes. Dedans, il y avait même une photo de sa femme et de ses gosses.

Cette fois, Ted le regarda bizarrement. A l'évidence, le nom de Barnes lui rappelait quelque chose.

— C'est marrant. Je les ai rencontrés, il y a un mois. Des gamins adorables.

— Tu te fiches de moi ? J'ai vu la photo. Elle est très mignonne, elle aussi. Qu'est-ce qui t'a amené à la rencontrer ?

Rick savait qui ils étaient. Avec ses incroyables succès en affaires, Barnes avait fréquemment fait la une des journaux. Il n'était pas comme Addison, qui, lui, figurait dans les rubriques mondaines, où on le voyait assistant à des soirées. Allan Barnes appartenait à une tout autre espèce, et jamais on ne l'avait soupçonné d'affaires louches. Il avait donné l'impression d'un homme régulier jusqu'à la fin. Son nom n'avait jamais été mêlé à la moindre histoire de fraude, et Rick ne comprenait pas que Ted ait rencontré sa veuve. Elle appartenait à un milieu que Ted n'avait guère l'occasion de fréquenter dans son travail.

— On avait posé une bombe dans une voiture, juste à côté de chez eux, expliqua ce dernier.

— Ils habitent où ? A Hunter's Point ? plaisanta Rick.

— Ne fais pas le malin. Ils vivent à Pacific Heights. Quelqu'un a pris le juge McIntyre pour cible, trois ou quatre jours après la libération de Carlton Waters.

Ted s'interrompit brusquement et regarda Rick d'une manière étrange. Un détail venait de le frapper, lui aussi.

— Montre-moi un peu ce papier.

Rick le lui tendit ; il le relut. Peter Morgan avait été incarcéré à Pelican Bay et était sorti en même temps que Carlton Waters.

— Tu vas me transformer en médium, je le sens. Waters était en taule à Pelican Bay. Je me demande si ces deux-là se connaissent. Dans le bureau d'Addison, il n'y avait pas un papier avec le nom de Waters dessus, par hasard ?

Mais c'était trop demander : Rick fit non de la tête. Ted vérifia la date de libération de Peter Morgan et lança une nouvelle recherche. L'ordinateur lui donna aussitôt la réponse, et Ted leva les yeux vers son ami.

— Waters et Morgan sont sortis le même jour.

La coïncidence ne manquait pas d'intérêt, même si elle ne signifiait rien.

— Désolé de te décevoir, mais je crains que cela ne veuille pas dire grand-chose, remarqua Rick avec bon sens.

Ted le savait aussi. En tant que flic, mieux valait ne pas trop croire aux coïncidences. Certaines produisaient parfois des résultats, mais, la plupart du temps, elles ne menaient à rien.

— Où en est ton affaire de voiture piégée ?

— Au point mort. Nous n'avons encore rien de concret. Je suis allé rendre visite à Waters à Modesto, histoire de voir, et pour qu'il sache qu'on le tient à l'œil. Je ne pense pas qu'il soit dans le coup. Il est bien trop malin.

— Va savoir. Rien n'est impossible. Tu as demandé aux ordinateurs si d'autres amis du juge étaient sortis ces derniers temps ?

Connaissant Ted, Rick se doutait bien qu'il avait tout vérifié. Jamais il n'avait travaillé avec quelqu'un de plus méticuleux et de plus entêté que Ted Lee. Il regrettait encore de ne pas avoir réussi à le convaincre d'entrer au FBI. Certains de ses collègues là-bas le rendaient fou. Alors qu'avec Ted ils échangeaient des renseignements, discutaient de leurs dossiers, et, bien souvent, des conversations comme celle de ce soir leur avaient permis d'aboutir et de boucler une enquête.

— Tu ne m'as toujours pas dit ce que Mme Barnes venait faire dans cette histoire de voiture piégée. Je présume qu'elle ne fait pas partie des suspects, reprit Rick, ironique.

Ted agita la tête en riant. Ils adoraient se mettre en boîte.

— Sa maison est proche de celle du juge. Un de ses gosses regardait par la fenêtre. Je lui ai montré le portrait de Waters le lendemain, mais il ne l'a pas reconnu. Nous n'avons rien, pas l'ombre d'une piste.

— Et elle ? Ce n'est pas une piste, j'imagine, plaisanta Rick avec un regard entendu à son ami.

Il prenait un malin plaisir à le taquiner, et Ted lui rendait la pareille, surtout à propos de Peg. C'était la première fois depuis des années que Rick avait une relation sentimentale sérieuse. Peut-être la première fois tout court. Ted ne connaissait rien à ces choses-là. Il avait toujours été fidèle à Shirley, depuis l'adolescence. Rick trouvait cela malsain et le lui avait dit, mais il admirait sa constance. Il devinait cependant à certaines remarques de son ami que leur couple n'était plus ce qu'il avait été, mais au moins ils étaient ensemble et s'aimaient à leur façon. Que la passion s'estompe au bout de vingt-huit ans n'avait rien de surprenant.

— Je ne t'ai rien dit d'elle, observa Ted. J'ai seulement dit que les gosses étaient adorables.

— Bon, alors, pas de suspects pour la voiture piégée, si je comprends bien.

Ted fit non de la tête.

— Aucun. Rien. Mais ma petite visite à Waters n'a pas manqué d'intérêt. C'est un dur à cuire, celui-là. Il a l'air de se tenir à carreau, du moins pour le moment. Il n'était pas franchement ravi de me voir.

— Une belle ordure, déclara froidement Rick, qui n'avait guère d'affection pour les Carlton Waters de ce monde.

Il connaissait l'homme de réputation et n'aimait pas ce qu'il avait lu à son sujet.

— C'est aussi mon avis, répondit Ted.

Rick le regarda à nouveau. Il était tracassé. Il ne parvenait pas à faire le lien entre Peter Morgan et Phillip Addison, et cela le turlupinait. Le fait que Carlton Waters soit sorti de prison le même jour que Morgan n'était sans doute qu'une coïncidence, sans rapport avec l'affaire. Mais il venait d'avoir une idée et la vérifier ne coûtait rien. Surtout que, pendant sa période de probation, Peter Morgan relevait de la juridiction de Ted.

— Tu me rendrais un service ? Je n'ai pas de motif pour dépêcher un de mes gars au foyer de Morgan. Tu pourrais y envoyer quelqu'un, demain ? Il est en liberté conditionnelle. Pas besoin d'avertir son agent de probation pour perquisitionner chez lui. Tu y vas quand tu veux. J'aimerais juste savoir s'il y a là-bas quelque chose qui le lie à Addison ou à quelqu'un d'utile à mon enquête. Je ne peux pas te dire pourquoi, mais ce type m'attire comme un aimant.

— Mince, alors ! Le FBI t'a fait virer homo, plaisanta Ted.

Mais il connaissait l'instinct de Rick et promit de se rendre à Mission. Ses intuitions les avaient déjà tirés d'affaire ; les vérifier ne ferait pas de mal.

— J'irai demain matin dès mon lever. Je t'appellerai si je trouve quelque chose.

Il n'avait rien de prévu pour la matinée et, avec un peu de chance, Morgan serait sorti, ce qui lui laisserait tout loisir de passer sa chambre au peigne fin.

— Merci, vieux.

Rick prit la fiche de renseignements sur Morgan, la plia soigneusement et la mit dans sa poche. Elle pourrait se révéler utile, surtout si Ted découvrait quelque chose au foyer.

Mais Ted ne découvrit que sa nouvelle adresse. Le type de la réception l'informa que Morgan avait déménagé. Son agent de probation n'avait apparemment pas eu le temps de mettre sa fiche à jour sur le réseau. Ted nota l'adresse, vit qu'il s'agissait d'un hôtel dans le quartier de Tenderloin et, décidé à tenir sa promesse de la veille, il s'y rendit. Le réceptionniste lui dit que Morgan était sorti. Ted lui montra son badge et demanda la clé. Le jeune homme voulut savoir si son client avait des ennuis. Ted expliqua que c'était une vérification de routine chez un ex-détenu en liberté conditionnelle. Le réceptionniste, qui en avait vu d'autres, se contenta de hausser les épaules et lui remit la clé.

A l'étage, Ted trouva une chambre propre et bien rangée. Les vêtements qui occupaient la penderie semblaient neufs. Sur la table, les papiers étaient entassés en une pile bien nette. Il n'y avait rien là d'extraordinaire. Pas de drogue, pas d'armes, pas de marchandises de contrebande. Morgan ne fumait même pas. A côté de la pile de papiers, il y avait un épais carnet d'adresses entouré d'un élastique. Ted l'examina et y trouva le nom d'Addison à la lettre A. En fouillant les tiroirs, il tomba sur deux morceaux de papier qui retinrent aussitôt son attention. Le premier portait le numéro de téléphone de Carlton Waters, à Modesto. Le second lui glaça le sang. L'adresse de Fernanda y était inscrite. Pas de téléphone ni de nom, juste l'adresse, qu'il reconnut au premier coup d'œil. Il remit l'élastique autour du carnet, referma le tiroir, regarda une dernière fois autour de lui et quitta la chambre. Dès qu'il fut dans sa voiture, il appela Rick.

— Il y a du louche, vieux. J'ignore de quoi il s'agit, mais je commence à penser que ça sent mauvais.

Ted était visiblement inquiet. Pourquoi quelqu'un comme ce Morgan aurait-il l'adresse de Fernanda ? Qu'est-ce qui le liait à Waters ? S'étaient-ils simplement rencontrés en prison ? Que faisait Addison avec le numéro de téléphone de Morgan ? Pourquoi Morgan avait-il le sien dans son carnet ? Pourquoi Addison avait-il un si gros dossier sur Allan Barnes et une photo de Fernanda avec les enfants ? Il y avait soudain trop de questions sans réponse. Sans parler des deux détenus qui étaient sortis de prison le même jour. Cela faisait beaucoup de coïncidences. A sa voix fébrile qu'il ne lui avait pas entendue depuis des années, Rick comprit que Ted s'inquiétait. Restait à savoir pourquoi.

— Je sors à l'instant de la chambre de Morgan, expliqua ce dernier. Il n'est plus au foyer. Il loge dans un hôtel, à Tenderloin. Sa penderie est pleine de vêtements neufs. Je vais appeler son agent de probation pour savoir s'il a trouvé du travail.

— A ton avis, par quel biais connaît-il Addison ? s'enquit Rick, intrigué.

Il rentrait de l'audience concernant la caution d'Addison. Ce dernier s'en tirait à très bon compte. Le montant avait été fixé à deux cent cinquante mille dollars, ce qui pour lui ne représentait rien. Le juge l'autorisait à partir en Europe avec sa famille le surlendemain. L'enquête fédérale était maintenue, mais son avocat avait déclaré qu'elle pouvait parfaitement se poursuivre en son absence, que c'était l'affaire du FBI et pas celle de son client. Le juge avait été d'accord. Personne ne doutait qu'Addison serait de retour dans quatre semaines. Il était à la tête d'un empire qui ne se dirigeait pas tout seul. Rick avait vu Addison repartir en voiture avec son avocat, et il était intrigué par ce que Ted avait trouvé dans la chambre de Morgan.

— Ce sont peut-être de vieux amis. Le nom d'Addison et son numéro de téléphone ne semblent pas avoir été écrits récemment, expliqua Ted.

Mais pourquoi le numéro de téléphone de Carlton Waters à Modesto ? Et l'adresse de Fernanda sur un bout de papier ? Pas de téléphone, pas de nom. Juste l'adresse.

— Pourquoi ? interrogea Rick à son tour, se faisant l'écho de la question qu'il se posait.

— Justement. Je n'aime pas ça et je ne sais pas pourquoi. Mon flair me dit qu'il va se passer quelque chose, mais je n'ai aucune idée de ce que c'est.

Soudain, une pensée le traversa.

— Je peux venir jeter un œil au dossier qu'Addison a constitué sur Barnes ?

Peut-être y trouverait-il des réponses, une piste…

— Oh, et pendant que j'y suis, tu me rendrais un autre service ? poursuivit Ted en mettant le contact.

Il irait droit au bureau de Rick pour examiner le dossier et les autres pièces à conviction. L'affaire l'intriguait. Il ignorait ce que Fernanda avait à voir dans tout ça, mais il sentait qu'elle en était le cœur. Elle faisait une cible idéale pour une foule de raisons. Restait à savoir qui était impliqué et pourquoi. Les réponses se trouvaient peut-être dans le dossier.

— C'est quoi, ce service ? s'enquit Rick, qui attendait toujours.

Ted lui semblait distrait, et il l'était. Il s'efforçait de mettre en place le puzzle, mais les pièces lui échappaient, flottaient dans tous les sens. Morgan. Waters. Addison. Fernanda. La voiture piégée. Aucun lien ne semblait les relier. Pour le moment.

— Vérifie les finances d'Addison pour moi. Va aussi loin que tu peux, qu'on voie ce qu'il en ressort, demanda Ted en démarrant.

Rick aurait vérifié de toute façon, mais à présent il voulait avoir une réponse rapidement.

— Nous avons fait des vérifications. C'est pour cela que nous l'avons arrêté hier. Il y a des affaires pas nettes dans le Nevada, des impôts qu'il n'a pas payés. Et de grosses sommes qui se promènent entre les deux Etats.

Le Nevada ne prélevait pas d'impôts, ce qui en faisait un paradis fiscal pour les types du genre d'Addison, avec de l'argent sale plein les poches.

— On en est à tout compter au dollar près. Le pire, c'est qu'il risque de s'en tirer avec une grosse amende. Il ne fera même pas de prison. Il a de bons avocats, dit Rick avec une pointe de regret. Enfin, les vérifications se poursuivent.

Mais ils savaient tous deux que cela prendrait du temps.

— Je veux que tu fouilles jusqu'au fond, que tu soulèves tout, que tu démontes toute la mécanique.

— Littéralement ? s'étonna Rick, qui ne comprenait pas ce que Ted cherchait.

Pour le moment, Ted n'en savait rien lui-même. Mais un sixième sens lui disait que tout cela cachait quelque chose.

— Non, pas littéralement. Mais je veux que tu fasses un contrôle complet. Je veux connaître le montant de sa fortune, savoir s'il a des ennuis. Mets toute la gomme sur lui. Et n'y passe pas deux mois. Trouve-moi tout ce que tu peux immédiatement. Je veux le plus possible d'informations et le plus vite possible.

Ted savait combien les enquêtes du FBI pouvaient être longues, surtout pour des questions d'argent, lorsque aucune vie n'était en danger. Mais, dans ce cas précis, des vies étaient peut-être en jeu.

— Remue ciel et terre, je serai là dans dix minutes, dit Ted dont la voiture filait déjà à travers la ville.

— Désolé, mais il va me falloir plus longtemps que ça.

— Combien de temps ?

La voix de Ted trahissait une angoisse dont il ne comprenait pas la raison.

— Sans doute un jour ou deux. Je vais m'arranger pour te dégoter tout ce que je peux aujourd'hui.

Ses agents allaient devoir contacter l'équipe technique du laboratoire d'analyse informatique à Washington, ainsi que leurs informateurs du réseau financier parallèle. Tout cela demandait du temps.

— Dieu que vous êtes lents ! Fais au mieux. J'arrive dans cinq minutes.

— Donne-moi le temps de commencer. Tu liras le dossier sur Allan Barnes en attendant que nous réunissions tout ce que nous pouvons. A tout de suite, dit-il en raccrochant.

Quand Ted le rejoignit, Rick avait posé le dossier Barnes sur son bureau, et trois de ses hommes travaillaient d'arrache-pied sur les ordinateurs, appelaient d'autres services et des informateurs bien ciblés. De toute façon, c'était ce qu'ils avaient prévu de faire. Ted n'avait fait que précipiter le mouvement. Les résultats ne tardèrent pas à tomber. Trois heures plus tard, tandis que Ted et Rick discutaient en déjeunant d'un sandwich, les trois agents revinrent dans le bureau avec une liasse de documents qu'ils remirent à Rick.

— En résumé, qu'est-ce que ça donne, les gars ? s'enquit ce dernier.

Ted avait terminé de lire le dossier Barnes et n'y avait trouvé que des articles et coupures de presse sur les succès d'Allan Barnes, ainsi que la photo montrant Fernanda et les enfants.

— Addison a trente millions de dettes. Le *Titanic* est en train de couler, annonça un des agents.

Un de leurs meilleurs informateurs s'était révélé être une mine d'or.

— Eh bien, dit Rick en regardant Ted, quel gouffre !

— Sa holding bat de l'aile, expliqua un agent. Jusqu'ici, il s'est arrangé pour que l'affaire ne s'ébruite pas, mais il ne va plus pouvoir tenir très longtemps. Il fait un numéro de corde raide qui aurait sa place sous le plus grand chapiteau du monde. Nous pensons qu'il a investi des fonds en Amérique latine, dans des actions dont les cours ont plongé. Pour couvrir les pertes, il a dû emprunter sur ses autres entreprises, et il traîne des paquets d'impayés. Il y a sûrement des fraudes à la carte bancaire mais, plus grave, mon informateur me dit que le trou est si énorme qu'il ne s'en remettra jamais. Pour effacer l'ardoise, il a besoin d'un énorme apport de capitaux, et personne ne veut lui avancer l'argent. Un autre informateur m'a confié qu'il blanchit de l'argent depuis des années. C'est le but de son installation dans le Nevada, mais nous ignorons d'où vient le fric. Bref, vous vouliez savoir s'il a des problèmes, eh bien, il en a. Et pas qu'un peu. Il est dans les ennuis jusqu'au cou. Maintenant, vous voulez connaître le pourquoi du comment, le nom de ceux pour qui il investit, il va nous falloir du temps. Et du personnel. Nous avons juste débroussaillé le terrain. Il reste des vérifications à effectuer. Mais ça m'a l'air bien crapoteux.

— Ça suffira pour aujourd'hui, dit Rick avant de les remercier pour leur efficacité et celle de leurs informateurs.

Dès que les trois hommes se furent retirés, il reporta son attention sur Ted, dont les neurones tournaient à plein régime.

— Alors, vieux, qu'est-ce que tu en penses ?

— Ce que j'en pense ? C'est que nous tenons là un type qui a un trou de trente millions et peut-être davantage. Que nous avons une femme dont le mari lui a laissé en gros un demi-milliard de dollars à en croire la presse, ce qui m'étonnerait. Mais, en admettant même que sa fortune se monte à la moitié de cette somme, elle offre, avec ses trois enfants, une cible facile. Nous avons aussi deux criminels qui sont sortis de taule il y a six semaines et qui ont l'air de vivre de l'air du temps. D'une manière ou d'une autre, ils sont liés à Addison. Et nous avons une voiture piégée qui explose à deux pas de chez notre cible potentielle. Si tu veux mon avis, cette femme est une victime qui s'ignore, et il en va de même des gamins. Je pense qu'Addison la vise et que c'est la cause de son dossier Barnes. Je n'ai aucune preuve de ce que j'affirme ; devant un tribunal, cela ne tiendrait pas trois secondes, mais si je laisse libre cours à mon imagination, je me dis qu'Addison s'est servi de Morgan pour mettre la main sur Waters. Peut-être qu'ils sont de mèche tous les deux, mais pas nécessairement. En tout cas, je crois que Waters la surveillait quand il a posé la bombe dans la voiture de McIntyre. Si c'est lui qui a fait le coup, et je crois maintenant que c'est lui. C'est trop gros pour une simple coïncidence. Le juge habite la même rue qu'elle. Waters était là de toute façon, et il en aura profité pour se venger de sa condamnation. L'hypothèse tient la route. Dommage que le petit Barnes ne l'ait pas reconnu, mais on ne peut pas gagner à tous les coups. Je crois que nous avons affaire à un complot contre Fernanda Barnes. Cela peut paraître idiot et je n'ai pas de preuves de ce que j'avance, mais c'est ce que j'en déduis, et mon instinct me dit que j'ai raison.

Au fil des années, ils avaient appris à suivre leur instinct, qui leur était souvent d'une aide précieuse. Plus important encore, ils avaient appris à se faire mutuellement confiance, et Rick ne doutait pas du bien-fondé des hypothèses de Ted. Leur logique était celle du monde criminel. Restait à les vérifier. Ce qui demandait souvent beaucoup d'audace et du temps. Et ce temps nécessaire pour trouver des preuves pouvait, parfois, coûter des vies. C'était le risque dans cette affaire, si Ted avait vu juste. Ils n'avaient rien de concret, rien que des intuitions, et ils ne pouvaient rien faire pour elle ou ses enfants tant que personne ne passait à l'acte. Tout n'était pour l'instant que flair et théorie.

— Quel genre de complot ? Extorsion de capitaux ? s'enquit Rick, convaincu que Ted avait raison.

Ils étaient dans la police depuis trop longtemps pour se tromper sur toute la ligne.

Ted secoua la tête.

— Non. Pas avec un type comme Waters sur le coup. Un crime en col blanc m'étonnerait. Je pense plutôt au rapt. Fernanda et ses enfants sont des victimes en puissance. Addison a besoin de trente millions de dollars, et vite. Elle vaut dans les cinq cents millions, ou à peu près. Pris ensemble, ces deux faits ne me plaisent pas du tout. Et je n'aime pas voir Waters mêlé à cela, en supposant qu'il le soit. Même s'il ne l'est pas, cela ne change rien au fait qu'Addison a sur les Barnes un dossier gros comme l'annuaire de New York, avec une photo d'elle et de ses enfants.

Rick partageait cet avis, mais un détail lui revint en mémoire :

— Il part pour l'Europe dans deux jours. Pourquoi aller si loin, s'il est fauché ?

— Sa femme ne doit pas être au courant. Et son départ ne modifie pas la donne. Ce n'est pas lui qui va faire le boulot. A mon avis, c'est quelqu'un d'autre. S'il est hors du pays quand cela arrivera, il aura un alibi en béton. Ou, du moins, c'est ce qu'il s'imagine. La question est de savoir qui est chargé du travail et quand.

Le « travail » était encore l'inconnue de l'équation. Mais, quelle qu'en soit la nature, cela n'augurait rien de bon.

— Tu comptes coincer Morgan pour l'interroger ? Ou Waters ? s'enquit Rick.

Ted fit non de la tête.

— Je ne veux pas éveiller leurs soupçons. Je préfère attendre de voir ce qu'ils font. Mais je tiens à la prévenir.

— Tu crois qu'on te donnera des hommes pour la protéger ?

— Possible. Je verrai avec le capitaine ce soir. Mais avant cela, je veux lui parler, à elle. Peut-être qu'elle a vu quelque chose ou qu'elle sait quelque chose que nous ignorons. Un truc qu'elle n'est même pas consciente de savoir.

Ils en avaient tous deux fait l'expérience. Comme lorsqu'on fait une mise au point. On ajuste l'objectif d'un millimètre, le flou se dissipe et l'image apparaît. Ted craignait un peu que son capitaine ne le prenne pas au sérieux. Jusque-là, il avait tenu compte de ses intuitions qui, souvent, avaient payé. Ted comptait bien profiter de son crédit. Il était sur la bonne piste, il en était sûr, et Rick aussi. A tel point qu'il lui aurait volontiers proposé l'aide d'agents du FBI s'il avait eu de quoi le justifier. Pour le moment, c'était l'affaire de la police. Malgré le dossier d'Addison, le procureur général n'autoriserait pas Rick à dépêcher ses hommes pour protéger la famille Barnes. Quoi qu'il en soit, il l'appellerait pour le tenir informé. Ils ne disposaient pas de preuves suffisantes pour accuser Addison de tentative d'enlèvement. Pas encore. Mais, pour Rick, cela en prenait le chemin, et Ted semblait inquiet en se levant. Il détestait ce genre d'affaire. Il risquait d'y avoir du grabuge s'ils n'intervenaient pas à temps. Mais pour empêcher quoi ? Il lui fallait en discuter avec le capitaine après avoir parlé à Fernanda. Avant de partir, il se tourna vers Rick.

— Tu m'accompagnerais ? Histoire de voir ce que tu en penses, quand nous lui aurons parlé. Ça pourrait être utile.

Rick acquiesça et le suivit. Depuis deux jours, c'était la folie au bureau. Tout avait commencé avec Addison, un papier trouvé dans ses tiroirs avec un nom dessus, et un dossier sur Allan Barnes qui ne correspondait à rien. Et voilà que quelque chose commençait à se dégager de cet ensemble incohérent. Rick et Ted avaient du métier. Ensemble et séparément. Ils connaissaient la psychologie des criminels. Il fallait penser comme eux, devenir presque aussi tordu qu'eux, et conserver toujours une longueur d'avance sur eux. Ted espérait vivement qu'ils y parviendraient.

Il appela Fernanda de son portable quand Rick fut dans la voiture. Ce dernier avait prévenu qu'il s'absentait une heure ou deux, un laps de temps raisonnable. Le travail en équipe avec Ted lui manquait, et il se réjouissait de cette expédition. Presque une récréation. Mais il se garda de le dire à Ted, qui était trop soucieux pour être distrait en ce moment. Fernanda était chez elle. En décrochant, elle semblait essoufflée et lui expliqua qu'elle préparait les bagages de son fils, qui partait en stage.

— C'est encore à propos de la voiture piégée ? s'enquit-elle distraitement.

On entendait de la musique, preuve qu'un des enfants au moins était à la maison. Ted espérait qu'ils seraient tous là. Il ne voulait pas les effrayer, mais il fallait qu'elle sache. Il tenait à lui faire part de ses craintes, à la prévenir, quitte à l'inquiéter.

— Pas directement, non, répondit-il, évasif. Il y a un lien, mais il s'agit d'autre chose.

Elle promit de l'attendre, et ils raccrochèrent.

Ted se gara dans l'allée, se dirigea vers la porte en regardant autour de lui, se demandant s'ils la surveillaient, si Waters ou Morgan étaient en faction dans les parages. C'était bien possible, mais il avait choisi d'entrer par la grande porte, au vu de tous. Peter Morgan n'avait aucune raison de le reconnaître, et en admettant même que Waters l'identifie, Ted estimait qu'une présence policière évidente constituait un facteur dissuasif dans ce genre de situation. Le FBI préférait opérer en secret, ce qui, du point de vue de Ted, mettait les futures victimes en danger, dans la mesure où elles servaient d'appât.

Peter Morgan les vit entrer. Il crut d'abord que c'étaient des flics, puis se dit qu'il perdait l'esprit. Que viendrait faire la police chez elle ? Il devenait paranoïaque à l'approche du jour J. Il savait qu'on avait arrêté Addison, la veille, pour une stupide histoire d'impôts. Ce dernier ne semblait pas inquiet. Il partait pour l'Europe comme prévu, et leur projet n'était pas remis en cause. Tout était en ordre. Qui que puissent être ces deux types, elle semblait les connaître. En leur ouvrant, elle avait adressé un large sourire à l'Asiatique qui avait sonné. Peter se demanda s'ils étaient agents de change, avocats ou notaires, s'ils s'occupaient d'argent. Les financiers ressemblaient parfois à des flics. Il ne prit pas la peine d'avertir Addison. Il n'en voyait d'ailleurs pas la nécessité, d'autant que Phillip lui avait demandé de ne l'appeler qu'en cas de problème et d'éviter le téléphone pendant quelque temps. Son portable était sécurisé, mais celui de Peter ne l'était pas. Il n'avait pas eu le temps d'acheter le modèle recommandé par Phillip et comptait le faire la semaine suivante. Tandis que, dehors, Peter réfléchissait à tout cela, Ted s'installait avec Fernanda au salon. Elle ignorait le but de sa visite et ne se doutait pas que ce que Ted Lee allait lui dire dans cinq minutes allait changer sa vie à jamais.

12

Lorsqu'elle ouvrit sa porte à Ted et Rick, Fernanda leur sourit, puis s'effaça pour les laisser entrer. Elle remarqua que Ted avait un nouveau partenaire, avec lequel il semblait particulièrement bien s'entendre, ce qui la mit aussitôt à l'aise. Pourtant, Ted paraissait inquiet.

— Les enfants sont ici ? s'enquit-il en pénétrant dans le salon.

Elle éclata de rire. La musique qui venait de l'étage était si forte que le lustre en tremblait presque.

— En général, je n'écoute pas ce genre de chose.

Souriante, elle leur proposa de boire quelque chose, mais ils refusèrent. Elle fut frappée par l'air d'autorité du collègue de Ted et se demanda s'il n'était pas son supérieur plutôt qu'un nouveau coéquipier. Voyant qu'elle observait Rick, Ted lui expliqua qu'il était un vieil ami en même temps qu'un agent du FBI. Incapable d'imaginer ce qui amenait le FBI chez elle, Fernanda s'interrogeait, tandis que Ted lui redemandait si les enfants étaient à la maison, ce qu'elle lui confirma d'un signe de tête.

— Will part demain pour son stage de hockey. Enfin, si j'arrive à m'organiser et à m'assurer que ses affaires restent dans son sac jusqu'à son départ.

Il avait un tel équipement que sa mère avait l'impression de faire les bagages pour toute une équipe olympique.

— Ashley part pour Tahoe après-demain. Je resterai seule avec Sam pendant une quinzaine de jours.

Avant même d'être partis, ils lui manquaient déjà. C'était la première fois qu'ils se quittaient depuis la mort d'Allan, et cette séparation lui était particulièrement pénible. Elle regardait les deux hommes en se demandant pourquoi ils venaient la voir. Elle ne comprenait pas le but de leur visite.

— Madame Barnes, je suis ici sur une intuition, commença Ted prudemment. Une simple intuition de vieux flic. C'est la raison de notre venue. Il se peut que je me trompe, mais j'en doute.

— Cela semble grave, conclut-elle en fronçant les sourcils, son regard allant de l'un à l'autre.

Elle était incapable d'imaginer de quoi il s'agissait. Deux heures plus tôt, il en était de même pour eux.

— Je le pense. Le travail de la police ressemble à un de ces puzzles de mille pièces, dont huit cents sont du ciel et le reste de l'eau. Pendant un bon moment, on ne voit rien, puis, petit à petit, on arrive à reconstituer un morceau de ciel ou un petit bout d'océan, et bientôt les pièces se mettent en place, l'image se dessine. Pour l'instant, nous n'avons qu'un tout petit morceau de ciel, mais je n'aime pas ce que nous voyons.

Pendant une minute, elle ne comprit pas ce qu'il disait et se demanda si elle ou les enfants avaient commis, sans le savoir, un acte répréhensible. Elle eut un sentiment de malaise, car il semblait réellement anxieux. Elle remarqua aussi que Rick ne la quittait pas des yeux.

— Nous avons fait quelque chose de mal ? s'enquit-elle en scrutant Ted.

— Non, mais je crains que quelqu'un ne vous veuille du mal, et c'est pourquoi nous sommes ici. Ce ne sont que des présomptions, mais elles m'inquiètent suffisamment pour que je vienne vous en parler. Mon instinct me trompe peut-être, mais cela pourrait être grave.

Il marqua une pause et inspira profondément. Elle l'écoutait avec une grande attention, tous les sens en alerte. Une bonne chose, songea Ted.

— Mais enfin, pourquoi ? Qui nous voudrait du mal ? s'étonna-t-elle.

Il prit alors conscience de sa naïveté. Elle avait toujours mené une existence protégée, surtout ces dernières années. Dans le monde qu'elle fréquentait, les gens ne commettaient pas le genre d'horreurs auxquelles Ted et Rick étaient confrontés. Elle n'avait pas idée du type d'individus qui les perpétraient, mais eux les connaissaient.

— La réussite de votre époux a été extraordinaire. Il existe dans ce monde des personnages sans scrupule ni moralité pour lesquels vous êtes des proies. Ils sont bien plus dangereux que vous ne l'imaginez. Et je crois que certains d'entre eux vous surveillent et ont un plan vous concernant. Je ne suis sûr de rien, mais les pièces du puzzle ont commencé à se mettre en place dans ma tête il y a tout juste deux heures. Je tenais à vous en parler, à vous dire ce que je sais, ce que je pense, et à ce que nous en avisions.

Rick observait son ancien partenaire à l'œuvre et, comme toujours, il admirait sa douceur et son tact. Tout en étant direct, il veillait à ne pas effrayer inutilement leur interlocutrice. Il allait lui dire la vérité, telle qu'il la voyait. Il avait pour principe d'informer les victimes potentielles et de les protéger par tous les moyens. Rick appréciait ses qualités. Ted était un homme d'honneur, aussi intègre que dévoué.

— Vous me faites peur, dit Fernanda en plongeant son regard dans le sien, pour tenter de mesurer la gravité de la situation.

Ce qu'elle y lut ne la rassura pas.

— Je sais, et j'en suis désolé, répondit-il avec gentillesse.

Il avait envie de lui prendre la main pour la réconforter, mais il n'en fit rien et se tourna vers Rick.

— L'agent Holmquist a arrêté hier un homme qui est à la tête d'un empire financier. En apparence, ses affaires marchent bien, mais il a fraudé sur ses impôts et blanchit sans doute de l'argent sale, ce qui lui a valu des ennuis. C'est un homme très en vue, qui paraît tout à fait respectable. Il a une femme, des enfants et, aux yeux de tous, il est l'image même de la réussite.

Attentive, elle hocha la tête.

— Nous avons effectué quelques vérifications, ce matin. Les apparences sont parfois trompeuses. En réalité, il a trente millions de dollars de dettes. Il se peut que l'argent qu'il investit ne soit pas le sien et qu'il agisse pour le compte de clients qui ne sont pas des plus honnêtes. Ces gens-là n'aiment pas perdre de l'argent et chercheront à se venger. L'étau se resserre et, d'après nos sources, l'homme est aux abois.

— Il est en prison ? demanda Fernanda.

— Libéré sous caution. Il faudra sûrement un moment avant de pouvoir le traîner devant la justice. Il a de bons avocats, des relations influentes, et c'est un malin. Mais derrière cette façade se cache un énorme bourbier, sans doute bien pire que nous l'imaginons. Il a besoin d'argent, et vite, pour ne pas couler, peut-être même pour garder la vie sauve. Les gens commettent des folies lorsqu'ils sont ainsi acculés.

— Quel rapport avec moi ? s'enquit-elle, ne comprenant toujours pas où il voulait en venir.

— Pour le moment, je l'ignore. Il s'appelle Phillip Addison. Ce nom vous dit quelque chose ?

Il la scruta, guettant un signe, mais elle hocha la tête négativement.

— Je crois avoir vu son nom dans les journaux, mais je ne l'ai jamais rencontré. Allan savait peut-être qui il était. Il a pu le croiser, il connaissait beaucoup de monde. Mais moi, non, cela ne me dit rien.

Pensif, Ted poursuivit :

— Il avait un dossier dans son bureau. Un gros dossier épais, rempli de coupures de presse concernant votre mari. A croire qu'il était obsédé par sa réussite. Peut-être qu'il l'admirait, qu'il le considérait comme un héros. Quelle qu'en soit la raison, il semblait suivre de près tout ce que faisait votre époux.

— Il n'était pas le seul, observa Fernanda avec un sourire triste. La carrière d'Allan faisait rêver les gens. Beaucoup pensaient qu'il avait eu de la chance. C'est vrai, il en a eu. Mais, surtout, il était doué. Il avait du flair en affaires, savait investir. Il prenait des risques, mais on ne voyait que ses succès.

Elle ne voulait pas le trahir en dévoilant sa faillite, aussi gigantesque que l'avait été sa réussite, sinon plus. A première vue, pour ceux qui lisaient les journaux, Allan Barnes restait l'incarnation du rêve américain.

— J'ignore pourquoi Addison a constitué ce dossier sur lui. Il couvre plusieurs années. C'est peut-être sans importance, mais peut-être pas. Il est très complet. Un peu trop à mon goût. On y trouve des photos de votre mari prises dans des magazines, et une de vous avec les enfants.

— C'est ce qui vous inquiète ?

— En partie. C'est une petite pièce du puzzle. Un morceau de ciel. Holmquist a aussi retrouvé un papier avec un nom, dans ses tiroirs. Et les vieux flics ont du flair. Certains détails les frappent sans qu'ils sachent pourquoi. Ils voient des trucs qui n'ont l'air de rien, et les alarmes se mettent tout à coup au rouge. C'est ce qui lui est arrivé. Nous avons vérifié qui était ce Peter Morgan dont le nom figurait sur le papier. C'est un ancien détenu, sorti de prison il y a quelques semaines. Diplômé de Duke et de Harvard après de bonnes études dans des écoles privées.

Avant de venir la voir, il avait lu le rapport de probation sur Peter, dans le détail.

— En sortant de Harvard, il a eu quelques ennuis dans la société de courtage pour laquelle il travaillait. Il a retrouvé un emploi dans une banque d'investissement et fait un beau mariage en épousant la fille de son patron, qui lui a donné deux enfants. Puis les ennuis ont recommencé. Il s'est mis à la drogue, en a probablement abusé, ce qui l'a poussé à devenir dealer. Il a détourné de l'argent, fait toutes sortes de bêtises, sa femme l'a quitté, il a perdu la garde des enfants et son droit de visite, après quoi il est venu par ici, où les choses n'ont fait qu'empirer. Et il a fini par être arrêté pour trafic de drogue. Il n'était qu'un intermédiaire, un petit revendeur pour le compte de gros bonnets. Il a payé pour eux. Mais il l'avait cherché. Il a le profil du type intelligent qui a mal tourné. Ce sont des choses qui arrivent. Il y a, comme ça, des gens qui ont tout pour eux et qui gâchent tout. C'est son cas. Il a passé quatre ans en prison, où il a travaillé pour un gardien qui n'en dit que du bien. J'ignore ce qui le lie à Addison, mais dans le bureau de ce dernier on a retrouvé le nom de Morgan sur deux morceaux de papier. On peut se demander pourquoi. D'autant que le nom d'Addison figure dans le carnet d'adresses de Morgan, depuis un moment à en juger par l'encre.

« Il y a quelques semaines, Morgan était dans un foyer et n'avait pas un sou. Aujourd'hui, il vit dans un hôtel de Tenderloin et sa penderie est pleine de vêtements neufs. Je ne dis pas qu'il a gagné le gros lot, mais ses affaires ont l'air de marcher. Il paie sa note et il a une voiture, nous l'avons vérifié. Il n'a pas eu d'ennuis depuis sa sortie de prison et il a un emploi. Par quel biais connaît-il Addison ? Mystère. Ils ont pu se rencontrer avant qu'il n'aille en prison ou même plus récemment. Quoi qu'il en soit, ce lien me paraît louche. Et à Holmquist aussi.

« Un autre truc me tracasse. Ce Morgan est sorti de prison le même jour qu'un certain Carlton Waters. Son nom vous dit peut-être quelque chose. Il était en prison pour meurtre depuis l'âge de dix-sept ans. Il a écrit de nombreux articles pour protester de son innocence, a tenté d'obtenir un recours en grâce sans résultat et perdu tous ses appels. Finalement, il est sorti, après avoir purgé une peine de vingt-quatre ans. Morgan et lui étaient ensemble à Pelican Bay et sont sortis le même jour. Nous n'avons pas trouvé de lien entre Addison et Waters, mais Morgan avait le nom et le numéro de téléphone de Waters dans sa chambre. Il y a obligatoirement quelque chose entre eux trois, ce n'est peut-être pas important, mais nous ne pouvons pas l'ignorer.

— Waters... Ce n'est pas l'homme dont vous nous avez montré une photo, après l'explosion de la voiture ?

— Lui-même, confirma Ted avec un hochement de tête. Je suis allé le voir au foyer de Modesto, où il vit. Cela n'a peut-être rien à voir, mais je n'aime pas beaucoup le fait que vous habitiez la même rue que le juge McIntyre, dont il a fait sauter la voiture. Je n'ai pas de preuve de ce que j'avance, ce n'est qu'une intuition, mais mon instinct me dit que c'est lui. Pourquoi était-il là ? Pour le juge ou pour vous ? Il a pu décider de faire d'une pierre deux coups. Avez-vous remarqué si quelqu'un vous suivait ou vous observait ? Un visage nouveau que vous croisez de manière répétée, comme par hasard ?

Elle fit non de la tête, et il nota dans un coin de sa mémoire qu'il fallait lui montrer la photo de Morgan.

— Je ne peux rien affirmer, mais j'ai le sentiment que vous êtes impliquée d'une manière ou d'une autre.

Morgan avait votre adresse sur un papier à son hôtel. Addison faisait une fixation sur votre mari, peut-être même sur vous. Ce dossier m'inquiète. Addison est lié à Morgan, Morgan à Waters. Et Morgan a votre adresse. Ces types ne sont pas des anges. Waters est ce qui se fait de pire. Quoi qu'il prétende, son complice et lui ont assassiné un couple pour deux cents dollars. Il est dangereux. Addison a un besoin urgent d'argent. Morgan est un petit truand et pourrait servir d'intermédiaire entre les deux autres. Nous avons eu une voiture piégée et pas de suspect, mais je pense que Waters a fait le coup, même si je ne suis pas en mesure de le prouver.

En les exprimant, il trouvait ses soupçons excessifs, son histoire tirée par les cheveux et craignait qu'elle ne le croie fou. Mais tout son être lui criait que quelque chose ne tournait pas rond, qu'un drame allait se produire, et il tenait à la convaincre du sérieux de la situation.

— Ce qui me fait peur dans cette affaire, c'est qu'Addison a besoin d'argent. De beaucoup d'argent. De trente millions de dollars en un temps record pour sauver son affaire. Et je m'inquiète de ce qu'il peut manigancer avec les deux autres pour mettre la main sur cette somme. Je n'aime pas du tout ce dossier sur votre mari, ni la photo de vous avec vos enfants.

— Pourquoi s'en prendrait-il à moi sous prétexte qu'il a besoin d'argent ? s'enquit-elle avec une candeur qui fit sourire Rick Holmquist.

Il la trouvait aussi jolie que sympathique, appréciait son naturel, sa gentillesse évidente. Elle semblait à l'aise avec Ted, mais elle avait vécu dans des milieux si protégés qu'elle n'avait pas conscience des dangers qu'elle courait. Ignorant tout des Waters, Addison et Morgan de ce monde, elle n'imaginait pas de quoi ils étaient capables.

— Vous êtes un trésor pour eux, expliqua Ted. Pour ces gens sans scrupule, vous êtes une mine d'or. Votre mari vous a laissé une fortune considérable et vous n'avez personne pour vous protéger. Ils voient en vous un trésor qui résoudrait tous leurs problèmes. S'ils mettent la main sur vos enfants, ils doivent se dire qu'à vos yeux trente ou même cinquante millions ne représentent pas grand-chose. Ces gens-là se font des illusions et croient à leurs propres fantasmes. Ils discutent entre eux en prison, rêvent de gros coups qu'ils pensent pouvoir réaliser. Qui sait ce qu'Addison leur a raconté ? Ce qu'ils se sont raconté entre eux ? Ces types peuvent très bien se dire que, pour vous, ce n'est pas grand-chose, qu'il n'y a pas de mal à cela. Ils ne connaissent que la violence, et s'ils doivent en user pour obtenir ce qu'ils veulent, ils n'hésiteront pas. Ils ne pensent pas comme vous et moi. Il se peut qu'Addison ignore ce qu'ils ont en tête. Les gens comme lui mettent parfois en branle des choses qui, par la suite, échappent à leur contrôle. Il peut y avoir des dégâts, des blessés, voire pire. Je ne peux rien prouver pour l'instant, mais je suis certain qu'il y a du louche. Je sens venir l'orage et peut-être même la tempête. Ce que je vois là ne me plaît pas.

— Dois-je comprendre que nous sommes en danger, mes enfants et moi ?

Elle voulait une réponse claire et précise de sa part. Tout cela lui semblait si incroyable qu'il lui fallut un petit moment pour assimiler ce qu'elle venait d'entendre. Pendant ce temps, les deux hommes l'observaient.

— Oui, répondit finalement Ted. Je pense que ces types, les trois et peut-être d'autres, s'intéressent à vous. Ils doivent vous surveiller, et il pourrait y avoir du grabuge. Il y a beaucoup d'argent en jeu et ils ne voient pas pourquoi vous garderiez une telle fortune pour vous toute seule.

Elle avait donc bien compris. Elle regarda Ted dans les yeux et déclara en détachant ses mots :

— Il n'y en a pas.

— Pas de quoi ? Pas de danger ?

Ted la dévisageait, atterré. Elle ne le croyait pas, le prenait pour un fou...

— Pas d'argent, dit-elle simplement.

— Comment cela, pas d'argent ? Je ne comprends pas.

A l'évidence, elle en avait beaucoup. Et les autres en manquaient. C'était pourtant clair.

— Je n'ai pas d'argent. Rien. Zéro. Par égard pour la mémoire de mon mari, nous avons fait en sorte que la presse ne l'apprenne pas, mais cela va finir par se savoir. En fait, il a perdu tout ce qu'il avait gagné, fait des centaines de millions de dettes. Il s'est suicidé au Mexique, ou s'est laissé mourir – nous ne le saurons jamais –, car il ne pouvait plus faire face. Son empire était sur le point d'imploser et c'est ce qui s'est produit. Il ne reste plus rien. Depuis sa mort, j'ai tout vendu : l'avion, le bateau, les propriétés, mes bijoux, les œuvres d'art. Et je mets cette maison en vente au mois d'août. Nous n'avons plus rien. Je n'ai même pas assez pour tenir jusqu'à la fin de l'année. Je vais sans doute devoir changer les enfants d'école.

Elle regardait Ted et s'expliquait sans émotion. Après avoir reçu le choc de plein fouet et passé cinq mois dans un état de panique quotidienne, elle ne ressentait plus rien, se contentait de constater que sa vie en était à ce point. Qu'elle l'aime ou non, c'était la situation qu'Allan lui avait laissée. Il lui manquait. Pourtant, en fin de compte, il l'avait mise dans une position extrêmement difficile, et Ted en fut abasourdi.

— Vous voulez dire qu'il n'y a pas d'argent ? Pas d'actions ? Pas de millions sur un compte en Suisse ?

Cela lui semblait aussi impossible qu'à elle quelques mois plus tôt.

— Je suis en train de vous dire que nous ne pouvons même pas acheter une paire de chaussures. Que dans quelques semaines je n'aurai plus d'argent pour faire mes courses. Quand j'aurai comblé le trou, il faudra que je trouve un emploi. Pour le moment, je suis trop occupée à décider de ce que nous vendons et comment, à jongler avec les dettes, les impôts, les factures et le reste. Ce que je veux dire, inspecteur Lee, c'est que nous n'avons plus rien. Il ne nous reste que cette maison. Avec un peu de chance, le prix que nous en tirerons nous permettra de couvrir les emprunts personnels de mon mari, et encore, si j'arrive à la vendre très cher, avec tout ce qu'il y a dedans. Sur le plan professionnel, ses avocats vont le déclarer en faillite, ce qui nous épargnera le pire. Mais malgré cela, il me faudra sans doute des années et de très bons avocats – que je n'ai plus les moyens de payer – pour sortir du trou. Si ce M. Addison croit obtenir de moi trente millions de dollars, ou même seulement trois mille, il va être très déçu. Quelqu'un devrait le prévenir, conclut-elle, droite et digne.

Assise sur le canapé, elle semblait toute menue, mais elle n'avait rien de pitoyable, ne manifestait aucune gêne. Elle était franche, naturelle. Rick Holmquist en fut impressionné, tout comme Ted. Passer de l'aisance la plus grande à la misère la plus noire ne devait pas être facile, et elle semblait prendre incroyablement bien la chose. Son mari lui avait laissé un drôle d'héritage, mais elle ne le critiquait pas. Pour Ted, cette femme était une sainte. Surtout si elle disait vrai et s'il lui restait à peine de quoi nourrir ses enfants. Shirley et lui avaient beaucoup plus de chance qu'elle. Ils avaient tous deux un emploi et pouvaient compter l'un sur l'autre. Mais ce qui l'ennuyait le plus, c'est ce qu'elle venait de lui dire et qui rendait sa situation plus dangereuse encore. Aux yeux du monde, elle était riche à millions, ce qui en faisait une cible idéale, alors qu'en fait elle n'avait rien et que cela risquait de rendre quelqu'un fou de rage et violent si elle ou ses enfants étaient pris en otages.

— Si quelqu'un nous kidnappait, moi ou mes enfants, il n'obtiendrait rien, reprit-elle. Nous sommes sans ressources, et personne ne paierait la rançon. Allan et moi n'avons plus de famille. Il n'y a d'argent nulle part. Croyez-moi, j'ai cherché. Ils n'auraient, au mieux, que cette maison. Pas de liquide.

Franche et carrée, elle n'en faisait pas un drame, ne cherchait pas d'excuses. En l'écoutant, Ted fut impressionné, tant par sa dignité que par sa discrète élégance.

— Apparemment, nous nous sommes fait du tort en cachant la ruine d'Allan à la presse, mais je le devais à sa mémoire. La lettre qu'il a laissée exprimait son désespoir et sa honte. Par égard pour lui, je tenais à entretenir la légende le plus longtemps possible. Bien sûr, la vérité éclatera un jour, et je pense que cela ne tardera plus. Il n'y a pas moyen de faire autrement. Il a perdu toute sa fortune, tout misé sur des placements à risque, fait de mauvais calculs. Je ne comprends pas ce qui s'est passé. Il a dû perdre l'esprit, ou son flair. Ou alors, le succès lui a tourné la tête et il s'est cru invincible. Mais personne n'est invincible. Il a commis de terribles erreurs.

C'était une manière délicate de présenter les choses, dans la mesure où il laissait sa famille sans le sou et des millions de dettes. Il était tombé de très haut. Sa femme et ses enfants payaient pour lui. Ted prit le temps de réfléchir aux conséquences de ce qu'il venait d'apprendre.

— Et vos enfants ? s'enquit-il en s'efforçant de masquer ses craintes. Sont-ils couverts par une assurance en cas d'enlèvement ? Et vous-même ?

Il connaissait l'existence de telles polices, proposées par la Lloyd's de Londres, et il savait que les gens comme Allan y souscrivaient pour eux et les membres de leur famille. Il existait aussi des assurances contre les extorsions de fonds…

— Nous n'avons rien. Les contrats n'ont pas été renouvelés. Nous ne disposons même pas d'une assurance maladie ; notre avocat s'efforce actuellement de nous en obtenir une. Et notre assureur nous a dit qu'il ne verserait pas la prime d'assurance-vie d'Allan. La lettre qu'il a laissée est accablante et accrédite trop la thèse du suicide, la plus probable à mon avis. C'est la police qui a trouvé la lettre. Mais je ne crois pas que nous ayons jamais été assurés contre les enlèvements. Je ne pense pas que mon mari ait envisagé ce risque.

Ted songea qu'il aurait dû, et Rick se fit la même réflexion. Sa fulgurante réussite et sa notoriété faisaient des membres de sa famille des cibles idéales. Comme beaucoup d'hommes dans sa situation, ses proches étaient son talon d'Achille. Apparemment, ce détail lui avait échappé, et, s'il n'en montrait rien, Ted sentait la colère monter en lui. Il n'aimait pas ce qu'il venait d'entendre. Rick Holmquist non plus.

— Madame Barnes, commença Ted d'un ton posé, je pense que les risques sont d'autant plus grands. Pour ces hommes, comme pour n'importe qui d'ailleurs, vous êtes à la tête d'une fortune. Personne n'imaginerait le contraire. Même si en réalité vous n'avez rien. Je pense que plus vite la nouvelle se répandra, mieux ce sera. Les gens n'y croiront pas nécessairement. Beaucoup douteront, j'en suis sûr. Mais, en attendant, vous êtes dans le pire des situations. En apparence vous êtes une cible de rêve, et vous n'avez rien pour donner le change. Le danger est réel. Ces hommes ont une idée derrière la tête. Laquelle ? Combien sont impliqués ? Je l'ignore. Mais ils mijotent quelque chose. Ce sont trois sinistres individus, et Dieu seul sait qui ils ont mis dans la combine. Je ne voudrais pas vous effrayer, mais je pense qu'une menace sérieuse pèse sur vous et vos enfants.

Pensive, Fernanda le regarda un long moment en silence. Malgré le courage qu'elle affichait et son désir d'être forte, elle commença à craquer et ses yeux s'emplirent de larmes.

— Que faire ? murmura-t-elle tandis que la musique continuait de hurler à l'étage.

Les deux hommes l'observaient, gênés, ne sachant comment l'aider. Par la faute de son mari, elle se retrouvait dans une situation inextricable.

— Comment puis-je protéger mes enfants ?

Ted prit une profonde inspiration. Il savait qu'il s'avançait – il n'avait pas encore mis son capitaine au courant –, mais elle lui faisait de la peine, et il se fiait à son instinct.

— C'est notre travail. Il faut d'abord que j'en réfère à mon capitaine. Rick et moi sommes venus directement du FBI. J'aimerais mettre un ou deux de mes hommes en faction ici, pendant dix à quinze jours, le temps de voir ce qu'ils fabriquent. Il se peut que mon imagination me joue des tours, mais je préfère m'assurer qu'il ne se prépare rien de louche. J'ai comme l'impression qu'ils vous surveillent déjà.

Rick approuva de la tête, et Ted reporta son attention sur lui.

— Et toi ? Addison est sous ton autorité, non ? Tu pourrais envoyer un agent pour surveiller la maison et les enfants, pendant une semaine ou deux ?

Rick hésita, puis il hocha la tête. Contrairement à Ted, la décision dépendait de lui et il pouvait dépêcher un homme. Deux peut-être.

— C'est possible, mais pas plus de quinze jours. Cela nous permettra de voir ce qui se passe.

Après tout, Fernanda était quelqu'un d'important. Son mari avait été un homme de premier plan. De plus,

Addison serait une belle prise pour eux s'ils parvenaient à le coincer sur une affaire douteuse, à prouver qu'il était impliqué dans un complot. Au cours de leurs carrières, ils avaient été confrontés à plus bizarre encore. Ted ne doutait pas de la justesse de ses intuitions. Rick non plus.

— Je tiens à m'assurer que personne ne vous suit, ni vous ni les enfants.

Elle acquiesça. Elle se retrouvait soudain au cœur d'un cauchemar pire encore que celui dans lequel la mort d'Allan l'avait précipitée. Allan n'était plus là, et d'horribles individus voulaient s'en prendre à elle, menaçaient d'enlever ses enfants. Jamais elle ne s'était sentie plus fragile, plus démunie, même à la mort d'Allan. Elle avait brusquement l'impression d'un malheur imminent, se sentait impuissante à protéger les siens et était terrifiée à l'idée qu'un de ses enfants, sinon tous, puisse être blessé, ou pire. Courageusement, elle essayait de lutter, mais malgré ses efforts les larmes ruisselaient sur ses joues, pendant que Ted la regardait avec compassion.

— Et Will qui s'en va… Il peut partir en stage ? s'enquit-elle à travers ses larmes.

— Quelqu'un sait où il va ? demanda Ted avec gentillesse.

— Juste ses camarades et un de ses professeurs.

— La presse n'en a pas parlé ?

Elle fit non de la tête. Les journaux n'avaient plus lieu de parler d'eux. Depuis cinq mois, elle sortait à peine de chez elle. La passionnante carrière d'Allan avait pris fin. Il n'y avait plus rien à dire, dorénavant, et les médias avaient perdu tout intérêt pour eux. Elle en était d'ailleurs soulagée, aujourd'hui plus que jamais. Jack Waterman l'avait déjà prévenue que la presse s'intéresserait à nouveau à eux, mais en mal cette fois, quand la vérité sur la ruine d'Allan éclaterait au grand jour, et elle s'y préparait. Il prévoyait que cela se produirait à l'automne. Mais voilà qu'un nouveau cataclysme s'abattait sur eux.

— Je crois que Will peut partir en stage, répondit Ted à sa question. Vous devez l'avertir, ainsi que les responsables du stage. Si quelqu'un demandait à le voir là-bas, si des gens se présentaient en se faisant passer pour des parents ou des amis, le personnel devrait dire qu'il n'est pas là et vous contacter immédiatement.

Elle acquiesça et sortit un mouchoir de sa poche. Elle en avait toujours sur elle à présent, car elle ne cessait de retrouver des souvenirs d'Allan en ouvrant des tiroirs ou des placards – ses chaussures de golf, un carnet, un chapeau ou encore une lettre qu'il lui avait écrite. La maison était pleine de raisons de pleurer.

— Et votre fille ? Avec qui va-t-elle à Tahoe ?

— Avec une camarade de classe et sa famille. Je connais les parents. Ils sont de toute confiance.

— Bon. Elle peut partir aussi. Nous contacterons les autorités locales pour qu'elles la surveillent. Un homme en faction dans une voiture devant la maison devrait suffire. C'est finalement mieux qu'elle parte, nous aurons moins à nous inquiéter pour elle. Cela fera une victime potentielle en moins.

Le mot « victime » la fit littéralement frémir, et Ted prit un air désolé. Pour lui, c'était une affaire, à présent, tout au moins une affaire en puissance, et non plus une simple question de personne ou de famille. Il en allait de même pour Rick, qui y voyait une chance de coffrer Phillip Addison et de clore le dossier. Pour Fernanda, cela ne concernait que ses enfants. Elle ne pensait pas à elle-même. Elle était terrifiée, plus qu'elle ne l'avait jamais été. Ted le comprit en la regardant.

— Quand partent-ils ? demanda-t-il.

Déjà, ses neurones tournaient à plein régime. Deux hommes surveilleraient la rue dès que possible. Il voulait savoir si des inconnus étaient en stationnement, et si oui, qui.

— Que ferez-vous avec Sam ? Vous comptez l'emmener quelque part ? Vous avez des projets ?

— Il n'ira qu'au centre aéré.

Elle n'avait pas les moyens de lui offrir mieux. Le stage de Will lui avait coûté assez cher, mais elle ne pouvait l'en priver. Aucun des enfants ne connaissait encore l'étendue du désastre financier, même s'ils avaient remarqué que la famille ne vivait plus sur le même pied qu'auparavant. Elle devrait leur expliquer la situation et ses conséquences, mais elle attendait pour cela que la maison soit mise en vente. Ensuite, il n'y aurait plus rien. En réalité, c'était déjà le cas. Seulement, les enfants ne le savaient pas encore.

— Cela ne me plaît qu'à moitié, remarqua Ted, prudent. Nous verrons en fonction de ce qui se passe. Et les autres ? Ils partent quand ?

— Will s'en va demain et Ashley après-demain.

— Tant mieux, déclara-t-il franchement.

Il avait hâte de les savoir ailleurs, cela réduisait les risques de moitié. Il se tourna alors vers Rick.

— Je mets des agents en civil sur l'affaire ou des hommes en uniforme ?

Il comprit aussitôt qu'il n'aurait pas dû poser la question. Rick et lui n'étaient jamais d'accord sur les méthodes de protection des personnes en danger. La police préférait agir au grand jour afin de décourager les malfaiteurs ; le FBI au contraire aimait leur tendre des pièges pour les y attirer. Dans le cas présent cependant, il était curieux de voir ce que feraient leurs suspects et penchait pour la méthode de Rick. Il y avait déjà réfléchi en venant.

— C'est si important que ça ? demanda Fernanda, dépassée par les événements.

— Très, répondit Ted. Cela peut tout changer. Avec des hommes en civil, il risque d'y avoir de l'action plus vite.

Elle comprit ce qu'il voulait dire.

— Donc, personne ne saura qu'ils sont policiers ?

— C'est ça, acquiesça Ted.

Pour elle, tout cela n'avait rien de rassurant.

— Je ne veux pas que vous alliez où que ce soit avant qu'un ou deux de mes hommes aient pris leurs fonctions. Cela devrait être fait d'ici ce soir. Vous aviez l'intention de sortir ?

— Je comptais emmener les enfants manger une pizza. Mais nous pouvons rester à la maison.

— C'est exactement ce que vous allez faire, déclara Ted avec fermeté. Je vous appellerai dès que j'aurai parlé au capitaine. Avec un peu de chance, mes deux hommes seront ici pour minuit.

Il était maintenant plongé dans l'action.

— Ils vont dormir ici ? s'enquit-elle, alarmée.

Visiblement, elle n'avait pas prévu cela. Ted ne put s'empêcher de rire tandis que Rick souriait.

— J'espère bien qu'ils ne s'endormiront pas. Il faut qu'ils soient vigilants et restent à l'affût de ce qui se passe. Pas question que quelqu'un rentre par une fenêtre pendant que tout le monde dort. Vous avez une alarme ?

Il se doutait que la maison en était équipée, et elle le lui confirma d'un hochement de tête.

— Branchez-la en attendant que mes hommes arrivent, dit Ted avant de se tourner vers son compagnon. Et toi, Rick ? Qu'est-ce que tu envisages ?

— J'enverrai deux agents demain matin.

Avec les policiers de Ted sur place, elle n'aurait pas besoin de plus d'ici là. Il devait affecter deux de ses hommes à l'affaire et leur trouver des remplaçants, et cela ne se ferait pas en deux minutes. Il se tourna vers

Fernanda avec compassion. Elle semblait si gentille que, comme Ted, il se sentait désolé pour elle. Il savait à quel point les situations de ce genre étaient pénibles. Il en avait vu beaucoup, aussi bien dans la police qu'au FBI. Elles pouvaient tourner à la catastrophe. Il espérait que ce ne serait pas le cas pour elle. Mais il y avait un risque.

— Vous disposerez donc de quatre hommes : deux agents de la police de San Francisco et deux du FBI. Cela devrait suffire à assurer votre sécurité. Je pense aussi que l'inspecteur Lee a raison en ce qui concerne vos deux aînés. Mieux vaut qu'ils ne soient pas là.

Elle acquiesça et posa la question qui la tourmentait depuis une demi-heure.

— Et s'ils tentent de nous enlever ? Comment s'y prendront-ils ?

Ted soupira. Répondre ne l'enchantait pas. Une chose était sûre, s'ils voulaient toucher la rançon ils la garderaient en vie pour qu'elle paie.

— Ils essaieront probablement par la force, en vous tendant une embuscade sur la route, pour prendre l'enfant qui se trouvera avec vous. Ou alors en s'introduisant chez vous, ce qui paraît peu probable si vous avez en permanence quatre hommes avec vous.

Auquel cas, il savait qu'il y aurait des morts, qu'ils soient policiers ou ravisseurs, peut-être les deux. Il espérait que ni elle ni un enfant ne serait touché. Les agents affectés à leur protection connaissaient parfaitement les risques courus. Cela faisait partie du métier.

Rick jeta un coup d'œil à Ted.

— Nous aurons besoin de prendre les empreintes et des échantillons de cheveux des enfants, avant leur départ.

Il la ménageait, parlait avec douceur, mais ses paroles n'avaient rien de rassurant.

— Pourquoi ? s'inquiéta Fernanda.

Mais elle le savait. C'était l'évidence même.

— Afin de pouvoir les identifier s'ils sont enlevés. Il nous faudra aussi vos empreintes et des cheveux, dit Rick d'un air de s'excuser.

— Je vous enverrai quelqu'un dans la journée, intervint Ted.

Les pensées se bousculaient dans la tête de Fernanda. Il s'agissait bien d'eux, d'elle et de ses enfants. C'était difficile à croire. Elle avait du mal à comprendre et ne comprendrait sans doute jamais. Peut-être déliraient-ils, peut-être avaient-ils tout inventé. Mais peut-être aussi, et c'était là le pire, ne se trompaient-ils pas...

— Je vais immédiatement faire vérifier les numéros des véhicules garés dans la rue, ajouta-t-il à l'intention de son compagnon plus que pour elle. Je veux savoir qui est là, dehors.

Rick eut un hochement de tête, et Fernanda se demanda s'il y avait vraiment des gens qui l'épiaient ou qui surveillaient la maison. Si c'était le cas, elle ne s'était aperçue de rien.

Peu de temps après, les deux hommes se levèrent. En la regardant, Ted remarqua qu'elle semblait terriblement anxieuse, presque en état de choc.

— Je vous appellerai dans un petit moment, pour vous dire ce qu'il en est et qui viendra. En attendant, fermez les portes à clé, branchez l'alarme, et ne laissez les enfants sortir sous aucun prétexte.

Il lui tendit sa carte. Il la lui avait déjà donnée auparavant, mais il craignait qu'elle ne l'ait égarée, ce qui était le cas. Elle l'avait mise dans un tiroir, ne pouvant imaginer qu'elle en aurait besoin.

— S'il se passe quoi que ce soit d'inhabituel, appelez-moi aussitôt. Vous pouvez me joindre sur mon portable ou mon bip. Je vous contacterai dans quelques heures.

Incapable de prononcer une parole, elle hocha la tête et les raccompagna. Les deux hommes lui serrèrent la main en sortant, et Ted se retourna pour la rassurer. Il n'avait pas le cœur à partir sans un mot et lui dit avec douceur :

— Tout se passera bien, vous verrez.

Puis il descendit les marches avec Rick, tandis qu'elle verrouillait la porte derrière eux et activait l'alarme.

Peter Morgan les vit sortir sans s'inquiéter. C'était sa première mission de surveillance, ce qui était une chance pour eux. Waters aurait senti dans les trois secondes que c'étaient des flics.

Rick monta en voiture avec Ted et regarda son compagnon d'un air stupéfait.

— Ça alors ! Comment ce type a-t-il pu perdre une telle fortune ? Les journaux la chiffraient à un demi-milliard il n'y a pas si longtemps, un an ou deux, peut-être. Il devait être fou.

— Mouais, dit Ted avec amertume. Ou bien irresponsable. En supposant qu'elle dise la vérité, et il n'y a aucune raison qu'elle mente, ce n'est pas son genre, elle est dans de sales draps. Surtout si Addison et ses gars sont après elle. Ils ne croiront jamais qu'elle n'a plus un rond.

— Et ensuite, tu vois ça comment ? s'enquit Rick, pensif.

— Je vois ça mal tourner.

Ils savaient tous deux qu'ensuite ce seraient les brigades d'intervention, les négociateurs de prises d'otages, les opérations commando. Ted espérait que les choses n'en arriveraient pas là. Si quelque chose devait se produire, il ferait tout ce qui était en son pouvoir pour l'arrêter.

— Mon capitaine va croire qu'on a fumé du crack, dit-il en souriant à Holmquist. Il suffit qu'on soit ensemble pour se mettre dans la mélasse.

— Cela me manquait, répondit Rick en lui rendant son sourire.

Ted le remercia pour les deux hommes qu'il mettait sur l'affaire. Il savait qu'ils ne pourraient pas rester longtemps s'il ne se passait rien, mais il avait le pressentiment que quelque chose allait bientôt se produire. Avec l'arrestation d'Addison la veille, les malfaiteurs risquaient de paniquer, de précipiter les choses. Il pressentait aussi que le départ de ce dernier pour l'Europe n'était pas dû au hasard. Il y aurait certainement du nouveau dans peu de temps.

Ted déposa Rick à son bureau et regagna le sien une demi-heure plus tard.

— Le capitaine est ici ? s'enquit-il auprès de la secrétaire, une jolie fille en uniforme bleu.

— Oui, dit-elle en hochant la tête. Et il est d'une humeur de chien.

— Ça tombe bien, moi aussi, répondit Ted en souriant avant de pénétrer chez son supérieur.

Will descendit de sa chambre en courant, pour se précipiter vers la porte. Assise à son bureau, Fernanda l'arrêta dans son élan.

— Stop ! L'alarme est branchée ! lui cria-t-elle, plus fort que nécessaire.

Il s'immobilisa, surpris.

— Mais pourquoi ? J'en ai pour une minute. Je vais juste chercher mes protections dans la voiture.

Le break familial était garé dans l'allée, et elle ne pourrait y accéder qu'après l'arrivée de la police dans la soirée.

— Tu ne sors pas, déclara-t-elle, sévère.

Will la regarda d'un drôle d'air.

— Il y a un problème, maman ?

Il comprit que oui, tandis qu'elle hochait la tête avec des larmes dans les yeux.

— Oui… Non… Enfin, si. Il faut que je vous parle à tous les trois.

Elle s'était mise à son bureau, pour réfléchir à ce qu'elle leur dirait et quand. Elle essayait encore de digérer tout ce qui s'était produit et risquait de survenir. Cela faisait beaucoup pour elle et ce serait encore pire pour les enfants. Elle s'en serait bien passée. Ils avaient suffisamment souffert ces cinq derniers mois. Mais à présent elle ne pouvait plus reculer, elle devait leur parler. Le moment était venu, puisque Will s'était rendu compte que quelque chose clochait.

— Tu veux bien monter chercher les autres, mon chéri ? Nous devons nous réunir et parler, conclut-elle gravement, d'une voix étranglée.

La dernière fois qu'elle les avait réunis avait été pour leur apprendre la mort de leur père. Will accusa le coup, posa sur elle un regard empreint de panique puis, sans dire un mot, courut à l'étage chercher son frère et sa sœur, laissant là Fernanda, tremblante. Tout ce qui comptait maintenant, c'était de les protéger. Et elle priait le ciel pour que la police et le FBI y parviennent.

13

La réunion entre Fernanda et ses enfants se déroula aussi bien que possible étant donné les circonstances. Will était monté chercher les deux autres et, cinq minutes plus tard, ils la rejoignirent au salon, après une brève discussion dans la chambre de Sam pour essayer de deviner ce qui n'allait pas. Ils étaient descendus en file indienne, Will en tête et Sam en dernier. Tous trois semblaient aussi inquiets que leur mère, qui les attendait.

Elle donna le temps à Ashley et à Sam de s'installer sur le canapé, à Will de se vautrer dans le fauteuil qui avait été le préféré de son père. D'instinct, il se l'était approprié, dès la disparition d'Allan. C'était lui l'homme de la famille à présent, et il faisait de son mieux pour assumer ce rôle.

— Que se passe-t-il, maman ? s'enquit-il d'une voix calme.

Fernanda les regardait en se demandant par où commencer. Elle avait beaucoup à leur dire, et rien d'agréable.

— En fait, je ne sais pas, déclara-t-elle avec franchise.

Elle devait leur dire la vérité. Ils avaient besoin de savoir, c'est ce que Ted lui avait dit et elle était de son avis. Si elle ne les prévenait pas du danger qui les menaçait, ils pourraient prendre des risques qu'ils ne prendraient pas sans cela.

— Ce n'est peut-être rien, ajouta-t-elle, rassurante.

En entendant cela, Ashley fut prise d'angoisse à l'idée que sa mère soit malade. Il ne leur restait qu'elle à présent. Mais ils comprirent bien vite que ce n'était pas cela.

— Il se peut qu'il ne se passe rien, reprit-elle tandis que les secondes s'égrenaient, lourdes pour eux tous, mais la police est venue tout à l'heure. Apparemment, ils ont arrêté quelqu'un hier, un individu dangereux qu'ils pensent être un truand. Il avait un gros dossier sur votre père, avec des photos de nous tous. Il semblerait que la réussite de votre père l'intéresse beaucoup... et notre argent aussi.

Elle préférait ne pas leur dire encore qu'ils n'en avaient plus. Ils avaient suffisamment de problèmes pour le moment, cela pouvait attendre.

— Dans son bureau, ils ont aussi trouvé le nom et le numéro de téléphone d'un homme qui est sorti de prison récemment. Ni votre père ni moi ne connaissons ces personnes.

Elle se voulait rassurante, mais son propre discours lui parut fou. Les enfants la dévisageaient en silence, fascinés, impassibles. Son récit était trop éloigné de leurs préoccupations, trop étrange pour qu'ils en saisissent les implications.

— La police est allée fouiller la chambre d'hôtel de l'homme qui est sorti de prison, et là, elle a trouvé le nom et le numéro de téléphone d'un autre homme réputé extrêmement dangereux. Lui aussi vient de sortir de prison. On ignore encore ce qui les lie tous les trois. Mais, apparemment, celui que le FBI a arrêté hier a de gros ennuis et a besoin de beaucoup d'argent. Dans la chambre d'hôtel de l'autre, la police a également trouvé notre adresse. Elle craint que... que l'homme qui a été arrêté et relâché cherche à kidnapper l'un de nous pour obtenir l'argent dont il a besoin.

Voilà qui résumait l'affaire dans les grandes lignes. Médusés, les enfants la fixèrent pendant un long moment, qui lui parut interminable.

— C'est pour cela que tu as branché l'alarme ?

Will la regardait bizarrement. Toute l'histoire semblait incroyable, à entendre comme à raconter.

— Oui. La police va nous envoyer deux hommes pour nous protéger, et le FBI aussi. C'est l'affaire de quelques semaines. Le temps de voir s'il se passe quelque chose. Peut-être que leur théorie est fausse, que personne ne nous veut de mal, mais pour parer à toute éventualité, ils tiennent à ce que nous soyons prudents, et ils vont rester avec nous quelque temps.

— Dans la maison ? demanda Ashley, horrifiée.

Sa mère acquiesça.

— Je peux tout de même partir à Tahoe ?

La question fit sourire Fernanda. Au moins, personne ne pleurait. Elle les soupçonnait de ne pas avoir tout compris et songeait que même pour elle cette histoire ressemblait à un mauvais film.

— Oui, tu peux partir. La police pense même que c'est préférable. Mais il faut que tu sois prudente, que tu te méfies des étrangers.

Elle connaissait bien la famille qui l'emmenait, des gens sérieux et attentifs ; sans cela, elle n'aurait pas autorisé ce voyage. Avant le départ d'Ashley, elle les appellerait pour les mettre au courant de la situation.

— Je ne vais plus à mon stage, déclara soudain Will avec un regard anxieux vers sa mère.

Il avait compris. Mieux que les autres. Et il était plus âgé. En l'absence de son père, il assumait le rôle de protecteur, un fardeau que Fernanda ne voulait pas le voir porter. A seize ans, il avait besoin de profiter de sa jeunesse, de la fin de son enfance.

— Oh si, tu y vas. J'y tiens. S'il se passe quelque chose, si la situation s'aggrave, je te téléphonerai. Tu seras plus en sécurité là-bas. Et puis, tu deviendrais fou entre quatre murs ici, avec Sam et moi. Je ne pense pas que nous allons faire grand-chose pendant les semaines qui viennent. Nous devrons attendre que tout cela soit réglé, que la police sache de quoi il retourne. Il vaut mieux que tu passes ce temps-là à jouer au hockey.

Will ne répondit pas. Assis dans son fauteuil, il réfléchissait. Sam observait les réactions de sa mère.

— Tu as peur, maman ? demanda-t-il, candide.

Elle acquiesça.

— Oui, un petit peu, dit-elle en minimisant son angoisse. L'idée fait peur, mais la police nous protégera, Sam. Elle nous protégera tous. Il ne nous arrivera rien.

Elle en était moins sûre qu'il n'y paraissait, mais il lui fallait à tout prix les rassurer.

— Les policiers auront des armes, quand ils seront ici ? demanda encore l'enfant, intéressé.

— Je pense que oui.

Elle s'abstint de leur expliquer la théorie sur les risques d'être protégé par des hommes en uniforme ou en civil, sur le fait qu'ils serviraient d'appât pour que les malfaiteurs soient arrêtés plus vite.

— Les policiers devraient arriver vers minuit. D'ici là, il ne faut pas que nous sortions. L'alarme est branchée. Nous devons être prudents.

— Je suis obligé d'aller au centre aéré ? s'enquit Sam, qui espérait y échapper.

Il n'en avait plus envie. L'idée de voir des policiers armés dans la maison lui plaisait beaucoup et le réjouissait.

— Je ne pense pas, Sam. Nous trouverons d'autres activités tous les deux.

Ils pourraient aller au musée et au zoo, faire de la peinture et des dessins, ou encore se rendre à l'Exploratorium du musée des Beaux-Arts. Elle tenait à le garder près d'elle. Il parut ravi.

— Youpi ! s'écria-t-il en dansant tout autour de la pièce sous le regard réprobateur de Will, qui lui ordonna de s'asseoir.

— Vous ne comprenez donc rien tous les deux ? Vous ne pensez qu'à Tahoe et au centre aéré, alors que quelqu'un veut nous kidnapper, nous ou maman. Il y a pourtant de quoi avoir peur, non ?

Will était dans tous ses états. Quelque peu calmé par son mouvement de colère, il reprit la discussion avec sa mère lorsque les deux autres eurent regagné leur chambre.

— Maman, je n'irai pas au stage. Je ne te laisserai pas seule pour le plaisir de jouer au hockey pendant trois semaines.

A seize ans, bientôt dix-sept, il était assez mûr pour qu'elle lui parle franchement.

— Tu seras plus en sécurité là-bas, Will, dit-elle avec des larmes dans les yeux. Ils insistent pour que tu partes et qu'Ash aille à Tahoe. Avec quatre policiers pour nous protéger, nous ne craignons rien, Sam et moi. Je préfère te savoir au loin plutôt que d'avoir à m'inquiéter pour toi aussi.

Elle ne pouvait être plus claire. De plus, elle disait vrai. Au camp, il serait au milieu des autres garçons et cela le protégerait. A Tahoe, Ashley serait encadrée. Fernanda n'aurait plus qu'à se préoccuper de Sam. Un seul enfant au lieu de trois.

— Et toi, maman ?

Il s'inquiétait pour elle et mit son bras autour de ses épaules tandis qu'ils montaient à l'étage. Fernanda en eut de nouveau les larmes aux yeux.

— Il ne m'arrivera rien. Personne ne me fera de mal.

Elle énonçait cela comme une certitude, et Will s'en étonna.

— Ah ? Pourquoi ?

— Ils voudront que je verse la rançon. S'ils m'enlèvent, personne ne pourra plus payer.

C'était horrible mais vrai, ils le savaient tous deux.

— Et Sam ? Il ne craint rien ?

— Avec quatre policiers pour le protéger, je pense qu'il est à l'abri.

Elle tenta bravement de sourire, pour son fils.

— Comment c'est arrivé, maman ?

— Je l'ignore. La malchance, je suppose. La réussite de ton père. L'envie rend les gens fous et donne de drôles d'idées à certains.

— C'est vraiment tordu.

Il semblait toujours horrifié, et elle regrettait de les mettre ainsi au contact du danger et de la peur, mais puisqu'ils étaient visés, il fallait qu'elle les prévienne. Elle n'avait pas le choix. D'ailleurs, elle était fière de la manière dont ils prenaient les choses. Surtout Will.

— C'est tordu, je te l'accorde. Je suppose qu'il y a beaucoup de gens dérangés dans ce monde. Et de gens mauvais. J'espère seulement que ceux-là cesseront bientôt de s'intéresser à nous. Ou qu'ils décideront que le jeu n'en vaut pas la chandelle. La police et le FBI se trompent peut-être. Ils ne sont certains de rien. Pour le moment, ce ne sont que des hypothèses et des présomptions qu'il ne faut cependant pas négliger. Tu n'as surpris personne à nous observer, n'est-ce pas, Will ?

Elle posait la question par acquit de conscience, ne s'attendait pas à une réponse affirmative et s'étonna de le voir hésiter, puis hocher la tête.

— Je crois que si... Je n'en jurerais pas... Mais j'ai remarqué un type dans une voiture de l'autre côté de la rue, deux ou trois fois. Il n'avait pas l'air bizarre ni rien. Il m'a paru gentil et tout ce qu'il y a de normal. Il m'a souri. C'est sûrement pour ça que je l'ai remarqué.

Il hésita, puis ajouta, gêné :

— Et aussi parce qu'il ressemblait un peu à papa.

Ses paroles éveillèrent un écho dans l'esprit de Fernanda, qui se demanda pourquoi.

— Tu te souviens de lui, tu pourrais le décrire ? poursuivit-elle, inquiète.

La police avait peut-être raison de penser qu'on les surveillait. Si seulement elle pouvait se tromper…

— Plus ou moins. Il ressemblait vaguement à papa, mais en blond. Et il était habillé comme papa. Je l'ai vu une fois avec une chemise bleue, une autre fois avec un blazer. Je croyais qu'il attendait quelqu'un. Il ne m'a pas paru louche.

Fernanda se demanda s'il avait choisi ses vêtements afin de passer inaperçu dans le quartier. Ils en discutèrent encore quelques instants, et Will alla dans sa chambre pour appeler ses amis avant de partir pour son stage. Elle lui avait enjoint de ne parler à personne de cette menace d'enlèvement. Ted tenait à ce qu'ils gardent le secret. Si l'affaire s'ébruitait, s'il y avait des fuites, la nouvelle se répandrait dans la presse, et cela donnerait des idées à d'autres. Tous trois avaient promis de se taire. Elle ne préviendrait que la famille avec qui Ash partirait à Tahoe.

Fernanda appela aussitôt Ted. Elle voulait lui faire part de ce que Will lui avait dit. La secrétaire l'informa qu'il était en réunion avec le capitaine et qu'il la rappellerait. Pensive, elle regarda par la fenêtre, se demandant s'il y avait dehors des gens qui l'observaient à son insu. Tandis qu'elle réfléchissait à tout cela, Ted et le capitaine étaient en plein conflit. Pour lui, l'affaire relevait du FBI et non de la police. Le principal suspect avait été arrêté par le FBI pour des questions financières qui ne concernaient en rien la police, et il refusait de mobiliser deux de ses hommes pour jouer les baby-sitters auprès d'une mère de famille de Pacific Heights et de ses trois gamins.

— Pour l'amour du ciel, donne-moi une chance ! hurlait Ted en retour.

Ils se connaissaient bien et étaient de vieux amis. A l'école de police, le capitaine avait deux ans d'avance sur lui, et ils avaient fait équipe dans de nombreuses enquêtes. Mais, malgré son respect pour le travail de Ted, il estimait que, cette fois, il déraillait.

— Et si l'un d'eux est enlevé, qui héritera du problème, hein ?

Ils savaient l'un comme l'autre que tous les services seraient alors concernés, FBI et police.

— Je suis sur une piste, je le sens. Fais-moi confiance. Laisse-moi quelques jours, une semaine, deux au maximum, que je voie ce qui se passe. Si je fais chou blanc, je cire tes chaussures pendant un an.

— Je n'ai pas besoin de toi pour cirer mes pompes, merci, et je ne veux pas gaspiller l'argent du contribuable pour garder des enfants. Qui te dit que Waters est dans le coup ? Il n'y a pas de preuves, et tu le sais.

Ted le regarda droit dans les yeux et pointa son doigt sur son front.

— Toutes les preuves sont là.

Il avait déjà envoyé une femme policier déguisée en agent de stationnement dresser la liste des voitures garées dans la rue de Fernanda. Il n'y avait pas de parcmètres, mais il fallait un permis de résident pour stationner plus de deux heures. Sa présence semblerait donc légitime à ceux qui la verraient. Il avait hâte de connaître les résultats, de savoir si des gens se trouvaient dans des voitures garées et à quoi ils ressemblaient, ce que donneraient les recherches sur les numéros d'immatriculation. Elle téléphona en plein milieu de la dispute. Au même moment, la secrétaire de Ted entra dans le bureau du capitaine, pour lui dire que l'inspecteur Jamison avait quelque chose pour lui et que c'était urgent. Sous le regard agacé de son supérieur, Ted prit l'appel, resta un long moment à écouter en faisant de rares commentaires inintelligibles, puis il remercia et raccrocha.

— Je suppose que, maintenant, tu vas me dire que Carlton Waters et le type que le FBI a arrêté sont devant sa porte avec des fusils ? ironisa le capitaine en levant les yeux au ciel.

Il connaissait la musique. Mais Ted le regarda en face et déclara avec gravité :

— Non. Je vais te dire que Peter Morgan, l'ex-détenu en probation, qui avait le numéro de téléphone de Waters dans sa chambre, est dans une voiture garée devant la maison des Barnes. La voiture est immatriculée à son nom. Et l'un des voisins affirme qu'il le voit assis là depuis des semaines, mais qu'il ne s'est pas inquiété parce que le type a l'air correct.

— Merde ! grommela le capitaine en se passant la main dans les cheveux. Il ne manquait plus que ça ! Si jamais ils enlèvent cette femme, la presse va nous incendier parce que nous n'aurons pas réagi. C'est bon, j'ai compris. Qui as-tu mis sur l'affaire ?

— Personne pour le moment.

Ted lui sourit. Il aurait préféré se tromper, mais ses soupçons se confirmaient. Une chance que Jamison soit tombée sur Morgan. Il allait donner l'ordre à ses hommes de le laisser tranquille. Inutile qu'il prenne peur et disparaisse. Ted les voulait tous, quels qu'ils soient et quel que soit leur nombre, que Carlton Waters soit impliqué ou pas. Il voulait démêler les fils de ce complot, arrêter les organisateurs et faire en sorte que Fernanda et ses enfants leur échappent. Ce ne serait pas rien.

— Combien sont-ils ? Les Barnes, je veux dire, s'enquit le capitaine d'un ton grincheux.

Mais Ted n'était pas dupe, il le connaissait trop bien.

— Elle a trois enfants. Le grand part en stage demain. La fille part pour Tahoe le lendemain et nous pouvons demander au shérif de Tahoe de garder un œil sur elle. Après, il ne restera plus que la mère et le petit de six ans.

Le capitaine hocha la tête.

— Bon. Tu lui donnes deux hommes, vingt-quatre heures sur vingt-quatre. Cela devrait suffire. Et ton copain Holmquist, il nous prête quelqu'un ?

— Je crois, répondit Ted, prudent.

Il s'était avancé en en parlant à Rick avant d'en référer au capitaine, mais cela arrivait parfois. En échangeant des renseignements, les enquêtes avançaient plus vite.

— Dis-lui ce que tu viens d'apprendre sur Morgan, et demande-lui de nous envoyer deux hommes ou je ne le raterai pas la prochaine fois que je le verrai.

— Merci, mon capitaine.

Ted lui sourit et quitta le bureau. Il avait des coups de fil à passer pour mettre en place la protection de Fernanda et de Sam. Il appela Rick et le mit au courant pour Morgan. Il demanda à un petit nouveau de lui faire des tirages de la photo de Morgan pour qu'il puisse la montrer à Fernanda et aux enfants. Il prit ensuite une chemise, inscrivit dessus un numéro de dossier, suivi en grosses lettres de : « Complot pour kidnapping ». Il nota au-dessous les noms de Fernanda et des enfants. Et, à la rubrique « Liste des suspects », il écrivit le nom de Morgan. Les autres n'étaient encore que des suspects présumés, mais il ajouta tout de même le nom de Phillip Addison, assorti d'une brève description du dossier que celui-ci avait constitué sur Allan Barnes. Ce n'était qu'un début. Le reste viendrait en son temps. Les pièces du puzzle commençaient à se mettre en place. Il venait d'en trouver une qui avait pour nom Peter Morgan. Et il sentait qu'il ne tarderait pas à en réunir d'autres.

Ce même jour, Ted retourna chez Fernanda à 18 heures. Comme précédemment, il décida d'entrer par la grande porte sans se cacher, de se conduire en invité et avec naturel. Il avait ôté sa cravate et portait un blouson.

Le policier qui l'accompagnait était en jean, sweat-shirt et casquette de base-ball. Il aurait pu passer pour un ami de Will, et Ted pour son père. A leur arrivée, Fernanda et les enfants étaient en train de manger une pizza dans la cuisine. Ils lui avaient ouvert dès qu'ils l'avaient reconnu. Son jeune acolyte avait apporté du matériel dans un sac de sport qu'il portait sur l'épaule. Ted lui demanda discrètement de s'installer dans la cuisine puis, avec l'autorisation de Fernanda, il prit place à table avec eux. Il tenait à la main une enveloppe qui attira aussitôt la curiosité de Sam.

— Vous nous avez encore apporté des photos ?

— Exactement, répondit Ted en souriant à l'enfant.

— Des photos de qui, cette fois ?

Nommé inspecteur adjoint par Ted, Sam prenait son rôle très au sérieux et jouait les blasés, ce qui fit sourire sa mère. Pourtant, la situation ne s'y prêtait guère. Ted l'avait appelée pour lui parler de Morgan. Apparemment, il stationnait devant chez elle depuis des semaines et elle n'avait rien remarqué, signe qu'elle n'était pas très observatrice, ce qui l'ennuyait. Il l'avait informée qu'il y aurait quatre hommes chez elle un peu après minuit. Deux policiers et deux agents du FBI. Trouvant cela très excitant, Sam voulait savoir s'ils seraient armés. Il avait déjà posé la question à sa mère et attendait maintenant que Ted le lui confirme.

— Oui, ils seront armés, dit ce dernier en sortant la photo de l'enveloppe pour la tendre à Will. Est-ce que c'est l'homme que tu as vu dans la voiture garée en face de chez vous ?

Will regarda le portrait et le rendit aussitôt à Ted, en hochant la tête.

— Oui, c'est bien lui.

Il se sentait penaud de n'avoir pas eu l'idée de dire à sa mère qu'il avait vu un homme dans une voiture qui lui avait souri. Il l'avait vu deux ou trois fois et pensait qu'il s'agissait d'une simple coïncidence. Il avait l'air gentil et lui rappelait son père.

Ted fit passer la photo autour de la table. Ni Ashley ni Sam ne reconnurent l'homme du portrait, mais Fernanda resta un long moment à l'examiner. Elle se souvenait de l'avoir vu quelque part, mais quand ? Où ? Et soudain, la mémoire lui revint. Ce devait être au supermarché ou à la librairie. Elle se rappelait avoir laissé tomber quelque chose qu'il avait ramassé et, comme Will, le fait qu'il ressemble à Allan l'avait frappée. Elle expliqua tout cela à Ted.

— Vous pourriez me dire quand ? demanda-t-il posément.

Elle répondit que c'était dans les dernières semaines, qu'elle ne se souvenait pas exactement, mais cela prouvait qu'il les surveillait depuis un certain temps.

— Il est là, en ce moment, expliqua-t-il aux enfants. (Ashley étouffa un cri.) Mais nous ne ferons rien. Nous voulons savoir si d'autres viennent lui parler, qui le relaie et ce qu'ils mijotent. Quand vous sortez, je vous demande de ne pas chercher à le repérer, de ne pas le regarder, de l'ignorer complètement. Nous ne voulons pas qu'il prenne peur. Vous devrez donc vous conduire normalement et faire comme si de rien n'était.

— Il était là, quand vous êtes arrivé ? demanda Ashley.

Ted acquiesça. Grâce à la description de l'inspecteur Jamison, il connaissait la voiture et savait où elle était garée. Mais il avait fait mine de ne rien remarquer. Il était au volant, bavardait en souriant avec le jeune flic qui l'accompagnait, jouant le rôle du père qui amène son fils chez un ami. Le tandem était convaincant. Le jeune policier n'était guère plus âgé que Will.

— Il sait que vous êtes de la police ? interrogea ce dernier.

— J'espère que non. Mais je n'en jurerais pas. Je préférerais qu'il me prenne pour un ami de votre mère.

Il en irait tout autrement lorsque les quatre hommes seraient en poste. Leur présence attirerait l'attention, alerterait Morgan et les autres, qui se douteraient de quelque chose. L'arme était à double tranchant. La police y perdrait l'avantage de l'anonymat, et les ravisseurs se méfieraient. Ils devraient redoubler de prudence ou disparaître – hypothèse à laquelle Ted ne croyait pas trop. Mais ils n'avaient pas le choix. Il leur fallait assurer la sécurité de Fernanda et des siens. Si les malfaiteurs renonçaient pour de bon, personne ne s'en plaindrait. En attendant, elle avait besoin d'être protégée. Parmi les policiers affectés à l'affaire, il y aurait sans doute des femmes, ce qui, dans un premier temps, ferait diversion et éloignerait les soupçons. Mais l'arrivée de quatre adultes deux fois par jour, leur présence continuelle auprès de Fernanda et des enfants, qu'ils accompagneraient partout, ne passeraient pas éternellement inaperçues et finiraient par leur mettre la puce à l'oreille. Il n'y avait cependant pas d'autre solution pour le moment. Le capitaine avait également proposé de placer ce qu'ils appelaient un R10 devant la maison – un policier en civil dans une voiture banalisée. Ted n'en voyait pas la nécessité, et l'idée que Peter Morgan et un policier en civil passent leurs journées dans des voitures en stationnement à se regarder en chiens de faïence lui semblait un peu ridicule. Le commissariat local effectuerait des rondes régulières, et cela suffirait pour l'instant.

Lorsqu'ils eurent terminé de discuter de tout, le jeune collègue de Ted était prêt. Il avait déballé son matériel sur des serviettes en papier. Sa mallette était ouverte, et deux tampons pour prendre les empreintes digitales étaient posés côte à côte sur la paillasse de l'évier. L'un enduit d'encre noire, l'autre d'encre rouge. Ted leur demanda à tous d'approcher de l'évier, et à Will de passer le premier.

— Pourquoi vous prenez nos empreintes ? interrogea Sam.

Juste assez grand pour voir ce que faisait le jeune policier, il le regardait avec fascination. Celui-ci avait demandé à Will de poser ses doigts sur le tampon encreur, puis sur un carton avec des marques pour chaque doigt de la main. Il fallait de l'habileté pour que les empreintes soient nettes. Will s'étonna que l'encre ne tache pas ses doigts. Ils avaient commencé par le tampon rouge, avaient procédé de même avec le noir. Will savait pourquoi on prenait leurs empreintes ; Ashley et Fernanda aussi, mais personne ne voulait répondre à la question de Sam. S'ils étaient enlevés ou tués, les empreintes serviraient à les identifier. Une perspective qui n'avait rien de réjouissant.

— La police veut savoir qui tu es, Sam, expliqua Ted. Il y a différents moyens pour ça, mais les empreintes, c'est ce qu'il y a de mieux. Elles sont les mêmes toute ta vie.

Ce renseignement calma la curiosité de l'enfant. Ce fut ensuite le tour d'Ashley, puis de leur mère, et finalement celui de Sam, dont les empreintes semblaient minuscules sur le carton.

— Pourquoi vous les faites en rouge et en noir ? demanda-t-il encore lorsqu'ils changèrent de couleur.

— Les noires sont pour la police et les rouges pour le FBI. Ils sont plus coquets que nous, dit Ted en souriant tandis que les autres les observaient.

Ils s'étaient serrés les uns contre les autres, comme pour se donner de la force. Fernanda couvait ses petits comme une mère poule.

— Pourquoi le FBI veut-il du rouge ? s'enquit-elle à son tour.

— Pour se distinguer, je suppose, dit le jeune inspecteur.

Il n'y avait pas de raison particulière à cela, mais les empreintes en rouge correspondaient toujours au FBI.

Dès qu'il eut terminé avec Sam, il prit une paire de ciseaux et regarda l'enfant avec un léger sourire.

— Tu veux bien que je prélève un petit échantillon de tes cheveux, fiston ?

— Pour quoi faire ? demanda Sam, les yeux écarquillés.

— Les cheveux nous apprennent un tas de choses. Cela s'appelle un test ADN.

Une leçon dont ils se seraient tous passés mais, comme pour le reste, ils n'avaient pas le choix.

— Vous voulez dire : si on me kidnappe ?

Sam semblait effrayé. Le jeune homme hésitait, quand Fernanda intervint :

— Ils veulent que nous le fassions, Sam. Je vais le faire aussi.

Elle prit les ciseaux des mains du policier, coupa une mèche des cheveux du petit garçon, une des siens, et fit de même avec Will et Ashley. Mieux valait que ce soit elle qui le fasse plutôt qu'un étranger. C'était plus naturel ainsi, moins inquiétant pour eux. Peu après, les enfants remontèrent à l'étage en bavardant à voix basse. Sam voulait rester avec elle, mais Will le prit par la main et l'entraîna, sous prétexte qu'il avait quelque chose à lui dire. Il se doutait que sa mère désirait rester seule avec Ted pour discuter de la situation et craignait, à juste titre, que Sam ne prenne peur. Beaucoup de choses leur étaient arrivées ces derniers temps. Et Fernanda savait qu'après minuit, avec quatre policiers armés nuit et jour dans la maison, leur vie serait radicalement transformée.

— Nous aurons besoin de photos d'eux, dit doucement Ted quand les enfants se furent retirés. Et de leur signalement. Taille, poids, signes particuliers, tout ce que vous serez en mesure de nous fournir. Mais les cheveux et les empreintes vont déjà bien nous aider.

— Ces renseignements vous seront vraiment utiles, en cas d'enlèvement ?

Elle répugnait à poser la question, mais il lui fallait savoir. Qu'adviendrait-il si un des enfants était enlevé ? L'idée la terrifiait, au point qu'elle préférait ne pas s'y attarder.

— Cela changerait beaucoup de choses. Surtout avec un enfant aussi jeune que Sam.

Il ne voulait pas lui avouer que des enfants enlevés à cet âge étaient parfois retrouvés dix ans plus tard, recueillis par des gens ou retenus captifs dans un autre pays ou un autre Etat. Les empreintes et les cheveux permettaient alors de les identifier. Pour Will et Ashley, les cheveux et les empreintes ne seraient nécessaires que dans le pire des cas. Et puis, avec une rançon à la clé, ils avaient peu de chances de disparaître et de changer de vie. Ils seraient enlevés pour être vraisemblablement rendus après paiement de la rançon. Il n'y avait plus qu'à espérer qu'on ne leur ferait pas de mal, que les ravisseurs laisseraient les enfants en vie. Peu de temps après, Ted repartait avec son collègue.

Seule dans sa cuisine, Fernanda fixait la boîte de pizza vide d'un air absent, en se demandant pourquoi les ennuis s'enchaînaient. Elle ne pouvait qu'espérer que ces hommes, s'ils préparaient réellement un mauvais coup, seraient arrêtés. Elle s'accrochait à ses doutes, se disait que c'étaient des histoires et que rien n'arriverait. L'idée que l'enlèvement puisse se produire pour de bon la terrifiait tant qu'elle sentait qu'elle allait devenir folle si elle y pensait trop et qu'elle ne laisserait plus les enfants mettre un pied dehors. Etant donné les circonstances, elle s'efforçait de rester calme, pour ne pas les effrayer plus que de raison. Et, finalement, elle ne s'en tirait pas si mal. Du moins le crut-elle jusqu'au moment où elle rangea la boîte de pizza vide dans le réfrigérateur, versa du jus d'orange dans sa tasse de thé et mit les serviettes propres à la poubelle.

— On se calme ! s'admonesta-t-elle à voix haute. Tout va bien se passer.

Mais, en récupérant les serviettes, elle s'aperçut que ses mains tremblaient. Tout cela était si inconcevable, si terrifiant qu'elle ne pouvait s'empêcher de penser à Allan, regrettant qu'il ne soit pas à ses côtés, se demandant ce qu'il aurait fait à sa place. Il aurait certainement mieux réagi, sans s'énerver, sans paniquer.

— Ça va, maman ? s'inquiéta Will, qui venait chercher une glace, alors qu'elle s'apprêtait à monter dans sa chambre.

— A peu près mais, pour ne rien te cacher, tout cela ne me réjouit pas.

Elle paraissait lasse ; la journée l'avait épuisée.

— Tu tiens toujours à ce que je parte en stage ?

Elle hocha la tête.

— Oui, mon chéri, j'y tiens.

Elle aurait préféré que Sam parte avec lui, elle ne voulait pas qu'ils demeurent enfermés avec elle à attendre qu'un malheur arrive. Mais Sam était trop jeune. Ted avait recommandé qu'ils sortent le moins possible. Il craignait, si elle prenait la voiture, qu'elle ne tombe dans une embuscade. Ils se demandaient s'il valait mieux que des agents montent avec elle en voiture ou qu'ils la suivent. Ted préférait la première solution, Rick et le capitaine la seconde. Toujours la même histoire d'appât. En conséquence, Ted avait proposé qu'elle ne bouge pas de chez elle, dans la mesure du possible.

Ce soir-là, Fernanda appela les parents qui recevaient Ashley à Tahoe, pour leur expliquer la situation sous le sceau du secret. Ils s'avouèrent désolés, promirent de veiller attentivement sur l'enfant, et elle les en remercia. Ils étaient soulagés que les adjoints du shérif se relaient pour surveiller les alentours et que la police soit là pour protéger Ashley. Ni Ted ni Rick ne pensaient qu'elle serait suivie à Tahoe, mais mieux valait être prudent. Fernanda respirait mieux en sachant qu'elle serait bientôt en sécurité là-bas.

Cette même nuit, Fernanda était couchée quand la sonnette retentit, annonçant l'arrivée des quatre agents. Peter Morgan ne les vit pas, car il était rentré chez lui. Il s'était rendu compte qu'elle sortait rarement le soir et, connaissant ses habitudes, il repartait vers 21 h 30 ou 22 heures, sauf lorsqu'elle emmenait les enfants au cinéma. Ce soir-là, elle n'avait pas bougé de chez elle et les gamins non plus. Il avait donc regagné son hôtel de bonne heure. Il regrettait presque que sa surveillance se termine. Il aimait être à proximité d'elle et des enfants, se plaisait à imaginer ce qu'ils faisaient lorsqu'il les apercevait par les fenêtres.

Fernanda, quant à elle, songeait à appeler Jack Waterman pour le mettre au courant, mais elle se sentait trop lasse. Et puis, cela ressemblait à une histoire de fous. Que lui dirait-elle ? Qu'une bande de truands avait un gros dossier sur eux et que l'un d'eux, garé devant la maison, les épiait depuis des semaines ? Et quoi d'autre ? Il n'y avait aucune preuve tangible qu'on cherchait à les kidnapper. La police n'avait que des soupçons. C'était si invraisemblable qu'elle-même avait du mal à y croire. Mieux valait attendre quelques jours et voir ce qui se passerait, avant de l'appeler. Elle lui avait suffisamment causé de problèmes avec ses histoires d'argent. De toute façon, Sam et elle le verraient ce week-end. Jack les emmenait à Napa pour la journée le lendemain du départ d'Ashley. Elle aurait alors tout le temps de lui parler. Jugeant inutile de l'appeler, elle n'en fit rien.

Les policiers qui arrivèrent à minuit étaient très corrects. Après avoir fait le tour de la maison, ils décidèrent de s'installer dans la cuisine, où ils trouveraient café et nourriture. Fernanda proposa de leur préparer des sandwiches, mais ils déclinèrent son offre et la remercièrent de sa gentillesse. Assis autour de la table, les quatre hommes se mirent à bavarder tandis qu'elle mettait la cafetière en marche. L'alarme était branchée, et elle leur expliqua son fonctionnement. Deux des agents ôtèrent leur veste. En voyant les armes dépasser des étuis qu'ils portaient à l'épaule ou à la ceinture, elle eut soudain le sentiment d'appartenir à un groupe de résistants cerné par des guérilleros. Face à cet arsenal, elle se sentait paradoxalement aussi fragile que protégée. Bien qu'amicale, la présence de ces hommes dans la maison avait quelque chose d'inquiétant. Elle était sur le point de monter se coucher quand on sonna à la porte. Deux des policiers se précipitèrent et, à la grande surprise de Fernanda, Ted apparut.

— Que se passe-t-il ? Il y a un problème ?

Son cœur s'accélérait sous l'effet de la panique. Mais peut-être apportait-il de bonnes nouvelles ? Encore qu'en ce cas, il aurait sans doute téléphoné…

— Non, tout va bien. Je faisais juste un crochet avant de rentrer chez moi, pour voir où vous en étiez.

Les hommes avaient regagné la cuisine. Ils seraient relevés à midi le lendemain par une deuxième équipe, qui resterait jusqu'à minuit. Ce qui impliquait que les enfants prendraient leur petit déjeuner avec des hommes armés. Cela lui rappelait l'épisode des matelas dans *Le Parrain*, au détail près qu'il s'agissait de sa vie et non d'un film. Film ou pas, de toute façon le scénario était mauvais.

— Les hommes se conduisent bien ? demanda Ted en la regardant.

Elle semblait si lasse qu'il eut envie de la prendre dans ses bras juste par sympathie, mais il s'en garda.

— Ils ont été très gentils avec moi, répondit-elle d'une toute petite voix.

Il se demanda si elle avait pleuré. Elle était apeurée et visiblement épuisée. Pourtant, un peu plus tôt, elle l'avait impressionné par son calme devant les enfants.

— C'est la moindre des choses, dit-il en lui souriant. Je ne veux pas vous déranger, vous devez être à bout de forces. Je passais juste voir mes hommes, leur montrer que j'étais là. Cela ne fait pas de mal. S'ils vous ennuient en quoi que ce soit, n'hésitez pas à m'appeler.

Il parlait d'eux comme s'il s'agissait de ses enfants, ce qu'ils étaient en un sens. La plupart des agents qui travaillaient pour lui étaient jeunes, à peine plus que des mômes à ses yeux. Il avait demandé qu'on affecte des équipes mixtes à cette mission, pensant que ce serait moins gênant pour Fernanda et plus rassurant pour eux tous, mais l'équipe de ce soir ne comprenait que des hommes. Ils discutaient entre eux dans la cuisine tandis que Ted bavardait avec elle dans le hall.

— Vous tenez le coup ?

— Plus ou moins.

L'attente engendrait une tension énorme.

— Avec un peu de chance, ce sera bientôt fini. Nous coincerons ces types pour une bêtise. Ils en font invariablement, pillent par exemple un débit de boissons au lieu de se concentrer sur le coup plus important qu'ils étaient en train de préparer. Rappelez-vous qu'ils sortent de prison, preuve qu'ils ne sont pas si intelligents que cela puisqu'ils se sont fait prendre. Nous comptons un peu là-dessus. Certains d'entre eux cherchent même à se faire coffrer. La liberté et le travail honnête, c'est dur. Ils préfèrent retourner en prison, où ils ont trois repas par jour et un toit aux frais du contribuable. Nous veillerons à ce qu'il ne vous arrive rien, Fernanda, ni à vous ni aux enfants.

C'était la première fois qu'il l'appelait par son prénom, et elle lui sourit. Rien qu'à l'écouter, elle se sentait mieux. Son calme la rassurait.

— La situation a de quoi faire peur. C'est horrible de penser que des gens comme ça nous veulent du mal. Je vous remercie pour tout ce que vous faites, déclara-t-elle avec sincérité.

— C'est horrible, effectivement, et cela fait peur. Mais ne me remerciez pas, je ne fais que mon travail.

Elle savait déjà qu'il le faisait bien. Rick Holmquist aussi l'avait impressionnée, de même que le jeune homme qui avait pris leurs empreintes avec tant de soin, et jusqu'aux quatre policiers armés qui se trouvaient dans sa cuisine. Il se dégageait d'eux tous une impression de calme et de compétence.

— On se croirait dans un film, dit-elle avec un sourire triste en s'asseyant sur une marche sous le lustre viennois.

Il s'assit près d'elle, et ils restèrent à bavarder à voix basse, comme deux enfants, dans l'obscurité.

— Je suis contente que Will s'en aille demain. J'aurais aimé qu'ils partent tous, pas seulement Will et Ash. C'est effrayant pour Sam.

Pour elle aussi, il le savait.

— J'ai réfléchi à une chose, ce soir, lui dit-il. Vous ne connaîtriez pas un lieu sûr ? Un endroit où vous pourriez vous réfugier avec lui, pendant quelques jours ? Il n'y a pas d'urgence, le dispositif que nous avons mis en place pour vous protéger nous satisfait pleinement. Mais, au cas où un informateur nous préviendrait que d'autres sont sur le coup, ou si nous apprenions que la situation risque de se gâter, il faudrait un endroit où personne n'aurait l'idée de vous chercher, où nous pourrions vous emmener discrètement et vous cacher.

En un sens, il serait plus facile de la protéger si elle s'éloignait. Mais la garder en ville avait ses avantages. En cas d'attaque ou de prise d'otage, ils seraient sur place en un rien de temps, et si les malfaiteurs lui tendaient une embuscade, quel que soit leur nombre, la police et le FBI recevraient des renforts des commissariats voisins en l'espace de quelques minutes. Cela comptait beaucoup, mais Ted aimait avoir un plan de secours sous le coude. En réponse à sa question, Fernanda secoua la tête.

— Non, j'ai vendu nos autres maisons.

Cette remarque rappela à Ted l'incroyable histoire qu'elle leur avait racontée dans l'après-midi. Il ne comprenait toujours pas comment Allan avait pu perdre une pareille fortune. Il fallait être idiot ou très imprudent pour engloutir ainsi un demi-milliard de dollars. Apparemment, cependant, Allan l'avait fait.

— Vous n'avez pas de la famille ou des amis qui pourraient vous héberger ?

De nouveau, elle hocha la tête négativement. Elle ne voyait personne pour lui rendre ce service, pas d'amis assez proches pour qu'elle se sente libre de les envahir. Et elle n'avait plus de famille.

— Je ne voudrais pas mettre d'autres personnes en danger, répondit-elle, pensive.

De toute façon, aucun nom ne lui venait à l'esprit. Elle ne connaissait personne à qui elle eût envie de confier ses ennuis, qu'il s'agisse de ses problèmes financiers ou de l'éventualité d'un enlèvement. La brillante réussite d'Allan et l'étalage de sa fortune avaient fini par faire fuir jusqu'à leurs meilleurs amis, qui, gênés, avaient cessé de les voir. Et, lorsqu'il avait plongé, il n'avait rien dit à personne, ne voulant pas que cela se sache. A présent qu'il était mort, elle n'avait plus que de vagues connaissances. Et Jack Waterman, leur vieil ami et avocat. Elle comptait le mettre au courant pendant le week-end, mais il n'avait pas d'endroit sûr à lui offrir. Il possédait un minuscule appartement en ville et se rendait parfois à Napa, où il logeait à l'hôtel.

— Cela ne vous ferait pas de mal de partir un peu, dit Ted avec gentillesse.

— Sam et moi devions aller passer une journée à Napa, ce week-end, mais cela me semble bien compromis. A moins que la police ne nous accompagne.

Mais faire le voyage entassés avec quatre policiers dans une voiture ne serait drôle pour personne.

— Attendons de voir ce qui se passe, dit Ted.

Il se rendit ensuite dans la cuisine, où il passa quelques minutes à plaisanter avec ses hommes, et quitta la maison à 1 heure du matin. Lentement, Fernanda monta jusqu'à sa chambre. La journée lui avait paru interminable. Après un long bain chaud, elle allait se glisser dans le lit près de Sam quand une silhouette passa dans le couloir. Surprise, elle sursauta, resta figée sur place en chemise de nuit, tremblante, à dévisager l'homme débout sur le pas de sa porte. C'était l'un des quatre policiers.

— Je fais ma ronde, dit-il avec naturel. Ça va ?

— Ça va, merci, répondit-elle poliment.

Il hocha la tête, redescendit à la cuisine, et elle se mit au lit, encore toute frissonnante. Il lui faudrait s'habituer à leur présence… Finalement, elle s'endormit. Serrant Sam contre elle, elle rêva d'hommes armés qui couraient à travers la maison, pistolet au poing. Elle était dans un film. C'était *Le Parrain*. Il y avait Marlon Brando, Al Pacino, Ted, et tous ses enfants. Son sommeil se fit plus profond, et elle vit Allan venir à elle. C'était l'une des rares fois où elle rêvait de lui depuis sa mort et, le lendemain matin, elle s'en souvint avec une netteté extraordinaire.

14

Le lendemain, quand Will et Sam descendirent prendre leur petit déjeuner, Fernanda était en train de préparer des œufs au bacon pour les deux policiers et les deux agents du FBI, qui étaient assis à la table de la cuisine. Will et Sam s'installèrent entre eux tandis qu'elle les servait. Elle remarqua que Sam fixait leurs pistolets avec intérêt.

— Il y a des balles, dedans ? demanda le petit garçon.

Le policier lui sourit et répondit d'un hochement de tête. Tout en préparant le petit déjeuner de ses fils, Fernanda songea que le spectacle de ces hommes armés assis à table avec ses enfants avait quelque chose de surréaliste. Elle se faisait l'impression d'être une femme de gangster.

Sam voulait des galettes, Will des œufs au bacon. Ashley dormait encore, il était tôt. Will prenait le car à 10 heures, et Fernanda avait demandé aux policiers si elle pouvait l'accompagner. Ils préféraient qu'elle ne le fasse pas, car ils craignaient qu'en sortant avec lui elle n'attire l'attention sur son départ. L'un des agents se chargerait de conduire Will. Il avait proposé que le garçon monte en voiture dans le garage et s'étende sur le siège arrière pour que personne ne le voie partir. Bien que rocambolesque, l'idée ne manquait pas de bon sens.

C'est ainsi qu'à 9 h 30 elle embrassa Will pour lui dire au revoir. Il se coucha sur la banquette arrière et, quelques instants plus tard, l'agent prenait le volant et sortait du garage comme s'il était seul à bord. Quelques pâtés de maisons plus loin, à son signal, Will se redressa et ils bavardèrent agréablement pendant le reste du trajet. L'agent déposa le jeune homme à l'arrêt d'autocar avec son sac et ses crosses, attendit le départ du car et lui fit au revoir de la main, comme si l'adolescent était son fils. Une heure plus tard, il était de retour.

Peter, qui se trouvait à son poste d'observation dans la rue, vit un homme rentrer la voiture de Fernanda dans le garage. Il l'avait vu sortir un peu plus tôt, mais ne l'avait pas vu arriver la veille au soir, puisque l'équipe de protection n'était arrivée qu'après son départ. La présence d'un homme chez elle, de si bonne heure, choqua Peter. C'était nouveau. L'idée que le chauffeur de la voiture soit un policier ne l'effleura même pas. Tout semblait calme et parfaitement en ordre. Peter s'étonna aussi de sa propre réaction ; il en voulait à Fernanda parce qu'elle recevait un homme chez elle, en présence des enfants. Cela lui semblait incongru, mais sans doute n'était-ce qu'un ami, venu tôt le matin lui donner un coup de main. Du moins, il l'espérait. L'homme quitta la maison vers midi, avec le plus grand naturel, et Sam lui fit au revoir du perron, comme s'il s'agissait d'un ami.

Lorsque la relève arriva cet après-midi-là, l'équipe se composait de deux hommes du FBI et de deux femmes de la police ; on aurait dit deux couples qui venaient en visite. A l'insu de Peter, les trois autres hommes sortirent par l'arrière de la maison et traversèrent la propriété des voisins pour gagner discrètement une rue parallèle.

Le soir venu, Peter partit avant que les invités rentrent chez eux. La visite n'en finissait plus, et il ne voyait aucune raison de s'attarder. Il savait déjà tout ce qu'il avait besoin de savoir sur elle et était à peu près sûr qu'elle ne branchait jamais l'alarme. Si elle le faisait, Waters sectionnerait les fils avant d'entrer. A présent, il la surveillait davantage par habitude que dans l'espoir d'apprendre quelque chose de nouveau. Il savait tout ce qu'elle faisait, où elle allait, avec qui, et combien de temps cela lui prenait. En fait, il l'observait maintenant pour son plaisir, et parce qu'il l'avait promis à Addison. Cela ne lui coûtait pas, au contraire. Il aimait être près d'elle, la regarder vivre avec ses enfants. Il ne gagnerait rien à attendre là pendant qu'elle recevait ses amis. A leur arrivée en voiture, les deux couples bavardaient et riaient amicalement ; ils lui avaient paru inoffensifs. Ted les avait choisis lui-même, leur avait dit comment se vêtir pour ressembler à des amis de Fernanda. Peter ne l'avait encore jamais vue recevoir, mais elle semblait tellement heureuse d'accueillir ses invités qu'il n'avait pas imaginé une seconde que les deux couples étaient des policiers. L'atmosphère n'avait pas changé ; aucun détail troublant n'avait retenu son attention. Il se sentait suffisamment confiant et détendu pour quitter son poste avant que les deux couples se retirent. Il était fatigué, il n'y avait rien à voir. Après avoir ouvert à ses invités, Fernanda n'avait pas mis le nez dehors de la journée, et les enfants non plus. Il avait vu Sam jouer à la fenêtre de sa chambre, et Fernanda préparer le repas dans la cuisine.

Le lendemain était son dernier jour de surveillance. Ensuite, Carlton Waters, Malcolm Stark et Jim Free passeraient la nuit avec lui. Il lui fallait encore faire quelques courses pour eux, de sorte qu'il arriva chez Fernanda plus tard qu'à l'ordinaire. Ashley était déjà partie pour Tahoe avec ses amis, et une nouvelle équipe de protection était en place. Par chance, il ne la vit pas sortir à midi et ne vit pas davantage arriver la relève.

Tous étaient passés par-derrière. Aussi, ce soir-là, lorsqu'il quitta à regret son poste d'observation pour la dernière fois, il ignorait qu'elle n'était pas seule chez elle. Parti à 22 heures, il n'était pas là pour assister au changement d'équipe à minuit. D'ailleurs, il n'avait vu personne de la journée, ni les enfants ni Fernanda. Il se demanda si sa visite de la veille l'avait épuisée ou si elle était simplement occupée. Comme les enfants n'avaient plus classe, rien ne les obligeait à sortir ; ils profitaient sans doute des vacances pour paresser. Dans la journée, il l'avait aperçue à sa fenêtre et, dans la soirée, il nota qu'elle avait tiré les rideaux. Il se sentait seul lorsqu'il ne la voyait plus et, en quittant son poste pour la dernière fois, il comprit qu'elle allait lui manquer terriblement. En fait, elle lui manquait déjà. Il espérait la revoir un jour. Il n'imaginait pas ce que deviendrait sa vie sans elle, et cela l'attristait presque autant que ce qu'ils étaient sur le point de lui infliger et dont la seule pensée le rendait malade. Distrait par son inquiétude, il n'avait pas remarqué que les enfants et elle étaient sous protection. N'ayant pas l'habitude de planquer, il ne s'était aperçu de rien.

Attaché à elle comme il l'était, il dut se forcer à ne plus penser à ce qui se passerait pour elle quand ses acolytes enlèveraient un de ses enfants, ou même tous. Il ne pouvait se permettre de continuer à y songer, aussi s'obligea-t-il à se concentrer sur des sujets plus agréables en reprenant le chemin de son hôtel ce soir-là, l'esprit rempli de Fernanda. A son arrivée, Stark, Waters et Free l'attendaient. Ils se demandaient où il était passé ; ils avaient faim, voulaient aller dîner. Il ne tenait pas à leur avouer qu'il avait eu du mal à se séparer d'elle, même si cette séparation n'impliquait rien de plus que quitter une place de stationnement dans sa rue. Jamais il ne leur avait laissé voir qu'il l'appréciait, la respectait, et qu'il avait de la tendresse pour les enfants.

Dès que Peter arriva à l'hôtel, ils allèrent dîner tous les quatre dans un bar à tacos du quartier de Mission, que Peter aimait bien. La veille, ils s'étaient tous présentés à leur agent de probation ; ils n'étaient plus soumis qu'à un contrôle tous les quinze jours, et ils auraient quitté le pays depuis longtemps avant que quelqu'un s'inquiète de leur disparition. Comme Addison le lui avait affirmé, Peter avait assuré aux trois autres que Fernanda paierait rapidement la rançon. Ce ne serait l'affaire que de quelques jours. Les trois hommes chargés de l'enlèvement n'avaient aucune raison d'en douter. Tout ce qu'ils voulaient, c'était leur argent. Ils ne se souciaient ni d'elle ni des enfants. Peu leur importaient les victimes, du moment qu'ils touchaient leur fric. Chacun d'eux avait déjà reçu cent mille dollars en liquide. Le reste leur serait versé lorsque la rançon serait payée. Addison avait laissé à Peter des instructions précises sur la manière de procéder. Fernanda devrait effectuer cinq virements sur des comptes anonymes aux îles Cayman et, de là, l'argent serait reversé sur deux comptes en Suisse pour Addison et Peter, et sur trois comptes au Costa Rica pour les autres. Les enfants seraient gardés en otage jusqu'à ce qu'elle ait effectué les virements, et Waters devrait l'avertir dès le début que, si elle alertait la police, ils tueraient les gosses – chose que Peter était bien décidé à empêcher. Waters se chargerait de réclamer la rançon, selon les instructions que Peter lui avait données.

Pas besoin de serment ni de parole donnée entre eux. Hormis Peter, ils ignoraient toujours l'identité de Phillip Addison, et si l'un d'eux vendait les autres, non seulement il perdrait sa part mais il serait aussitôt abattu ; tous le savaient. Le plan paraissait sûr. Peter devait quitter son hôtel le lendemain matin, pendant que ses acolytes emmèneraient le ou les enfants qu'ils auraient enlevés dans la maison de Tahoe louée à cet effet. Il avait déjà réservé une chambre sous un autre nom dans un motel de Lombard Street. C'était le dernier soir qu'ils passaient ensemble. Le dîner terminé, les trois autres s'installèrent pour dormir dans sa chambre, à l'hôtel. Ils avaient apporté des sacs de couchage qu'ils étendirent à même le sol et, le lendemain matin de bonne heure, ils sortirent tous les quatre, Peter d'abord, les autres ensuite. C'est là qu'ils se séparèrent. Le fourgon les attendait et ils allèrent le chercher au garage. Ils ne savaient pas encore quand ils passeraient à l'action. Ils comptaient faire le guet et choisir le moment opportun, avant que toute la maisonnée se réveille. Ils n'avaient pas d'heure précise, rien ne pressait. Peter arrivait au motel de Lombard Street quand les autres montèrent dans le fourgon au garage. Il avait gardé son autre chambre à l'hôtel afin de ne pas éveiller les soupçons. Tout était fin prêt. Ils avaient transféré les sacs de golf contenant les armes automatiques du coffre de la voiture au fourgon. Ils disposaient de cordes, de rouleaux de bandes adhésives et d'un stock de munitions impressionnant. Sur le chemin du garage, ils firent des provisions suffisantes pour quelques jours. Ils étaient convaincus que ce ne serait pas long et ne s'inquiétaient pas de ce qu'il faudrait pour les enfants. Avec un peu de chance, ils ne les auraient pas sur les bras assez longtemps pour avoir à se faire du souci. Ils avaient acheté du beurre de cacahouète, de la confiture, du pain et du lait pour les gamins. Le reste était pour eux et comprenait du rhum, de la tequila, de la bière en quantité, des conserves et des plats surgelés, car ils n'aimaient pas cuisiner. En prison, on le faisait pour eux.

C'était le troisième jour que policiers et agents du FBI étaient chez Fernanda. De bonne heure ce matin-là, elle appela Jack Waterman pour lui dire que Sam et elle étaient souffrants et qu'ils n'iraient pas avec lui à Napa. Elle avait toujours l'intention de le mettre au courant de ce qui se passait, mais tout cela lui semblait trop fou, trop irréel. Comment lui expliquer que des hommes campaient dans son salon et s'installaient avec leurs armes à la table de la cuisine pour bavarder et manger ? Elle se sentait un peu ridicule et le serait vraiment s'ils avaient déployé un tel dispositif pour rien. De fait, elle espérait n'avoir jamais à lui en parler. Jack se dit désolé de les savoir malades et proposa de passer les voir en partant, mais elle refusa, prétextant qu'elle se sentait vraiment trop mal et qu'elle ne voulait pas lui transmettre le virus.

Après cela, elle se remit au lit avec Sam, pour regarder un film. Elle avait servi le petit déjeuner à ses quatre anges gardiens dans la cuisine et faisait un câlin à son fils quand elle entendit un bruit bizarre en bas. L'alarme n'était pas branchée. Avec deux policiers et deux agents du FBI entraînés et armés jusqu'aux dents pour les protéger, cette précaution lui avait semblé inutile et elle ne l'avait pas mise en marche la veille, ni d'ailleurs depuis que les hommes étaient là. D'autant que Ted l'avait avertie qu'ils pourraient la déclencher accidentellement en sortant ou en rentrant d'effectuer leurs rondes autour de la maison. Le bruit provenait de la cuisine et ressemblait à celui d'une chaise renversée. Avec quatre hommes en bas, elle ne s'en inquiéta pas et resta au lit, avec Sam qui somnolait dans ses bras, la tête contre son épaule. Tous deux dormaient mal la nuit et trouvaient le sommeil plus facilement le jour, comme Sam en ce moment, blotti contre sa mère.

Il y eut alors des bruits de voix étouffés, puis des pas dans l'escalier. Elle commençait à se demander ce qui se passait, hésitant à se lever de crainte de réveiller l'enfant et se disant que c'étaient les agents qui montaient voir si tout se passait bien, quand trois hommes cagoulés firent irruption dans la chambre et se postèrent au pied du lit, braquant sur eux des M16 équipés de silencieux. Le bruit réveilla Sam qui, en les voyant, se raidit dans les bras de sa mère, tandis qu'un des hommes s'avançait vers eux. L'enfant écarquillait de grands yeux terrorisés, et Fernanda aussi – Fernanda qui priait pour que ces hommes masqués ne les tuent pas. Bien que n'y connaissant rien, elle comprit au premier coup d'œil qu'ils étaient armés de fusils-mitrailleurs.

— Ce n'est pas grave, Sam... Ce n'est rien... murmura-t-elle d'une voix tremblante sans trop savoir ce qu'elle disait.

Elle n'avait aucune idée de l'endroit où se trouvaient les policiers chargés de les protéger. Ils ne se manifestaient pas, aucun bruit ne filtrait du rez-de-chaussée. Serrant Sam contre sa poitrine, elle se rencogna contre le dosseret du lit, comme si cela pouvait les sauver. Au même moment, l'un des hommes arracha Sam à son étreinte, et elle poussa un cri déchirant.

— Laissez-le, ne l'emmenez pas ! gémit-elle, pitoyable.

Le moment tant redouté était venu, et elle n'avait d'autre recours que de supplier ses agresseurs. Incapable de se contrôler, elle sanglotait tandis que l'un d'eux braquait son arme sur elle et qu'un autre liait les mains de Sam avec une corde, puis le bâillonnait avec une bande adhésive. Impuissant, terrorisé, l'enfant levait sur elle de grands yeux qui l'appelaient au secours.

— Oh, mon Dieu ! s'écria-t-elle alors qu'ils jetaient Sam, pieds et mains liés, dans un grand sac comme un paquet de linge sale.

Sam poussait des gémissements de frayeur et, comme elle hurlait, l'homme qui se trouvait près d'elle la saisit par les cheveux et lui tira la tête en arrière à lui arracher la peau du crâne.

— Encore un cri, et nous le tuerons. Vous n'y tenez pas, n'est-ce pas ?

Vêtu d'une veste en grosse laine, d'un jean et de bottes de chantier, il était solidement bâti. Une mèche de cheveux blonds dépassait de sa cagoule. L'un des autres, plus trapu mais puissant, hissa le sac sur son épaule. Fernanda n'osait plus bouger, de peur qu'ils n'abattent Sam.

— Emmenez-moi avec lui, balbutia-t-elle, tremblante.

Les deux hommes s'abstinrent de répondre. Ils avaient ordre de la laisser afin qu'elle paie la rançon, ce qu'elle était seule à pouvoir faire.

— S'il vous plaît... Je vous en prie... Ne lui faites pas de mal, supplia-t-elle en tombant à genoux.

Les trois hommes quittèrent la pièce en courant et se précipitèrent dans l'escalier en emportant Sam. Elle se releva pour s'élancer à leur poursuite et remarqua alors des traces sanglantes un peu partout.

— Vous alertez les flics, vous parlez de ça à qui que ce soit, et le gosse est mort, compris ? dit l'un d'eux d'une voix étouffée par sa cagoule.

Elle fit signe que oui.

— Où est la porte du garage ? demanda un autre.

Elle s'aperçut alors qu'il avait du sang sur les mains et sur son pantalon. Elle n'avait pourtant pas entendu le moindre coup de feu. Elle ne pensait qu'à Sam en leur montrant du doigt la porte du garage. L'un d'eux braquait sur elle son fusil-mitrailleur ; celui qui portait Sam lança le sac au troisième, qui le jeta sur son épaule. Il ne remuait plus, n'émettait pas un son, mais il n'était pas mort. Ce qu'ils lui avaient fait ne pouvait pas le tuer. Le colosse lui adressa de nouveau la parole. Avant d'arriver dans sa chambre, ils étaient allés dans celles de Will et d'Ashley, mais n'y avaient trouvé personne.

— Où sont les autres ?

— Partis, répondit-elle.

Les trois hommes hochèrent la tête et s'engouffrèrent dans l'escalier de service, tandis qu'elle se demandait où étaient passés les policiers.

Les ravisseurs avaient garé leur fourgon en marche arrière devant l'entrée du garage, sans que personne les remarque. Dans leurs tenues d'ouvriers, ils paraissaient inoffensifs. Ils avaient contourné la maison par l'arrière et étaient entrés en cassant un carreau. Ils avaient ensuite ouvert la fenêtre et l'avaient enjambée. Puis ils avaient coupé les fils de l'alarme. C'était un art dans lequel ils étaient passés maîtres au fil des années. Personne n'avait rien vu. Et personne, à part Fernanda, ne les vit sortir du garage et ouvrir l'arrière du fourgon. Si elle avait été armée, elle les aurait abattus, mais dans les circonstances présentes elle ne pouvait rien contre eux, et elle le savait. Elle n'osait pas crier pour appeler les policiers, de crainte que les ravisseurs ne tuent son fils.

L'homme qui portait le sac grimpa dans le fourgon, tirant son fardeau derrière lui et cognant le pauvre Sam contre le pare-chocs arrière. Les autres jetèrent leurs armes près de l'enfant, fermèrent les portes arrière et se précipitèrent à l'avant. Quelques instants plus tard, ils démarraient, laissant Fernanda seule, en larmes, sur le trottoir. A son grand désespoir, personne ne la vit ni ne l'entendit. Les vitres du fourgon étaient teintées et, le temps qu'ils enlèvent leurs cagoules, ils avaient déjà tourné le coin de la rue. Elle ne les avait pas vus, n'avait pas même aperçu la plaque d'immatriculation du véhicule ; elle n'y avait pensé que trop tard. Elle ne pouvait que les regarder s'enfuir avec son fils, en priant le ciel qu'ils ne le tuent pas.

Sanglotant toujours, elle rentra chez elle et s'engouffra dans l'escalier de service pour se mettre en quête des policiers. Elle traversa en courant le hall dont la moquette était tachée de sang et déboucha dans la cuisine où l'attendait un véritable carnage. Un policier avait le crâne défoncé, un autre avait pris une rafale de M16 à l'arrière de la tête et sa cervelle avait éclaboussé les murs. Jamais elle n'avait rien vu d'aussi horrible. Muette de terreur, elle ne pleurait même plus. Ils auraient pu leur faire subir le même sort, à Sam comme à elle, et le pouvaient encore. Les deux agents du FBI avaient été touchés au thorax et au cœur. L'un était affalé sur la table de la cuisine, avec un trou dans le dos de la taille d'une soucoupe ; l'autre gisait sur le carrelage. Les deux agents tenaient encore leurs Sig Sauer calibre 40, et les deux policiers leurs Glock calibre 40 semi-automatiques, mais aucun d'eux n'avait eu le temps de tirer avant d'être abattu. Ils avaient été surpris dans un moment de distraction, tandis qu'ils bavardaient en buvant du café. Elle se précipita hors de la pièce pour téléphoner et appeler au secours. Elle trouva la carte de Ted et l'appela aussitôt sur son portable. Dans sa panique, elle ne songea pas à composer le standard de la police et se rappela soudain que les ravisseurs lui avaient ordonné de ne rien dire à qui que ce soit. Mais avec quatre agents de l'ordre abattus, c'était évidemment impossible.

Ted prit l'appel à la première sonnerie. Il était chez lui, occupé à remplir des papiers et à nettoyer son Glock calibre 40, tâche qu'il remettait depuis une semaine. Il n'entendit qu'une étrange plainte gutturale, comme celle d'un animal blessé. Elle n'arrivait pas à parler et sanglotait de manière pathétique au téléphone.

— Qui est à l'appareil ? s'enquit-il d'un ton sec.

Mais il craignait déjà de le savoir. Son instinct lui criait que c'était Fernanda.

— Parlez-moi, dit-il encore avec fermeté tandis qu'elle serrait les dents, étouffait et luttait pour retrouver son souffle.

— Parlez. Où êtes-vous ?

— Ils... ils l'ont emp... ppp... porté... articula-t-elle péniblement.

Elle tremblait de tous ses membres, était à peine capable de respirer ou de s'exprimer.

— Fernanda...

Il en était sûr à présent. Malgré son désarroi, il avait reconnu sa voix.

— … Où sont les autres ?

Elle comprit qu'il parlait de ses hommes mais ne parvint pas à lui répondre. De nouveau, elle sanglotait sans retenue. Elle ne désirait plus qu'une chose : qu'on lui rende son fils. Mais le cauchemar ne faisait que commencer.

— Morts… Tous morts, hoqueta-t-elle péniblement.

Il n'osa pas lui demander si Sam était mort aussi, mais cela lui semblait improbable. Tuer l'enfant devant sa mère ne leur aurait rien apporté.

— Ils m'ont dit qu'ils le tueraient si je parlais…

Comme elle, Ted n'en doutait pas une seconde.

— J'arrive immédiatement, coupa-t-il.

Sans poser plus de questions, il appela le commissariat central, donna l'adresse de Fernanda et demanda au standardiste de veiller à ne pas communiquer la nouvelle et à éviter que la presse soit avertie. Ils transmirent le message en code. Ensuite, il téléphona à Rick, le mit rapidement au courant et le pria de dépêcher leur attaché de presse chez Fernanda. Il leur fallait contrôler le contenu des déclarations, s'il y en avait, afin de ne pas risquer la vie de Sam. Rick, qui semblait aussi ébranlé que Ted, sortit en trombe, son portable collé à l'oreille. Quelques secondes plus tard, ils raccrochaient tous deux.

Ted quitta son domicile en courant et gagna sa voiture, tout en rangeant son arme dans son étui. Il n'avait pas pensé à éteindre les lumières. Sitôt dans sa voiture, il mit le gyrophare rouge sur le toit, le brancha et fonça chez elle aussi vite qu'il le put. Bien avant son arrivée, la rue grouillait déjà de voitures de police, feux et sirènes allumés. Il y avait trois ambulances, neuf véhicules de police garés dans la rue et un dixième qui bloquait l'accès au pâté de maisons. Deux ambulances supplémentaires arrivèrent au moment où il sortait de voiture, précédant Rick d'une seconde.

— Tu peux me dire ce qui s'est passé ? s'enquit ce dernier en courant avec Ted jusqu'au perron.

La police était déjà là, mais il n'y avait aucun signe de Fernanda ni des policiers chargés de les protéger, elle et son fils.

— Je n'en sais encore trop rien... Ils ont pris Sam... Je n'en sais pas plus... Elle m'a dit « Tous morts »... J'ai raccroché pour appeler le central et te prévenir.

Tandis qu'ils s'engouffraient dans la maison, Ted vit le sang sur les marches et la moquette de l'entrée ; en suivant les traces, ils arrivèrent à la cuisine, où ils découvrirent le même spectacle que Fernanda. En dépit de toutes les atrocités qu'ils avaient pu voir au cours de leur carrière, le carnage qui les attendait leur fit un choc.

— Oh, mon Dieu ! murmura Rick dans un souffle tandis que Ted fixait la scène en silence.

Leurs quatre hommes étaient morts, abattus de façon brutale et odieuse, comme des bêtes. Les assassins étaient des monstres. Submergé de rage, Ted se précipita dans le hall à la recherche de Fernanda. Il y avait maintenant une vingtaine de policiers dans la maison, qui couraient et hurlaient à la recherche de suspects. Tandis que l'attaché de presse du FBI donnait des consignes à la ronde pour que l'affaire ne s'ébruite pas dans les médias, Ted se frayait un chemin à travers tout ce monde. Il allait monter à l'étage quand il aperçut Fernanda qui sanglotait dans le salon, à genoux, la tête sur le tapis. Elle était en état de choc. Il s'agenouilla près d'elle et la prit dans ses bras, lui caressant les cheveux et restant là à la bercer, sans rien dire. Elle leva sur lui des yeux hagards, terrorisés, puis se laissa aller contre lui.

— Ils ont pris mon bébé... Oh, mon Dieu... Ils ont pris mon bébé...

Elle n'y avait jamais vraiment cru. Ted non plus. C'était trop osé, trop ignoble, de la folie pure. Pourtant, ils l'avaient fait. Et avaient tué quatre hommes dans la foulée.

— Nous le retrouverons, je vous le promets.

Il n'était pas certain d'y arriver, mais il lui aurait dit n'importe quoi pour la calmer. Deux infirmiers entrèrent alors et le consultèrent du regard. Elle ne lui semblait pas blessée, mais elle allait mal. L'un d'eux s'agenouilla près d'elle pour lui parler. Elle était traumatisée.

Ted les aida à l'étendre sur le canapé et lui ôta ses chaussures maculées de sang. Elle avait laissé des traces dans toute la pièce. Inutile d'en mettre aussi sur le canapé. Les photographes de la police avaient investi les lieux pour photographier et filmer la scène du crime. C'était au-delà du supportable. Les policiers étaient partout, certains pleuraient. C'est alors que les agents du FBI arrivèrent à leur tour. Dans la demi-heure, le service médicolégal envahit la maison pour prélever des fibres, des échantillons de tissu, du verre, effectuer des relevés d'empreintes, chercher des traces d'ADN. Tout serait transmis aux laboratoires de la police scientifique et du FBI. Deux négociateurs de prises d'otages étaient déjà près du téléphone dans l'attente d'un appel. L'ambiance était tendue.

Ils se retirèrent en fin d'après-midi. Fernanda était dans sa chambre, à ce moment-là. Les policiers avaient condamné la cuisine en posant une bande jaune sur la porte pour signaler que c'était le lieu du crime et qu'il était interdit d'y entrer. La plupart des voitures de police étaient parties. Quatre nouveaux agents avaient été affectés à la protection de Fernanda. Le capitaine était venu sur les lieux, puis était reparti ébranlé, le visage sombre. Ils n'avaient pas donné d'explications aux voisins et avaient interdit l'accès à la presse. La thèse officielle était l'accident. On avait enlevé les corps en passant par la porte de service à l'arrière de la maison, après le départ des journalistes. Tant qu'on n'aurait pas récupéré le petit garçon, il n'y aurait pas de communiqué. Toute annonce pourrait le mettre en danger, et il n'était pas question de prendre ce risque.

« Pendant un moment, j'ai cru que tu perdais la boule, mais finalement, les fous, ce sont eux », avait déclaré le capitaine à Ted avant de s'en aller.

Il n'avait rien vu d'aussi macabre depuis des années et avait aussitôt demandé à Ted si Fernanda avait vu ou entendu quelque chose qui puisse les aider dans leur enquête, comme le numéro d'immatriculation du fourgon ou la direction qu'il avait prise. Malheureusement, ce n'était pas le cas. Les malfaiteurs portaient des cagoules et parlaient peu. Dans son affolement, elle n'avait pas fait attention au véhicule. Ils n'en savaient pas plus qu'avant l'enlèvement, n'avaient que des présomptions concernant les coupables et le commanditaire. Il n'y avait rien de nouveau en dehors du fait que deux policiers et deux agents du FBI étaient morts, et qu'un petit garçon de six ans avait été enlevé. Aussitôt après le coup de téléphone de Fernanda à Ted, des inspecteurs s'étaient rendus à l'hôtel de Peter à Tenderloin, mais le réceptionniste leur avait dit qu'il était sorti dans la matinée et n'était pas rentré. Les « invités » de Peter avaient quitté les lieux par une porte de service, et personne ne les avait vus, avec ou sans lui. La police montait la garde devant sa chambre, mais Ted se doutait qu'il ne reviendrait plus. Il était parti pour de bon, laissant ses affaires dans la chambre. Des messages codés donnant le signalement de Carlton Waters, celui de Peter et la description de sa voiture avaient été diffusés. Il fallait agir avec une extrême prudence pour éviter d'alerter les ravisseurs et de mettre l'enfant en danger.

Après avoir franchi Bay Bridge, tandis qu'ils filaient à travers Berkeley, Carlton Waters et ses acolytes appelèrent Peter sur son nouveau portable sécurisé.

— On a eu un petit problème, lui annonça Waters, qui semblait calme mais en colère.

— Quel genre de problème ?

L'espace d'un horrible instant, il craignit qu'ils n'aient tué Fernanda ou Sam.

— Tu as oublié de nous dire qu'elle avait quatre flics dans sa cuisine.

Waters était furieux. Ils ne s'attendaient pas à devoir tuer quatre flics avant d'embarquer le gosse. Ce n'était pas prévu au contrat. Peter ne les avait pas prévenus.

— Elle... quoi ? C'est ridicule ! Je ne les ai pas vus entrer. Elle a reçu des amis l'autre jour, mais c'est tout. Il n'y avait personne avec elle.

Il semblait sûr de lui. Mais il était parti avant 22 heures la veille, et il était possible que les flics soient arrivés après son départ. Il se demanda si c'était la raison pour laquelle il ne l'avait pas vue beaucoup, ces derniers jours. Pourtant personne n'avait pu la mettre au courant de ce qui se préparait. Elle n'avait aucun moyen de le savoir. Il ne s'était rien passé, hormis l'arrestation d'Addison pour des histoires d'impôts, sans rapport avec leur projet. La police comme le FBI n'avaient pas lieu de le soupçonner d'autre chose, sauf s'il avait laissé échapper une remarque par inadvertance, et Peter le savait bien trop malin pour ça. Il ne comprenait pas ce qui s'était passé, ni pourquoi leur affaire avait mal tourné.

— En tout cas, ces quatre types ne sont plus un problème, si tu vois ce que je veux dire, déclara Waters en crachant son jus de chique par la vitre.

Stark conduisait. Free était derrière, sur la banquette. Sam était dans le sac à l'arrière du camion, avec les armes et les provisions. Free avait un M16 à ses pieds, et tout un arsenal de pistolets semi-automatiques, principalement des Ruger calibre 45 et des Beretta. Carlton avait apporté son arme préférée, un Uzi MAC-10, petit fusil-mitrailleur automatique dont il avait appris le maniement avant d'aller en prison et auquel il s'était habitué.

— Tu les as tués ? demanda Peter, sidéré.

Cela compliquait singulièrement les choses, et Addison n'apprécierait pas. Ce n'était pas prévu au programme. Il la surveillait depuis plus d'un mois. Comment diable les flics étaient-ils arrivés dans l'histoire ? Et qui avaient-ils repéré ? Brusquement, Peter en avait froid dans le dos. Addison affirmait que rien n'est jamais gratuit. Et Peter comprit soudain qu'il était sur le point de gagner ses dix millions de dollars.

Carlton Waters ne daigna pas répondre à sa question.

— Tu as intérêt à avertir les flics qu'ils feraient bien de ne rien dire sur la mort de ces types. S'il y a la moindre fuite dans la presse, on tue le gamin. J'ai déjà prévenu la mère, mais tu devrais le leur rappeler à eux aussi. On veut que tout roule peinard jusqu'à ce qu'on touche le fric. Si jamais la nouvelle passait à la télé, tous les crétins de l'Etat se mettraient à notre recherche. On n'a pas besoin de ça.

— Si tu voulais être tranquille, il ne fallait pas abattre quatre flics. Qu'est-ce que tu veux que je fasse, bon sang ? Je ne peux pas aller leur dire de la boucler, tout de même !

— Tu as intérêt à nous arranger ça, et vite. Nous sommes partis de là-bas il y a une demi-heure. Si les flics l'ouvrent, ce sera sur toutes les chaînes dans les cinq minutes.

Tout en sachant que son portable sécurisé n'était pas détectable, Peter répugnait à en tester les limites. Mais Waters avait raison, il n'avait pas le choix. Si la nouvelle du rapt et du meurtre des quatre policiers était divulguée dans la presse, des recherches seraient lancées aux quatre coins de l'Etat, sur toutes les routes et à toutes les frontières. Mais avec l'assassinat de quatre flics, la situation risquait d'être bien pire que pour le seul enlèvement de Sam, qui leur causait déjà suffisamment d'ennuis. Cela les plaçait dans une tout autre catégorie. Sam était encore en vie, et la police le savait sans doute. Mais quatre hommes étaient morts à présent, et cela changeait la donne. Malgré ses réticences, Peter appela un central de police et demanda à parler à un sergent. En réalité, peu importait l'interlocuteur, le message serait immédiatement transmis aux autorités compétentes. Dès qu'il eut quelqu'un en ligne, il répéta l'avertissement de Carlton :

— S'il y a la moindre fuite dans la presse sur le rapt ou les flics morts, le gosse sera liquidé.

Et il raccrocha. Ted et son capitaine reçurent le message moins de deux minutes plus tard. Deux policiers et deux agents du FBI abattus représentaient un sérieux problème, mais en plus la vie d'un enfant était en jeu.

Le capitaine appela le chef de la police, et ils convinrent de publier un communiqué de presse disant que quatre hommes étaient morts dans l'exercice de leurs fonctions. Ils déclareraient que les décès étaient survenus accidentellement, au cours d'une course-poursuite. Les détails seraient dévoilés en temps utile, pour permettre aux familles d'avertir leurs proches. C'était le mieux qu'ils puissent faire, le moyen le plus simple et le plus direct d'expliquer la mort de quatre représentants des forces de l'ordre appartenant à deux corps, l'un local, l'autre national. Cacher la vérité serait difficile, mais tant qu'ils n'auraient pas coffré les ravisseurs ou récupéré le petit garçon, il leur faudrait ruser. Après, peu importait que le scandale éclate, l'enfant ne serait plus en danger. Le capitaine rédigea le communiqué avec l'aide de l'attaché de presse du FBI et, deux heures plus tard, sur la route de Tahoe, Carlton Waters l'entendit à la radio.

Il appela Peter pour lui dire qu'il avait fait du bon boulot. Dans son motel de Lombard Street, Peter se trouvait confronté à un grave dilemme. L'opération ne s'était pas déroulée comme prévu, et il sentait qu'il devait avertir Addison. Il n'en dit rien à Carlton, qui se doutait déjà qu'après le contretemps du matin il contacterait ses supérieurs. Waters en voulait toujours à Morgan de sa négligence. S'il avait assuré sa surveillance correctement, ils n'auraient pas eu de problème, car le meurtre de quatre flics en était un, et un gros.

Peter avait le numéro de téléphone d'Addison dans le sud de la France. Il l'appela depuis son portable, tandis que Phillip se prélassait dans sa chambre d'hôtel. Le plan ne prévoyait pas que Peter rejoigne les autres à Tahoe. Il devait même rester le plus loin possible d'eux afin que les autorités ne puissent pas faire le lien et remonter la filière jusqu'à Addison.

Arrivé à Cannes la veille, Addison commençait à profiter de ses vacances. Il était au courant de leur programme dans le détail. Il voulait de bons résultats et pas de problèmes. Il leur avait demandé d'attendre deux jours avant d'exiger la rançon, car il tenait à ce que Fernanda ait le temps de paniquer. S'ils suivaient ses consignes, elle paierait plus vite. Il était à peu près sûr qu'elle ne traînerait pas.

— Qu'est-ce que tu me chantes ? gronda Addison alors que Peter tournait autour du pot depuis une bonne minute.

Peter répugnait à avouer que Waters et ses acolytes avaient abattu quatre flics. Il ignorait tout de leur présence dans la maison et aurait de la peine à expliquer pourquoi. Il avait commencé par annoncer qu'ils n'avaient capturé que Sam, que les autres enfants étaient partis.

— Il y a eu un problème, répondit Peter en retenant son souffle.

— Ils ont blessé le gamin ? La mère ?

Addison était glacial. S'ils avaient tué le gosse, il n'y aurait pas de rançon. Seulement des ennuis. Et des gros.

— Non, dit Peter en s'efforçant au calme. Ils ne les ont pas blessés. Seulement, il semblerait que quatre flics soient arrivés chez elle, hier soir, après mon départ. Jusqu'ici, je n'en avais pas vu un seul, je te le jure. Il n'y a jamais eu personne avec elle en dehors des gamins. Même pas une domestique. Mais d'après Waters, il y avait quatre flics chez elle ce matin.

— Et alors ?

— Apparemment, ils les ont tués.

— Et quoi encore ? Mon Dieu... Il ne manquait plus que ça... C'est déjà passé aux infos ?

— Non. Waters m'a appelé sur la route. J'ai téléphoné à la police et laissé un message disant que s'il y avait des fuites concernant le rapt et les flics abattus, le gosse était mort. Ils viennent de diffuser un communiqué à la radio annonçant que quatre membres des forces de l'ordre avaient trouvé la mort au cours d'une course-poursuite. Sans plus de détails. Aucune mention du kidnapping. Nos gars ont prévenu la mère qu'ils tueraient l'enfant si elle ou les flics parlaient.

— Tu as bien fait, Dieu merci. De toute façon, ils vont se mettre à la recherche du môme, et s'ils avertissaient le public, ce serait le bazar. Des gens appelleraient de partout pour dire qu'ils auraient vu les ravisseurs aux quatre coins du pays. Mais ils vont ratisser l'Etat pour trouver ceux qui ont tué leurs collègues. Ils ne rigolent pas avec ça. Pour le rapt, ils sont plus coulants. Ils savent que vous garderez le gosse en vie pour avoir la rançon. Quatre flics abattus, c'est une autre paire de manches.

Il n'était pas content. Tous deux savaient que, pour Sam, la police se tairait, afin de ne pas compromettre sa sécurité.

— Apparemment, tu t'es bien débrouillé, mais les autres ont commis une sacrée bourde. Enfin, je suppose qu'ils n'avaient pas le choix. Ils n'allaient pas embarquer les quatre flics avec eux.

Sur le balcon de sa suite au Carlton de Cannes, Addison resta un long moment à contempler le coucher du soleil en réfléchissant à ce qu'il convenait de faire.

— Il faudrait que tu ailles là-bas.

C'était un changement de programme, et pas des moindres.

— A Tahoe ? Mais c'est de la folie ! Je ne tiens pas à être repéré avec eux.

Ou, pire, à être coffré avec eux, s'ils faisaient une autre ânerie, comme braquer un magasin pour voler des sandwiches, songea Peter. Il garda cependant cette réflexion pour lui. Addison était déjà bien assez irrité par les quatre flics morts, et lui aussi.

— Aucun de nous ne tient à perdre cent millions de dollars. Considère que tu protèges notre investissement. De mon point de vue, le jeu en vaut la chandelle.

— Qu'est-ce que tu veux que j'aille faire là-bas ? protesta Peter, pris de panique.

— Plus j'y réfléchis et moins je leur fais confiance, pour le môme. S'ils le blessent ou le tuent accidentellement, on est refaits. Je doute que leurs capacités de baby-sitters soient à la hauteur. Je compte sur toi pour veiller sur notre capital.

Les gars se révélaient plus violents qu'il ne le pensait. Il ne manquerait plus que l'un d'eux ne se contrôle plus. Il suffisait d'un rien pour tuer un gamin de cet âge, et ils étaient suffisamment idiots pour le faire. Avec un seul enfant pour négocier, Addison préférait ne pas prendre de risques.

— Tu iras là-bas, j'insiste, déclara-t-il fermement.

Peter n'y tenait pas, mais il comprenait ses raisons. Et il savait aussi que, sur place, il pourrait garder un œil sur Sam.

— Quand veux-tu que je parte ?

— Au plus tard ce soir. D'ailleurs, ce ne serait pas plus mal que tu partes immédiatement. Tu les surveilleras, eux et le gosse. Au fait, quand comptez-vous appeler la mère ?

Simple vérification. Ils avaient mis tous les détails au point avant son départ. En dehors des quatre flics abattus, évidemment, qui ne figuraient pas au programme.

— D'ici un jour ou deux, répondit Peter.

C'était ce qu'ils avaient prévu.

— Appelle-moi de là-bas. Bonne chance, conclut Addison avant de raccrocher.

Peter fixait le mur de sa chambre d'hôtel. Rien ne marchait comme prévu. Il n'avait jamais eu l'intention de se rendre à Tahoe tant que les autres s'y trouvaient. Il ne désirait qu'une chose : empocher ses dix millions de dollars et prendre le large. Il n'était d'ailleurs même pas sûr de le vouloir vraiment. Il n'avait accepté que pour sauver ses filles. En rejoignant Waters et les autres à Tahoe, il augmentait les risques de se faire pincer. Mais, depuis le début de cette sinistre aventure, il savait qu'il n'avait pas le choix. En rassemblant sa trousse de rasage, ses affaires de toilette, les deux chemises propres et les sous-vêtements de rechange qu'il avait emportés dans un sac en plastique, il s'efforça de ne pas penser à ce qu'endurait Fernanda. Dix minutes plus tard, il quittait le motel. Quoi qu'elle éprouve en ce moment, quels que soient son chagrin et sa terreur, une chose était sûre : avec cent millions de dollars dans la balance, ils lui rendraient son fils. Elle en était sans doute malade, mais tout s'arrangerait pour elle. S'étant ainsi rassuré, Peter sortit de l'hôtel et héla un taxi. Il se fit déposer près de Fisherman's Warf, où il en prit un second pour se rendre chez un marchand de véhicules d'occasion à Oakland. Il avait abandonné la voiture qu'il utilisait depuis un mois dans une impasse près de la marina. Il en avait ôté les plaques d'immatriculation et les avait jetées dans une benne à ordures, avant de faire à pied le trajet de vingt bonnes minutes pour se rendre au motel qu'il avait réglé en liquide.

A Oakland, il acheta une vieille Honda, payée cash elle aussi, et, une heure après son coup de fil à Phillip Addison, il était en route pour Tahoe. Au cas où un voisin de Fernanda l'aurait repéré, il lui paraissait plus prudent d'utiliser une autre voiture que celle qu'il conduisait depuis plus d'un mois pour la suivre et l'épier. A présent que Waters et les autres avaient tué quatre flics, les risques étaient accrus pour eux tous, et le voyage à Tahoe les accroissait encore pour Peter. Mais il n'avait pas le choix. Addison avait raison. Peter ne leur faisait pas confiance non plus en ce qui concernait le petit garçon. Il ne voulait pas d'autre désastre, la situation n'était déjà pas brillante.

Il n'avait pas encore atteint Vallejo que des photos de lui et de Carlton Waters circulaient sur le réseau informatique de la police, à travers tout l'Etat. Le numéro d'immatriculation de la voiture qu'il avait abandonnée y était joint, ainsi que l'ordre de ne divulguer sous aucun prétexte ces documents hautement confidentiels, pendant toute la durée de l'enquête sur le rapt. Peter ne s'arrêta pas en route et respecta les limitations de vitesse, afin d'éviter tout incident. Pendant ce temps, en France, Addison avait été placé sous la surveillance du FBI. Et Fernanda n'attendait plus qu'un appel des ravisseurs pour que la police et le FBI puissent retrouver Sam.

15

Le soir venu, la police avait terminé de photographier les lieux. Les familles des victimes avaient été prévenues et les corps étaient aux pompes funèbres. Les épouses avaient été informées des circonstances des décès et averties que la vie d'un enfant était en jeu, que le silence était de rigueur, qu'on ne pourrait dire la vérité que lorsque le petit garçon serait libéré par ses ravisseurs. Elles promirent de se taire, car elles comprenaient. Courageuses, les femmes des policiers et des agents du FBI connaissaient les difficultés de la situation. Pour les aider, elles et leurs proches, des psychologues des deux corps avaient été envoyés à leurs côtés.

Déjà, les experts en affaires criminelles s'occupaient de trouver tous les indices sur Peter Morgan et Carlton Waters. Leurs chambres avaient été fouillées de fond en comble et leurs amis interrogés. Le directeur du foyer de Modesto leur avait appris que Malcolm Stark et Jim Free étaient partis avec Waters, ce qui avait élargi les investigations, permis la diffusion de nouveaux portraits, doublés de profils et d'avis de recherche sur le réseau Internet des agences de sécurité de l'Etat. Les profileurs du FBI s'étaient joints à ceux de la police de San Francisco. Ils avaient parlé aux agents de probation et aux employeurs de Waters, de Stark et de Free, ainsi qu'à l'agent de probation de Peter, qui déclara le connaître à peine, et à un homme qui se prétendait son patron mais semblait ne l'avoir jamais vu. Trois heures plus tard, les profileurs du FBI avaient découvert que l'entreprise censée employer Peter était en fait une lointaine filiale d'une société appartenant à Phillip Addison. Rick Holmquist en conclut, à juste titre, que l'emploi de Peter n'était qu'un écran, et Ted partageait cette opinion.

Ted avait également appelé le service de nettoyage auquel la police faisait appel après un homicide. Ce soir-là, ils vidèrent la cuisine de Fernanda. Ils durent ôter les plaques de granit en raison des dégâts causés par les armes automatiques. Ted savait qu'au matin l'endroit aurait perdu toute élégance, mais il serait propre et il n'y aurait plus de traces de sang ni de souvenirs du terrible carnage au cours duquel quatre hommes des forces de l'ordre étaient morts pendant que des criminels s'emparaient de Sam.

Quatre hommes avaient de nouveau été affectés à la protection de Fernanda – rien que des policiers cette fois. Elle était dans sa chambre, étendue sur son lit. Ted était resté chez elle toute la journée et toute la soirée. Il n'avait pas bougé. Il campait dans le salon et passait les coups de fil nécessaires sur son portable. Un négociateur qualifié attendait l'appel des ravisseurs. Car ils appelleraient, personne n'en doutait. Restait à savoir quand.

Il était près de 21 heures quand Fernanda descendit, pâle et défaite. Elle n'avait rien mangé, rien bu de la journée, et ce, malgré les recommandations de Ted, qui avait fini par renoncer. Elle avait besoin d'être seule pour se retrouver. Il ne voulait pas la déranger. Si elle avait besoin de lui, il était là. Quelques minutes plus tôt, il avait appelé Shirley pour la mettre au courant des événements et la prévenir qu'il passerait la nuit sur place avec ses hommes. Elle s'était montrée compréhensive. Autrefois, quand il était de surveillance ou sur des missions secrètes, il lui arrivait de s'absenter plusieurs semaines. Elle y était habituée. Leurs horaires imprévisibles les avaient tenus à l'écart l'un de l'autre pendant des années, et le couple s'en ressentait. Shirley avait parfois l'impression qu'elle n'était plus mariée depuis très longtemps, même lorsque les enfants étaient petits, et peut-être même avant. Elle faisait ce qu'elle voulait, avait ses propres amis et vivait sa vie de son côté. Tout comme lui. Cela arrivait souvent chez les policiers. Tôt ou tard, le travail avait raison du couple. Ils avaient plus de chance que beaucoup d'autres. Au moins, ils étaient encore ensemble. Nombre de leurs amis ne l'étaient plus, comme Rick, pour ne citer que lui.

Fernanda entra dans le salon comme un fantôme. Elle resta un moment à le dévisager avant de s'asseoir.

— Ils ont appelé ?

Ted fit non de la tête. Si les ravisseurs s'étaient manifestés, il le lui aurait dit. Elle le savait, mais il fallait qu'elle pose la question. Elle n'avait que cette seule idée en tête, qui l'obsédait depuis le matin.

— Il est encore trop tôt. Ils veulent vous donner le temps de réfléchir et de paniquer.

Le négociateur lui avait tenu le même discours. Il attendait dans la chambre d'Ashley, près d'un appareil d'écoute branché sur la ligne.

— Qu'est-ce qu'ils font dans la cuisine ? s'enquit-elle, plus pour parler que par curiosité.

Elle ne voulait plus revoir cette pièce, car elle savait qu'elle n'oublierait jamais ce qu'elle y avait vu. Ted le savait aussi. Heureusement, elle comptait vendre la maison. Après ce qu'ils avaient vécu, il leur fallait changer de cadre.

— Ils nettoient.

Elle entendait une machine arracher les plaques de granit. Au bruit, on aurait cru qu'ils démolissaient la maison, et elle le souhaitait presque.

— Les acheteurs auront peut-être envie de réaménager la cuisine à leur goût, dit-il pour la distraire.

Elle ne put s'empêcher d'esquisser un sourire. Qui disparut bientôt, tandis qu'elle fixait Ted.

— Ils l'ont mis dans un sac...

La scène tournait en boucle dans sa tête, la hantait plus encore que le sinistre spectacle qui l'attendait dans sa cuisine et qu'elle n'oublierait pas non plus.

— ... avec du sparadrap sur la bouche.

— Je sais. Il ne craint rien, dit Ted une fois de plus en priant le ciel que ce soit vrai. Ils vont se manifester d'ici un jour ou deux. Vous pourrez peut-être lui parler, quand ils appelleront.

Le négociateur lui avait déjà conseillé de demander à parler à son fils, pour s'assurer qu'il était en vie. Il était inutile de payer la rançon pour un enfant mort, mais Ted s'abstint de le lui dire et resta assis à l'observer pendant qu'elle le regardait fixement. Elle se sentait comme morte et le paraissait presque. Avec son teint d'un gris verdâtre, elle avait l'air malade. Des voisins s'étaient renseignés pour savoir ce qui s'était passé dans la matinée. L'un d'eux disait l'avoir entendue crier. Mais quand les enquêteurs firent le tour du quartier, il s'avéra que personne n'avait rien vu. La police ne donna pas de détails.

— Pauvres hommes. C'est atroce pour leurs proches. Ils doivent me détester.

Elle scrutait les yeux de Ted, le regard lourd de remords. Ils étaient là pour la protéger, elle et ses enfants. En un sens, c'était sa faute. Elle se sentait aussi responsable de leur mort que les ravisseurs.

— Cela fait partie de notre travail, ce sont des choses qui arrivent. Nous prenons des risques. La plupart du temps, il n'y a pas de problème. Quand cela tourne mal, nous savons à quoi nous nous sommes engagés, et nos familles aussi.

— Comment font-elles pour supporter cela ?

— Comme elles peuvent. Beaucoup de couples n'y survivent pas.

Elle hocha la tête. D'une certaine manière, cela avait été son cas aussi. Plutôt que d'assumer ses responsabilités, Allan avait choisi la fuite et l'avait laissée affronter le désastre seule. Elle en avait pris conscience depuis quelques jours. Ted aussi. Et il lui fallait maintenant faire face à un malheur de plus. Il en était désolé pour elle. Le seul moyen de l'aider était de tout mettre en œuvre pour qu'elle retrouve son fils, et il s'y emploierait. Son capitaine l'avait autorisé à rester le temps nécessaire. La situation deviendrait délicate lorsque les ravisseurs appelleraient.

— Qu'est-ce que je vais faire quand ils me réclameront de l'argent ?

Elle y avait réfléchi toute la journée. Elle se demandait si Jack pourrait lui en trouver. Selon la somme qu'ils exigeraient, et qui serait sans doute énorme, il allait falloir un miracle.

— Avec un peu de chance, nous parviendrons à localiser l'appel pour les piéger rapidement.

Avec un peu de chance. Rien de certain. Ted savait qu'ils devraient agir vite pour libérer l'enfant.

— Et si nous ne parvenons pas à les localiser ? murmura-t-elle d'une voix éteinte.

— Nous y arriverons.

Il s'exprimait avec conviction afin de la rassurer, mais la tâche serait plus malaisée qu'il ne le laissait entendre. Pour l'instant, il leur fallait attendre que les ravisseurs se manifestent et voir ce qui se passerait alors. Les négociateurs étaient prêts.

Elle ne s'était pas coiffée de la journée, mais elle était tout de même jolie. Il la trouvait toujours ravissante.

— Vous mangerez, si je vous apporte quelque chose ? Il faut que vous preniez des forces en prévision du coup de fil.

Il était trop tôt, bien sûr. Elle était encore sous le choc de ce qu'elle avait vu et vécu. Elle fit non de la tête.

— Je n'ai pas faim.

Elle se savait incapable d'avaler une bouchée. Toutes ses pensées étaient tournées vers Sam. Où était-il ? Que lui avaient-ils fait ? Etait-il blessé ? Mort ? Terrorisé ? Mille sujets d'angoisse se pressaient dans sa tête.

Une demi-heure plus tard, Ted lui apporta une tasse de thé qu'elle but à petites gorgées, assise sur le plancher du salon, serrant les genoux contre sa poitrine. Ted savait qu'elle serait également incapable de dormir. L'attente allait être interminable pour elle. Comme pour eux tous. Mais beaucoup plus pénible pour elle. Elle n'avait rien dit à ses autres enfants. La police préférait qu'elle attende que quelque chose se passe. Mieux valait ne pas les affoler inutilement. Les commissariats des endroits où se trouvaient Ashley et Will avaient été prévenus et se tenaient prêts. Mais, à présent que les malfaiteurs tenaient Sam, Ted estimait que les deux autres ne craignaient rien, et ses supérieurs étaient du même avis. Ils ne tenteraient rien contre eux, Sam leur suffisait.

Elle s'étendit sur le tapis et y demeura, silencieuse. Assis près d'elle, Ted rédigeait des rapports et la regardait de temps en temps. Il se leva pour aller voir ses hommes et, au bout d'un moment, elle s'assoupit. A son retour, elle dormait à même le sol, et il la laissa tranquille. Elle avait besoin de sommeil. Il fut tenté de la porter dans sa chambre, mais y renonça, craignant de la réveiller. Vers minuit, il s'allongea sur le canapé et somnola quelques heures. Il faisait encore nuit lorsqu'il s'éveilla en l'entendant pleurer. Elle était toujours sur le sol, trop noyée de chagrin pour bouger. Sans un mot, il s'assit près d'elle et la prit dans ses bras. Blottie contre lui, elle pleura longtemps. Le soleil se levait quand, enfin, ses larmes cessèrent. Après l'avoir remercié, elle monta dans sa chambre. Le tapis du couloir avait été lavé de ses taches de sang. Ted ne la revit qu'un peu avant midi. Les ravisseurs ne s'étaient toujours pas manifestés, et Fernanda allait de plus en plus mal.

Cet après-midi-là, le lendemain du kidnapping, Jack Waterman appela. Tous bondirent en entendant la sonnerie du téléphone. Ils l'avaient avertie qu'elle devait répondre en personne pour ne pas inquiéter les ravisseurs, même s'ils se doutaient que la police était sur place puisqu'ils avaient trouvé des policiers dans la maison lors de l'enlèvement de Sam. Elle décrocha donc et faillit fondre en larmes lorsqu'elle reconnut Jack. Elle aurait tant voulu que ce soient les ravisseurs.

— Alors ? Tu te sens mieux ? demanda-t-il d'un ton calme et détendu.

— Pas tellement, non.

— Tu as une voix affreuse. Je suis désolé de te savoir souffrante. Et Sam, il est remis ?

Elle hésita un long moment puis, malgré ses efforts pour se contrôler, éclata en sanglots.

— Fernanda ? Ça ne va pas ? Qu'est-ce qui t'arrive ?

Elle ne savait que dire, continuait de pleurer, tandis que l'inquiétude de Jack grandissait.

— Je peux passer te voir ? demanda-t-il encore.

Elle fit non de la tête et finit par dire oui. De toute façon, elle avait besoin de son aide. Dès que les ravisseurs lui réclameraient de l'argent, ce serait la catastrophe.

Dix minutes plus tard, il était à sa porte et fut abasourdi par ce qu'il découvrit en entrant. Une demi-douzaine de policiers et d'agents du FBI armés allaient et venaient dans la maison. L'un des deux négociateurs était descendu pour se changer les idées. Ted discutait avec un petit groupe dans la cuisine, d'une propreté parfaite. Fernanda, l'air désespérée, se tenait au milieu de tout ça. En apercevant Jack, elle fondit de nouveau en larmes. Ted fit sortir agents et policiers du salon et referma la porte pour les laisser seuls.

— Que se passe-t-il ? demanda Jack, horrifié.

A l'évidence, il y avait eu un drame. Assise à côté de lui sur le canapé, il fallut cinq bonnes minutes à Fernanda pour articuler péniblement :

— Ils ont kidnappé Sam.

— Qui a kidnappé Sam ?

— Nous l'ignorons.

Et elle lui raconta la douloureuse histoire, du début à la fin, y compris l'enlèvement de Sam dans un sac de toile et le meurtre des quatre policiers dans sa cuisine.

— Oh, mon Dieu ! Pourquoi ne m'as-tu pas appelé ? Pourquoi ne m'as-tu rien dit l'autre jour ?

Il comprenait maintenant que tout avait déjà commencé quand elle avait annulé leur excursion à Napa. Il l'avait réellement crue souffrante. En fait, c'était bien pire. Son récit dépassait l'imagination, tant il était atroce.

— Qu'est-ce que je vais faire quand ils me réclameront la rançon ? Je n'ai rien à leur donner en échange de Sam.

Il le savait mieux que quiconque, et une solution ne serait pas facile à trouver.

— D'après la police et le FBI, les ravisseurs croient que j'ai toujours la fortune d'Allan. En tout cas, c'est ce qu'ils pensent.

— Espérons qu'ils coinceront les coupables avant que tu aies besoin de l'argent, dit Jack désemparé.

Jamais il ne parviendrait à trouver une grosse somme en liquide, pas même une petite.

— Est-ce que la police a une idée du lieu où ils se trouvent ?

Jusque-là, ils n'avaient aucune piste.

Jack resta auprès d'elle pendant deux heures, un bras passé autour de ses épaules, et il lui fit promettre de l'appeler, quelle que soit l'heure, si elle avait des nouvelles ou besoin de compagnie. Avant de partir, il lui suggéra de signer une procuration à son nom pour qu'il puisse agir et faire transférer des fonds – s'il pouvait en réunir – au cas où il lui arriverait quelque chose. Sa proposition la déprima autant que lorsqu'on avait coupé des mèches des cheveux de ses enfants pour effectuer des tests ADN au cas où on les retrouverait morts. Cela voulait dire la même chose. Il lui annonça qu'il lui enverrait les documents à signer le lendemain. Il la quitta quelques minutes plus tard.

Elle alla jusqu'à la cuisine, où les hommes buvaient du café. Elle s'était juré de ne jamais remettre les pieds dans cette pièce, et pourtant elle venait de le faire. L'endroit était méconnaissable. Tout le granit avait disparu. L'ancienne table de cuisine où les quatre hommes abattus baignaient dans leur sang avait été remplacée par une table ordinaire, purement fonctionnelle. Elle ne reconnut même pas les chaises. On aurait dit qu'un raz-de-marée avait tout emporté, mais au moins il n'y avait plus trace du spectacle d'horreur de la veille.

Tandis qu'elle entrait dans la pièce, les quatre hommes chargés de sa protection se levèrent. Adossé au mur, Ted, qui leur parlait, sourit à Fernanda. Elle lui rendit son sourire, se souvenant avec reconnaissance du réconfort qu'il lui avait apporté la veille au soir. Au milieu des tourments qu'elle endurait, elle trouvait en lui une présence calme et rassurante.

L'un des hommes lui offrit une tasse de café et lui tendit une boîte contenant des beignets. Elle en prit un, en mangea la moitié, avant de jeter l'autre. C'était sa première nourriture depuis deux jours. Elle vivait de thé, de café, et sur les nerfs. Il n'y avait toujours rien de nouveau. Personne ne lui posa de questions. Ils bavardèrent de tout et de rien pendant un moment, puis elle remonta s'étendre. Elle vit le négociateur passer devant sa chambre pour gagner celle d'Ashley. Elle avait l'impression de vivre dans un camp militaire, au milieu de tous ces hommes en armes. Elle s'y était habituée et n'avait plus peur de leurs pistolets. Seul son fils comptait. Elle ne pensait qu'à lui, ne vivait que pour lui et ne désirait que lui. L'excès de café l'empêcha de dormir et elle resta éveillée toute la nuit, allongée sur son lit à attendre des nouvelles de Sam, en priant le ciel pour qu'il soit toujours en vie.

16

Le lendemain matin, lorsque Fernanda se leva, les premiers rayons du soleil nimbaient la ville d'une lumière dorée. Ce n'est qu'une fois descendue, en voyant le journal abandonné par un des hommes sur la table, qu'elle prit conscience de la date. C'était le 4 Juillet. Ce n'était pas un dimanche, mais en contemplant le spectacle de l'aube, elle éprouva le besoin impérieux de se rendre à l'église, tout en sachant qu'elle ne le pouvait pas, puisqu'elle devait rester chez elle et attendre que les ravisseurs se manifestent. Un peu plus tard, assise dans la cuisine avec Ted, elle lui en toucha deux mots. Il réfléchit quelques instants et lui demanda si elle aimerait voir un prêtre. Cette idée sembla saugrenue à Fernanda. Elle aimait emmener les enfants à la messe le dimanche, mais ils refusaient d'y aller depuis la mort d'Allan. Elle-même se sentait si découragée qu'elle ne fréquentait guère l'église ces derniers temps. Mais là, elle avait besoin de voir un prêtre, quelqu'un à qui se confier, qui prierait avec elle et qui l'aiderait.

— Cela vous paraît bizarre ? s'enquit-elle, gênée.

Il fit non de la tête. Il était avec elle depuis plusieurs jours. Il restait avec elle à la maison et avait apporté des vêtements de rechange. Elle savait que ses hommes campaient dans la chambre de Will et s'y relayaient pour dormir, pendant que les autres montaient la garde et surveillaient les téléphones.

— Rien de ce qui peut vous soutenir dans cette épreuve n'est bizarre. Voulez-vous que je fasse venir quelqu'un, ou préférez-vous un prêtre que vous connaissez ?

— Cela m'est égal, dit-elle timidement.

Curieusement, après ces journées passées ensemble, elle avait le sentiment qu'il était son ami. Elle pouvait tout lui dire. Dans des situations comme celle-ci, il n'y avait plus d'orgueil, plus de honte, plus d'artifice, il ne restait que la franchise et la douleur.

— Je vais passer quelques coups de fil, répondit-il simplement.

Deux heures plus tard, un jeune homme sonna à la porte. Il semblait connaître Ted et entra sans faire de bruit. Ted et lui bavardèrent quelques minutes avant de monter. Fernanda se reposait sur son lit quand ils frappèrent et poussèrent le battant. Elle s'assit, regarda Ted tout en se demandant qui était l'homme en jean, sweat-shirt et sandales qui l'accompagnait. A leur arrivée, elle pensait aux ravisseurs, priant pour qu'ils appellent.

— Coucou, dit Ted, gêné de la déranger dans sa chambre. Je vous présente mon ami Dick Wallis, qui est prêtre.

Elle se leva et le remercia de s'être déplacé. Agé d'environ trente-cinq ans, il ressemblait davantage à un joueur de football qu'à un prêtre, et il posait sur elle un regard doux et bon. Ted se retira discrètement, et elle conduisit le jeune prêtre dans le petit salon attenant à sa chambre. Ne sachant que lui dire, elle lui demanda s'il était au courant de ce qui venait d'arriver et il répondit que oui. Puis il lui raconta qu'après ses études il avait joué au football en professionnel pendant deux ans, avant de devenir prêtre. Il avait trente-neuf ans, était prêtre depuis quinze ans, et avait rencontré Ted des années plus tôt, alors qu'il était aumônier de la police. Ted traversait une crise à la suite de la mort d'un de ses amis, victime du devoir, et se posait des questions sur le sens de la vie, qui lui semblait absurde.

— Nous nous les posons tous un jour, et vous devez vous les poser en ce moment. Vous êtes croyante ? l'interrogea-t-il sans transition.

Surprise, elle répondit :

— Je pense, oui. Je l'ai toujours été.

Puis elle le regarda d'un drôle d'air.

— Ces derniers mois, cependant, je ne suis plus sûre de rien. Mon mari est mort il y a six mois. Je crois qu'il s'est suicidé.

— Il devait avoir affreusement peur, pour en arriver là.

Elle hocha la tête. L'idée était nouvelle, intéressante. Elle n'avait pas envisagé la chose sous cet angle. Mais effectivement, Allan avait peur et avait choisi la fuite.

— Oui, je le pense. Et j'ai peur aussi, à présent, avoua-t-elle, sincère, avant de fondre en larmes. J'ai peur qu'ils ne tuent mon fils.

Elle ne pouvait plus s'arrêter de pleurer.

— Vous sentez-vous capable de faire confiance à Dieu ? lui demanda-t-il avec douceur.

Elle le regarda pendant un long moment.

— Je ne sais pas. Pourquoi a-t-il permis cela ? Et la mort de mon mari ? Et si mon fils est tué ? hoqueta-t-elle, en sanglots.

— Essayez de Lui faire confiance, et de faire confiance à ceux qui sont ici pour vous aider à le retrouver. Où que soit votre fils, il est entre les mains de Dieu. Dieu sait où il se trouve, Fernanda. C'est tout ce que vous avez besoin de savoir. Vous ne pouvez rien faire d'autre que de le confier à Dieu.

Ce qu'il ajouta ensuite lui parut si étrange qu'aucune réponse ne lui vint :

— Nous recevons parfois en partage de terribles épreuves, dont nous pensons qu'elles vont nous briser ou nous tuer, mais en fin de compte elles nous rendent plus forts. Ces coups terribles en apparence sont en réalité des dons de Dieu. Cela doit vous sembler fou, mais c'est la vérité. S'Il ne vous aimait pas, s'Il ne croyait pas en vous, Il ne vous soumettrait pas à pareille épreuve. C'est une porte ouverte sur la grâce. Vous en sortirez grandie, je le sais. Dieu vous dit par là qu'Il vous aime et croit en vous. C'est un compliment qu'Il vous fait. Vous comprenez ?

Elle leva les yeux vers le jeune prêtre, ébaucha un sourire triste et secoua la tête. Elle préférait ne pas chercher à comprendre.

— Non. Je me passerais de ce genre de compliments. Je me serais passée de la mort de mon mari. Je tenais à lui, j'avais besoin de lui, et j'en ai encore besoin.

— Nous nous passerions tous de ces épreuves, Fernanda. Personne n'en veut. Prenez le Christ sur la croix. Réfléchissez à l'épreuve que cela a dû être pour lui. La souffrance d'avoir été trahi par des gens qui avaient sa confiance, puis la mort. Et ensuite, la résurrection. Il a prouvé qu'aucune épreuve, si douloureuse soit-elle, ne viendrait à bout de Son amour pour nous. De fait, Il nous aime davantage. Et Il vous aime aussi.

Ils restèrent un long moment silencieux et, si l'idée de considérer le kidnapping comme un compliment de Dieu lui semblait absurde, elle se sentait mieux, sans comprendre pourquoi. D'une certaine manière, la présence du jeune prêtre l'avait apaisée. Finalement, il se leva, et elle le remercia. Avant de partir, il posa doucement une main sur sa tête et murmura une bénédiction qui la réconforta.

— Je vais prier pour vous et pour Sam. J'espère le rencontrer un jour, dit encore le père Wallis en lui souriant.

— Je l'espère aussi.

Il hocha la tête et se retira. En apparence, il n'avait rien d'un prêtre, et pourtant Fernanda avait apprécié ses paroles. Après son départ, elle resta longtemps dans sa chambre à réfléchir, puis elle descendit chercher Ted, qu'elle retrouva au salon. Il parlait à Rick sur son portable pour tuer le temps et prit congé de lui en la voyant. Il n'y avait toujours rien de nouveau.

— Alors ? Ça s'est bien passé ?

— Je ne sais pas. Ou bien il est génial, ou bien il est complètement fou. Je suis incapable de trancher, répondit-elle en souriant.

— Probablement les deux. En tout cas, il m'a bien aidé quand j'ai perdu un ami et que la vie n'a plus eu de sens pour moi. Mon ami avait six enfants, sa femme en attendait un septième. Il a été tué par un vagabond qui l'a poignardé sans raison et l'a laissé mourir. Rien d'héroïque dans tout ça. Pas d'acte de bravoure. Juste un cinglé armé d'un couteau. Le vagabond, un fou, était sorti la veille de l'hôpital psychiatrique. Sa mort ne servait à rien, était incompréhensible.

Comme le meurtre des quatre policiers dans sa cuisine et le rapt de son fils, qui n'avaient ni rime ni raison. Certaines choses dépassaient l'entendement.

— Il m'a dit que c'était un compliment de Dieu, lui confia-t-elle.

— Je ne suis pas sûr d'être d'accord avec lui. Cela paraît insensé. J'aurais peut-être dû appeler quelqu'un d'autre, répondit Ted, ennuyé.

— Non. Il me plaît bien et j'aimerais le revoir. Quand tout cela sera fini, peut-être. Je ne sais pas. J'ai le sentiment qu'il m'a aidée.

— Il me fait la même impression. C'est un homme à la foi inébranlable. Jamais il ne doute. J'aimerais pouvoir en dire autant de moi.

Elle lui sourit. Elle paraissait plus sereine. Parler au prêtre lui avait fait du bien, malgré l'étrangeté de ses paroles.

— Je ne suis pas retournée à l'église depuis la mort d'Allan. Je crois que j'en voulais à Dieu.

— Vous aviez des raisons, dit Ted, compréhensif.

— Pas nécessairement. Il affirme que ces épreuves sont une porte ouverte sur la grâce.

— C'est sans doute vrai de tout ce qui est pénible. N'empêche qu'on s'en passerait bien, déclara Ted, sincère. Trop, c'est trop.

Il avait eu sa part, même si ses malheurs n'étaient pas comparables à ceux de Fernanda.

— Oui, murmura-t-elle. Je trouve aussi.

Ils allèrent rejoindre les autres, qui jouaient aux cartes dans la cuisine, où on venait de livrer des sandwiches. Sans réfléchir, elle en prit un, le mangea et but deux verres de lait en silence. Elle pensait aux paroles du père Wallis, au « compliment de Dieu ». Si bizarre qu'elle paraisse, l'idée lui semblait juste. Et, pour la première fois depuis qu'on lui avait enlevé son fils, elle eut l'intime conviction que Sam était encore en vie.

Au volant de sa Honda, Peter Morgan arriva au lac Tahoe deux heures après Waters et son équipe. A son arrivée, Sam était toujours dans le sac de toile.

— Ce n'est pas bien malin, dit Peter à Malcolm Stark, qui avait jeté le sac sur le lit dans la chambre du fond. Vous avez bâillonné le gamin avec du sparadrap, non ? Et s'il ne pouvait pas respirer ?

Stark tombait des nues, et Peter se félicita d'être venu. Addison avait raison. On ne pouvait pas leur confier le môme. Peter savait déjà qu'ils étaient des monstres. Mais, évidemment, seuls des monstres pouvaient faire ce genre de boulot.

Carlton l'avait questionné sur les raisons de sa venue, et Peter lui avait dit que, après les meurtres des flics, c'étaient les ordres du patron.

— Il était furieux ? s'enquit Carlton, inquiet.

Peter hésita, avant de lui répondre :

— Surpris. Le meurtre des policiers complique les choses. Ils vont nous rechercher plus sérieusement que s'il n'y avait eu que le gosse.

Carlton en convint. Ce n'était vraiment pas de chance.

— Je ne comprends pas que tu aies pu louper ces flics, remarqua-t-il avec irritation.

— Moi non plus.

Peter se demandait toujours si, pendant son interrogatoire au FBI, Addison n'avait pas laissé échapper quelque chose qui avait pu les mettre sur la voie. C'était la seule hypothèse plausible. Il avait été très discret pendant sa mission de surveillance et, jusqu'au jour de l'enlèvement, Waters, Stark et Free n'avaient pas commis d'erreur. Lorsqu'ils étaient tombés sur les flics, dans la cuisine de Fernanda, ils avaient été obligés de les abattre. Peter lui-même convenait qu'ils n'avaient pas eu le choix. N'empêche qu'ils avaient joué de malchance. Et qu'ils se retrouvaient dans de sales draps.

— Et le gosse, ça va ? demanda de nouveau Peter, d'un air détaché.

Il ne voulait pas leur donner l'impression de trop s'y intéresser, mais Stark n'était toujours pas allé le sortir du sac.

— Quelqu'un devrait aller jeter un œil, répondit Carlton, évasif.

Jim Free rapportait les provisions dans la cuisine. Ils avaient faim, la journée avait été rude et le trajet long.

— Je vais y aller, proposa Peter avec naturel.

Il se rendit aussitôt dans la chambre du fond, coupa la corde qui fermait le sac et l'ouvrit avec précaution, craignant que Sam ne soit mort étouffé. Deux grands yeux bruns le regardèrent. Peter posa l'index sur ses lèvres. Il ne savait plus dans quel camp il était. Celui de la mère ? Le leur ? Peut-être tout simplement dans celui de l'enfant. Il le sortit partiellement du sac, ôta doucement le sparadrap de sa bouche, mais le laissa pieds et poings liés.

— Tu vas bien ? demanda-t-il à voix basse.

Sam fit oui de la tête. Il avait le visage sale, l'air apeuré, mais au moins il était vivant.

— Qui êtes-vous ? demanda le garçon dans un souffle.

— C'est sans importance, murmura Peter en retour.

— Vous êtes policier ?

Peter fit signe que non.

— Ah.

Sam n'en dit pas plus, se contentant de l'observer et, quelques minutes plus tard, Peter quitta la chambre pour gagner la cuisine, où les autres étaient attablés. L'un d'eux avait mis du porc aux haricots sur le feu. Il y avait aussi du chili.

— Il faudrait nourrir le gosse, dit Peter à Waters, qui opina du chef.

Ils n'y avaient pas pensé, ne lui avaient même pas donné d'eau. Ils l'avaient oublié, avaient autre chose en tête que de faire manger Sam.

— Pour l'amour du ciel, ce n'est pas un jardin d'enfants, ici ! protesta Malcolm Stark tandis que Jim Free s'esclaffait. Laisse-le dans le sac.

— Si vous le tuez, il n'y aura pas de rançon, remarqua Peter, pragmatique.

Carlton Waters rit à son tour.

— Il n'a pas tort. Sa mère demandera sûrement à lui parler quand nous l'appellerons. On peut faire l'effort de le nourrir de temps en temps. Il va tout de même nous rapporter cent millions de billets verts. Donne-lui quelque chose, conclut-il en regardant Peter.

Ce dernier haussa les épaules, prit une tranche de jambon, la mit entre deux tartines et repartit vers la chambre du fond. Là, il s'assit sur le lit près de Sam et porta le sandwich à la bouche de l'enfant, qui serra les lèvres en secouant la tête.

— Voyons, Sam, il faut manger.

Après l'avoir observé pendant plus d'un mois, il s'adressait à lui avec le même naturel que s'il le connaissait bien ; il en avait d'ailleurs l'impression, lui parlait avec douceur, comme à ses propres filles lorsqu'il voulait qu'elles mangent.

— Comment vous savez mon nom ? demanda Sam, surpris.

Peter avait entendu sa mère l'appeler des centaines de fois. Il ne put s'empêcher de penser à elle, de s'inquiéter pour elle. Proche comme elle l'était de ses enfants, elle devait souffrir cruellement. Mais le petit garçon était en bonne forme, ce qui tenait du miracle après le traumatisme qu'il avait subi et le long trajet ligoté et bâillonné dans un sac. Le gamin avait du cran. Peter lui tendit de nouveau le sandwich. Cette fois, il mordit dedans et finit par en manger la moitié. Avant de sortir, Peter se retourna vers lui, et Sam le remercia. Une idée traversa alors l'esprit de Peter, qui revint vers l'enfant pour lui demander s'il avait besoin d'aller aux toilettes. Sam, l'air penaud, ne répondit pas. Devinant ce qui s'était passé – qui aurait pu se retenir si longtemps ? –, Peter le dégagea complètement du sac. Le gosse ne savait pas où il était, il avait peur de ses ravisseurs, y compris de Peter. Ce dernier l'emmena aux toilettes, attendit qu'il se soulage et le porta de nouveau sur le lit. Il ne pouvait pas faire mieux mais, avant de se retirer, il l'enveloppa d'une couverture, et Sam le regarda partir.

Ce soir-là, Peter revint le voir avant de se coucher et l'emmena aux toilettes après l'avoir réveillé, pour éviter un nouvel accident. Il lui donna aussi un verre de lait et un biscuit. Sam engloutit le tout, puis le remercia. Le lendemain matin, quand il vit Peter, il lui sourit et demanda timidement :

— Vous vous appelez comment ?

Peter hésita à répondre et se dit qu'il n'avait rien à perdre. De toute façon, l'enfant l'avait vu.

— Peter.

Sam hocha la tête. Peter revint un peu plus tard avec un œuf au bacon pour son petit déjeuner. Il était devenu la nounou officielle, au grand soulagement des autres qui voulaient leur argent et non jouer les baby-sitters. Peter avait le sentiment étrange qu'il faisait cela pour Fernanda et, en un sens, ce n'était pas faux.

Dans l'après-midi, il passa un moment avec Sam et revint le voir dans la soirée. Il s'assit sur le lit, lui caressa les cheveux.

— Vous allez me tuer ? demanda l'enfant d'une toute petite voix.

Il avait l'air triste, apeuré, mais Peter ne l'avait pas encore vu pleurer. La situation devait être terrifiante pour lui, mais l'enfant avait un courage sidérant.

— Non. Nous allons te rendre à ta maman dans quelques jours.

Sam semblait dubitatif et cependant Peter avait l'air sincère. Mais Sam se méfiait des autres. Il les entendait dans la pièce voisine. Ils ne venaient jamais le voir, trop heureux que Peter s'occupe de lui. Ce dernier leur avait déclaré qu'il protégeait leur investissement, ce qui les avait fait hurler de rire.

— Ils vont appeler maman pour lui demander de l'argent ? s'enquit Sam à voix basse.

Peter acquiesça. Il préférait l'enfant à ses acolytes. Et de très loin. Ce n'étaient que de méchantes brutes. Ils discutaient entre eux du meurtre des policiers, du plaisir qu'ils y avaient pris. Peter en avait la nausée. La compagnie de Sam était beaucoup plus agréable.

— Bientôt, répondit-il à sa question sur la rançon.

Il ne donna pas de précision, ne sachant pas lui-même quand ils réclameraient l'argent. D'ici un jour ou deux, pensait-il, s'ils se conformaient au plan.

— Elle n'en a pas, dit doucement Sam en observant Peter avec attention, comme pour le jauger.

Il cherchait effectivement à savoir qui il était. Il le trouvait presque sympathique, mais pas tout à fait. Il était l'un de ses ravisseurs, après tout. Mais au moins, il était gentil.

— Elle n'a pas de quoi ? s'enquit Peter, distrait.

Il pensait à autre chose, à leur fuite. Tout était prévu, mais il avait le trac. Les trois autres iraient au Mexique, et de là en Amérique du Sud, avec de faux passeports. Lui se rendrait à New York pour tenter de revoir ses filles, puis il irait au Brésil, où il avait quelques contacts remontant au temps où il revendait de la drogue.

— Maman n'a pas d'argent, répondit Sam tout bas, comme s'il s'agissait d'un secret qu'il confiait à Peter.

— Bien sûr que si, dit Peter en souriant.

— Non, elle n'en a pas. C'est pour ça que mon papa s'est tué. Parce qu'il a tout perdu.

Peter s'assit sur le rebord du lit et dévisagea le petit garçon pendant un long moment. Savait-il de quoi il parlait ? Il avait cette douloureuse franchise de l'enfance.

— Je croyais que ton papa était mort accidentellement, qu'il était tombé d'un bateau.

— Il a laissé une lettre pour maman. Elle a dit à l'avocat de papa qu'il s'était tué.

— Comment as-tu appris ça ?

Embarrassé, Sam baissa les yeux puis, après un silence, il avoua :

— J'écoutais de l'autre côté de la porte.

— Elle lui parlait de l'argent ? s'inquiéta Peter.

— Elle lui en parlait souvent. Presque tous les jours. Elle dit qu'il n'y en a plus. Ils ont beaucoup de « bettes » ou quelque chose comme ça. Elle dit toujours qu'il ne reste plus que des « bettes ».

Peter comprit parfaitement ce qui avait échappé à l'enfant. Elle parlait de dettes.

— Elle va vendre la maison, mais elle ne nous l'a pas encore dit.

Peter hocha la tête et regarda le gamin.

— Je veux que tu me promettes de ne pas en parler à qui que ce soit, dit-il d'un ton sévère. D'accord ?

Sam fit signe que oui. Il avait l'air sombre, le regard lourd de tristesse.

— Ils vont me tuer si elle ne les paye pas, n'est-ce pas ?

Mais Peter secoua la tête.

— Je ne les laisserai pas te faire de mal, murmura-t-il. Je te le promets.

Puis il quitta la chambre pour aller rejoindre les autres.

— Le temps que tu passes avec ce môme, c'est incroyable ! remarqua Stark avec humeur pendant que Waters lui jetait un regard de mépris.

— Moi, je les aime bien, les gosses, intervint Jim Free. Un jour, j'en ai même mangé un.

Et il éclata d'un grand rire. Il avait passé la soirée à boire de la bière. Peter le soupçonnait de raconter des salades, car il n'avait jamais été condamné pour violence à enfant, mais la plaisanterie ne lui plaisait pas. Ces types ne lui plaisaient pas.

Peter attendit le lendemain matin pour aborder Waters, le regardant d'un air soucieux, comme si une question le rongeait.

— Et si elle ne paie pas ? demanda-t-il sans préambule.

— Elle paiera. Elle veut retrouver son môme. Elle paiera le prix que nous lui demanderons.

La veille au soir, ils s'étaient demandé s'ils ne pourraient pas lui réclamer davantage et grossir leur part du butin.

— Mais si elle ne payait pas ? insista Peter.

— Qu'est-ce que tu crois ? rétorqua Carlton, glacial. Si elle ne paie pas, le gamin ne nous sert à rien. On se débarrasse de lui, et on se tire.

C'était précisément ce que Sam et lui craignaient.

Les aveux de l'enfant sur les finances de sa mère éclairaient la situation d'un jour nouveau pour Peter. S'il avait posé la question une ou deux fois par acquit de conscience, il n'avait jamais sérieusement imaginé qu'elle puisse être ruinée. A présent, il voyait les choses autrement. Les bribes de conversation que Sam lui avait répétées sonnaient juste à ses oreilles. Il comprenait maintenant pourquoi elle ne sortait pas, ne faisait rien, n'avait pas de domestiques. Il s'était attendu à ce qu'elle vive sur un grand pied, avait cru qu'elle restait chez elle par amour pour ses enfants, mais il y avait peut-être une autre raison à cela. Les conversations surprises par Sam entre elle et son avocat le prouvaient. Le gosse n'aurait pas inventé cela. Quoi qu'il en soit, « pas d'argent » était une notion relative pour certains. Il lui en restait peut-être, même si c'était moins que par le passé. La lettre et le suicide avaient retenu son attention. Si c'était vrai, il pourrait bien ne rien rester de la fortune d'Allan Barnes. Profondément inquiet, Peter passa la journée à réfléchir aux conséquences que cela aurait pour lui et pour les autres. Et, pire encore, pour Sam.

Ils attendirent encore deux jours avant de se décider enfin à appeler Fernanda. Le moment était venu, ils étaient tous d'accord. Pour éviter qu'on retrouve leur piste, ils utilisèrent le portable sécurisé de Peter. Elle décrocha à la première sonnerie, répondit d'une voix enrouée, qui craqua dès qu'elle sut à qui elle avait affaire. Peter parlait d'une voix douce, tout en souffrant en silence pour elle. Il s'identifia en disant qu'il avait des nouvelles de son fils. Le négociateur écoutait également et, déjà, la police s'employait à trouver l'origine de l'appel.

— J'ai un ami qui aimerait vous parler, dit Peter en se rendant dans la chambre du fond, tandis que Fernanda retenait son souffle et faisait des gestes à l'intention de Ted.

Il avait déjà compris. Le négociateur les écoutait et ils enregistraient l'appel.

— Bonjour, maman, dit Sam.

Elle suffoqua, ses yeux s'emplirent de larmes. Elle tremblait si fort qu'elle avait du mal à parler.

— Tu vas bien ?

— Oui, ça va.

Avant qu'il n'en dise davantage, Peter lui reprit le portable.

Waters les surveillait de près, et Peter craignait que, pour rassurer sa mère, l'enfant ne dise qu'il avait été gentil avec lui. Mieux valait que les autres n'entendent pas cela. Il lui reprit donc l'appareil, pour parler à Fernanda. Il s'exprimait bien, paraissait calme, à l'aise, ce qui l'étonna. Après la scène de carnage dans sa cuisine quatre jours plus tôt, elle s'attendait à ce qu'ils soient tous de sombres brutes. A l'évidence, celui-là ne l'était pas. Il avait l'air d'avoir de l'éducation, était courtois et parlait d'une voix curieusement douce.

— Le billet de retour de votre fils vous coûtera cent millions de dollars, déclara Peter sans sourciller.

Autour de lui, les trois autres approuvèrent d'un hochement de tête. Le ton leur plaisait. Il allait droit au but, tout en restant poli et calme.

— Commencez à compter vos billets. Nous vous rappellerons bientôt, pour vous indiquer la marche à suivre.

Et il coupa la communication, avant qu'elle puisse répondre. Il se tourna vers les autres, qui le félicitèrent.

— Combien de temps lui laissons-nous ? s'enquit Peter.

Addison et lui avaient parlé d'une semaine ou deux pour effectuer la transaction. A l'époque, cela leur semblait devoir suffire. Mais, après les révélations de Sam, Peter se demandait si le temps changerait la donne. Si elle n'avait plus d'argent, elle ne parviendrait jamais à trouver une somme pareille, même si Barnes avait laissé quelques valeurs. Elle réussirait peut-être à trouver un million ou deux, au maximum. Mais, à en juger par ce que Sam avait dit sur ses dettes et le suicide de son père, Peter doutait fort qu'elle ait même cela. De toute façon, pour deux malheureux millions divisés par cinq, le jeu ne valait pas la chandelle.

Ce soir-là, les trois autres se soûlèrent et il resta bavarder longuement avec Sam. C'était un adorable petit garçon, bien triste après avoir parlé à sa mère.

Pendant ce temps, assise dans son salon, Fernanda, sous le choc, regardait Ted.

— Qu'est-ce que je vais faire ?

Elle était au fond du désespoir. Jamais elle n'avait imaginé qu'ils réclameraient une telle somme. Cent millions de dollars. C'était de la folie. A l'évidence, ils étaient fous.

— Nous le retrouverons, dit Ted à voix basse.

Ils n'avaient pas d'autre solution. Malheureusement, ils n'avaient pas réussi à localiser l'appel. Le ravisseur avait raccroché trop vite. Ça ne leur aurait pas posé de problème s'il avait appelé d'une ligne identifiable et pas d'un portable sécurisé. C'était l'un des rares que leur appareil ne pouvait identifier. Ces types savaient ce qu'ils faisaient. Mais au moins, elle avait pu parler à Sam.

Fernanda appela Jack Waterman, pendant que Ted discutait avec son capitaine. Lorsqu'elle lui annonça le montant de la rançon, il resta muet de stupéfaction. Il aurait pu l'aider à débloquer un demi-million de dollars jusqu'à ce qu'elle vende la maison, mais en dehors de ce bien elle n'avait presque rien en banque. Il restait environ cinquante mille dollars sur son compte courant. Leur seul espoir était de retrouver l'enfant avant que ses ravisseurs le tuent. Jack priait pour qu'ils réussissent. Elle lui dit que la police et le FBI s'y employaient de leur mieux, mais que les malfaiteurs se cachaient. Les quatre suspects avaient disparu, et le réseau des informateurs habituels n'avait eu vent de rien.

Deux jours plus tard, Will appela pour prendre des nouvelles. A la voix de sa mère, il comprit aussitôt qu'il s'était passé quelque chose. Elle avait beau le nier, il n'était pas dupe. Finalement, elle craqua, fondit en larmes et lui raconta que Sam avait été kidnappé. Il la supplia de l'autoriser à rentrer.

— C'est inutile, Will. La police met tout en œuvre pour le retrouver. Il vaut mieux que tu restes à ton stage.

Elle jugeait la situation trop difficile à supporter pour un garçon de son âge, mais Will répondit en pleurant :

— Maman, je veux être près de toi.

Fernanda rappela donc Jack pour qu'il aille le chercher et, le lendemain dans l'après-midi, Will était de retour et se jetait à son cou en sanglotant. Ils restèrent un long moment dans les bras l'un de l'autre et passèrent des heures cette nuit-là à discuter dans la cuisine. Après s'être attardé quelque temps avec eux, Jack se retira pour ne pas les déranger. Il bavarda avec Ted et ses hommes pendant quelques minutes et apprit qu'il n'y avait rien de nouveau. Les enquêteurs passaient l'Etat au peigne fin, mais, jusqu'ici, personne n'avait rien vu de suspect. La police recherchait les hommes dont les photos et le signalement circulaient, sans plus de résultats. Pas le moindre signe de Sam, de ses affaires ou de ses vêtements. Le petit garçon avait disparu sans laisser de trace, et ses ravisseurs aussi. Ils pouvaient se trouver n'importe où, dans un Etat voisin ou même au Mexique. Ted savait d'expérience qu'ils pouvaient rester en planque pendant très, très longtemps – bien trop longtemps pour Sam.

Will dormit dans sa chambre cette nuit-là, et les hommes déménagèrent dans celle d'Ashley. Ils auraient pu prendre celle de Sam, mais cela leur semblait sacrilège. A 4 heures du matin, Fernanda ne dormait toujours pas et descendit voir si Ted était éveillé. Etendu sur le canapé, il réfléchissait, les yeux grands ouverts. Le reste de ses hommes montait la garde dans la cuisine, leurs armes en évidence, comme toujours. On se serait cru dans un service d'urgence, une unité de soins intensifs, où des hommes en armes veillaient en permanence, prêts à intervenir pour la sauver. Rien ne distinguait plus le jour de la nuit. Du matin au soir et du soir au matin, c'était la même chose. Il y avait toujours des gens accrochés à leur portable et parfaitement réveillés.

Elle s'assit sur une chaise près de Ted, posa sur lui un regard abattu. Elle commençait à perdre espoir. Elle n'avait pas l'argent de la rançon, et la police ne retrouvait pas son fils, n'avait pas l'ombre d'une piste. La police comme le FBI tenaient expressément à ce que l'affaire ne s'ébruite pas. Des révélations publiques ne feraient qu'embrouiller la situation, et si les ravisseurs le prenaient mal, ils tueraient Sam à coup sûr. Personne ne voulait prendre ce risque. Elle moins que quiconque.

Dans la soirée, Ted avait passé quelques heures chez lui et dîné avec Shirley. Ils avaient parlé de l'enquête ; elle souffrait pour Fernanda. Visiblement, lui aussi souffrait. Elle avait voulu savoir s'il pensait retrouver l'enfant à temps et il avait répondu qu'en toute franchise il n'en savait rien.

« Quand croyez-vous qu'ils rappelleront ? » lui avait demandé Fernanda à son retour.

Le salon était sombre, éclairé seulement par la lumière qui filtrait de l'entrée.

« Bientôt. Pour vous donner les instructions sur la manière de leur faire parvenir l'argent. »

Il cherchait à la rassurer, mais cela ne changeait rien. Ils s'étaient mis d'accord pour qu'elle essaie de gagner du temps. Mais, tôt ou tard, ils s'apercevraient bien qu'elle ne payait pas. Ted devait retrouver Sam avant. Dans l'après-midi, il avait appelé le père Wallis. Il ne leur restait plus que la prière. Ils avaient désespérément besoin d'une ouverture. La police et le FBI essayaient d'obtenir des renseignements de leurs informateurs, mais personne n'avait entendu parler de Sam ou de ses ravisseurs.

Finalement, ces derniers se manifestèrent le lendemain matin. De nouveau, ils lui passèrent Sam, qui semblait nerveux. Carlton Waters se tenait derrière lui, tandis que Peter lui tenait le portable contre l'oreille, et Fernanda l'entendit tout juste murmurer « Bonjour, maman », avant qu'ils ne lui reprennent le téléphone. L'inconnu qui parla ensuite dit que, si elle voulait parler à son fils, il lui faudrait payer la rançon. Ils lui laissaient cinq jours pour trouver l'argent ; ils dirent qu'ils appelleraient pour lui donner les instructions sur la manière de le leur remettre, puis coupèrent la communication. Ce coup de fil la mit dans tous ses états. Elle n'avait pas les moyens de payer. Cette fois encore, l'appel n'avait pu être localisé. Tout ce que la police savait, c'était qu'aucun d'eux n'avait vu son agent de probation de la semaine. Du réchauffé qui ne leur apportait rien. Ils connaissaient les coupables, mais ils ignoraient où ils se cachaient et ce qu'ils avaient fait de Sam. Pendant ce temps, Phillip Addison se prélassait dans le sud de la France, avec un alibi en béton. Le FBI surveillait les appels qu'il passait de son hôtel. Pas un coup de téléphone vers les Etats-Unis ou des mobiles américains. Pas d'appels reçus non plus. Quelques heures après le rapt, le FBI l'avait mis sur écoute et, depuis, les ravisseurs ne s'étaient pas manifestés. Ils avaient reçu leurs instructions et se débrouillaient seuls. Peter faisait de son mieux pour protéger Sam. Carlton et les autres piaffaient d'impatience de toucher l'argent. Ted, Rick, le réseau Internet, les commissariats, leurs informateurs ne trouvaient rien. Et Fernanda avait l'impression de devenir folle.

17

Lors de leur dernier appel, les ravisseurs avertirent Fernanda qu'il lui restait trois jours pour leur verser l'argent. Cette fois, ils paraissaient s'impatienter. Ils ne la laissèrent pas parler à Sam. De son côté, tous savaient qu'il y avait urgence, qu'il était peut-être déjà trop tard. Le moment était venu de passer à l'action, mais laquelle ? La police ne pouvait rien entreprendre, elle ne possédait rien. Engagées dans une course effrénée contre la montre, les forces de l'ordre battaient le rappel de toutes leurs sources sans résultat. Pas de piste, pas le moindre indice, personne n'avait rien vu, rien entendu.

Peter indiqua à Fernanda qu'elle devait verser la totalité des cent millions sur le compte d'une société aux Bahamas et non plus aux îles Cayman, comme prévu à l'origine. La banque des Bahamas avait reçu l'ordre d'éclater la somme sur les comptes de plusieurs entreprises écrans, d'où les parts de Peter et de Phillip seraient ensuite virées à Genève, et celles des trois autres au Costa Rica. Quand Waters, Stark et Free arriveraient en Colombie ou au Brésil, ils pourraient les faire transférer.

Fernanda ignorait tout de cela et n'avait que le nom de la banque des Bahamas, à laquelle elle était censée virer cent millions de dollars qu'elle ne possédait pas, dans les deux jours. Elle comptait sur la police et le FBI pour retrouver Sam, avant l'expiration du délai, et craignait plus que jamais qu'ils n'arrivent trop tard. L'espoir s'amenuisait d'heure en heure.

— Il va me falloir plus de deux jours pour débloquer cette somme, dit Fernanda à Peter en s'efforçant de masquer sa panique qui, malgré tout, transparaissait dans sa voix.

Elle se battait pour la vie de Sam. En dépit de tous leurs efforts, de leur technologie et de leur nombre, la police et le FBI n'étaient arrivés à rien.

— Le temps presse, dit Peter d'un ton ferme. Mes associés ne vont pas attendre éternellement.

Il tentait de lui transmettre sa propre inquiétude. Elle devait faire quelque chose. Waters et les autres menaçaient quotidiennement de tuer Sam. Ils se souciaient du gosse comme d'une guigne et se vengeraient sur lui s'ils ne touchaient pas leur part. A leurs yeux, l'enfant valait moins qu'une bouteille de tequila ou qu'une paire de chaussures.

Peu leur importait qu'il les ait vus et soit en mesure de les identifier. L'odieux trio comptait disparaître à jamais en Amérique du Sud. Des passeports falsifiés les attendaient de l'autre côté de la frontière mexicaine. Il leur suffirait de les récupérer, après quoi ils se fondraient dans le décor et vivraient comme des princes le reste de leurs jours. Mais il fallait d'abord qu'elle paie la rançon. Heure après heure, jour après jour, Peter avait pris conscience que Sam n'avait pas menti. Elle n'avait rien à virer sur le compte aux Bahamas. Qu'allait-elle faire ? Peter n'en savait rien, et Fernanda non plus. Il ne pouvait qu'espérer qu'elle avait quelqu'un pour la conseiller.

Jack lui avait déjà dit qu'il pouvait tout au plus lui obtenir un prêt de sept cent mille dollars en hypothéquant la maison. Mais la banque l'avait prévenue qu'elle ne pourrait pas donner son accord et débloquer l'argent avant un mois. Or, Waters et ses amis le voulaient dans deux jours. La banque l'ignorait mais l'eût-elle su que cela n'aurait rien changé. Fernanda ne pouvait donc pas y compter, pas plus que sur Ted, Rick et tous les agents du FBI qui affirmaient remuer ciel et terre mais qui, de son point de vue, n'étaient pas plus près de retrouver Sam que le jour de son enlèvement. Peter l'avait senti aussi.

— Elle nous mène en bateau, déclara Waters, furieux après le coup de téléphone tandis que, chez elle, Fernanda fondait en larmes.

— Cent millions de dollars, ça ne pousse pas comme ça, remarqua Peter, qui souffrait pour elle.

Il imaginait son stress et sa douleur.

— La succession de son mari est en cours de règlement ; elle va devoir payer des impôts sur ses biens et les exécuteurs testamentaires ne sont peut-être pas en mesure de débloquer l'argent aussi vite qu'elle le souhaiterait.

Peter s'efforçait de gagner du temps pour elle ; il n'osait pas avouer aux autres qu'il savait que Fernanda n'avait pas de quoi payer la rançon, car il craignait qu'ils ne s'emportent et ne tuent Sam sur-le-champ. Peter devait jouer fin, et Fernanda aussi.

— Plus de délais, ça suffit, dit Waters, menaçant. Si le fric n'est pas viré dans deux jours, on tue le gosse et on se tire. On ne va pas rester là à attendre que les flics viennent nous cueillir.

De très mauvaise humeur après le coup de téléphone, il déclara qu'elle se payait leur tête ; il piqua une colère en découvrant qu'ils n'avaient plus de tequila ni de bière et décréta qu'il en avait par-dessus la tête de ce qu'ils mangeaient. Les autres furent du même avis.

A San Francisco, Fernanda passait la plupart du temps à pleurer dans sa chambre, terrifiée à l'idée qu'ils tuent Sam ou qu'ils soient déjà passés à l'acte. Will errait à travers la maison comme une âme en peine. Il s'installait parfois avec les hommes dans la cuisine, mais la tension était insoutenable. Quand Ashley téléphonait, Fernanda jouait la comédie et prétendait que tout allait bien. L'adolescente ne savait pas que Sam avait disparu, et sa mère ne tenait pas à ce qu'elle le sache. Cela n'aurait fait qu'aggraver les choses.

Après le coup de fil à Fernanda, Peter passa voir Sam dans la chambre du fond.

— Ils vont me tuer, hein ? demanda l'enfant avec de grands yeux tristes.

Il avait entendu les hommes parler entre eux. Ils étaient en colère, parce que c'était trop long.

— Je t'ai promis que je les en empêcherais, murmura Peter.

Mais Sam savait bien que Peter ne pourrait pas tenir sa promesse. Ou alors, ils le tueraient aussi.

Lorsque Peter regagna le salon, les autres étaient exaspérés par le manque de bière et par le temps que Fernanda mettait à payer la rançon. Peter finit par leur proposer de faire un saut en ville pour faire des provisions. Il passait facilement inaperçu, avait l'air d'un brave type venu en vacances au bord du lac avec ses enfants. Ils l'envoyèrent donc acheter de la bière et lui demandèrent de rapporter également de la tequila et de la nourriture chinoise. Ils en avaient assez de leur propre cuisine, et lui aussi.

Au cours de cette expédition fatidique en quête de bière, Peter laissa la ville derrière lui et traversa trois bourgades, tout en réfléchissant à ce qu'il pouvait faire. Cela ne faisait aucun doute, Sam n'avait pas menti. Il ne leur restait plus beaucoup de temps. Il savait maintenant que la rançon ne serait jamais versée. Restait à savoir s'il les laisserait tuer Sam ou pas. Et, de même qu'il avait risqué sa vie pour sauver ses propres enfants, il sut ce qu'il avait à faire pour Sam.

Il gara le fourgon près d'un camping et prit son téléphone portable. Une chose était sûre : il ne retournerait pas à Pelican Bay. Il avait eu la tentation de continuer à conduire droit devant lui mais, s'il l'avait fait, les autres auraient tué Sam sans hésitation.

Il composa le numéro. Comme toujours, Fernanda décrocha à la première sonnerie. Il lui annonça poliment que son fils se portait bien et demanda à parler à un des policiers qui se trouvaient avec elle. Après une courte hésitation, elle regarda Ted et déclara qu'il n'y avait pas de policiers chez elle.

— Cela n'a pas d'importance, dit Peter d'une voix lasse.

Il se savait condamné mais ne s'en souciait plus. Seul comptait le salut de Sam et, tout en lui parlant, il comprit qu'il le faisait pour elle.

— Je présume que quelqu'un nous écoute, poursuivit-il calmement. Madame Barnes, je vous en prie, laissez-moi parler à un des hommes.

De quoi s'agissait-il ? Elle n'en avait aucune idée. Avec un regard angoissé, elle tendit le combiné à Ted.

— Inspecteur Lee à l'appareil, dit ce dernier.

— Il vous reste moins de quarante-huit heures pour le sortir de là. Nous sommes quatre, dont moi.

Non content de les renseigner, Peter leur offrait son aide. C'était son devoir. Tant pour lui que pour Sam et elle. C'était tout ce qu'il pouvait faire pour eux.

— C'est vous, Morgan ? s'enquit Ted.

Ce ne pouvait être que lui, il en était certain. Peter s'abstint de répondre. Il avait mieux à faire. Il lui donna l'adresse de la maison de Tahoe et la lui décrivit en détail.

— Pour le moment, le gosse se trouve dans la chambre du fond. Je ferai ce que je peux pour vous aider, mais il est possible qu'ils me tuent.

Ted lui posa alors une question de première importance en espérant qu'il répondrait. L'appel était enregistré, comme l'avaient été les demandes de rançon.

— Est-ce Phillip Addison qui tire les ficelles ?

Peter hésita un instant avant de se décider.

— Oui, c'est lui le commanditaire.

Désormais, c'en était fait de lui. Où qu'il aille, Addison le retrouverait et le ferait exécuter. Mais Waters et les autres l'abattraient sans doute bien avant cela.

— Je n'oublierai pas ce que vous venez de faire, déclara Ted avec sincérité.

Anxieuse, Fernanda ne le quittait pas des yeux. Elle se demandait ce qui se passait et si les nouvelles étaient bonnes ou mauvaises.

— Il ne s'agit pas de moi, répondit tristement Peter. Je le fais pour Sam... Et pour elle... Dites-lui que je lui demande pardon.

Sur ces mots, il raccrocha, jeta le portable sur le siège à côté de lui et se mit en quête d'un magasin, où il acheta suffisamment de bière et de tequila pour que les autres ne dessoûlent pas avant des semaines. Lorsqu'il regagna la maison, il portait quatre gros sacs de plats chinois et souriait. Enfin, il se sentait libre. Pour une fois dans sa vie, il avait fait le bon choix.

— Merde, tu en as mis du temps ! gronda Stark, qui se radoucit en voyant les plats, la bière et les bouteilles de tequila.

— J'ai attendu des plombes pour qu'ils me servent, grommela Peter, ronchon, avant d'aller voir Sam.

L'enfant dormait à poings fermés. Peter resta un long moment à le regarder, puis il quitta la chambre. Les secours viendraient, mais quand ? Il espérait que ce serait bientôt.

18

— Que se passe-t-il ? demanda Fernanda, paniquée, dès que Ted eut raccroché.

Il avait presque les larmes aux yeux en reportant son attention sur elle.

— Ils sont à Tahoe. Morgan vient de nous donner l'adresse.

C'était l'ouverture qu'ils attendaient, leur unique espoir.

— Doux Jésus, murmura-t-elle. Pourquoi a-t-il fait cela ?

— Pour Sam et pour vous, à ce qu'il m'a dit. Et il m'a chargé de vous demander pardon.

Elle hocha la tête, se demandant ce qui l'avait poussé à changer d'avis. Quelle qu'en soit la raison, elle lui en était reconnaissante. Il avait sauvé la vie de Sam. Ou du moins, essayé.

A partir de ce moment, tout se précipita. Ted passa d'innombrables coups de fil. Il appela le capitaine, Rick Holmquist et les responsables des brigades d'intervention. Il appela le chef de la police et le shérif de Tahoe pour leur dire de ne pas bouger et de se mettre à la disposition du FBI, de la police de San Francisco et des brigades d'intervention. L'opération devait se dérouler avec une précision chirurgicale. Ted annonça à Fernanda qu'ils seraient à Tahoe dans l'après-midi du lendemain. Elle le remercia et monta annoncer la nouvelle à Will, qui fondit en larmes.

Le lendemain matin, Ted téléphona encore à une dizaine de personnes. Il était déjà prêt à partir au moment où Will terminait son petit déjeuner. Ted expliqua à Fernanda que vingt-cinq hommes étaient déjà en route pour Tahoe. Le FBI envoyait un commando de huit hommes, de même que le commissariat central et les brigades d'intervention. Rick Holmquist les accompagnait. Sur place, ils seraient rejoints par une vingtaine de membres de la police locale. Rick était parti avec ses meilleurs hommes, des tireurs d'élite. Il envoyait aussi un avion avec deux pilotes. Ted avait choisi la meilleure brigade d'intervention, à laquelle il joignait des négociateurs. Il comptait laisser quatre policiers avec Fernanda et Will, mais elle le supplia de l'emmener.

— Je vous en prie ! Je veux être sur place, moi aussi.

Il hésita, car il n'était pas certain que ce soit une bonne idée. Avec autant d'hommes sur le terrain, tout pouvait arriver. Et, même avec l'aide de Morgan, sortir l'enfant de la maison allait être délicat. Sam pouvait être tué par la police pendant l'assaut. Les risques étaient énormes. Ils ne parviendraient peut-être pas à le sauver. Si le pire se produisait, il ne tenait pas à ce que la mère assiste au drame.

— Je vous en prie ! insista-t-elle en pleurs.

Malgré ses réticences, il ne put résister.

Elle ne dit pas à Will où elle allait. Elle courut à l'étage prendre des chaussures de randonnée et un gros pull, avant de lui annoncer qu'elle partait avec Ted, sans autre précision. Elle lui demanda de rester à la maison avec les policiers et, avant qu'il ne proteste, elle se précipita dehors. Quelques instants plus tard, Ted et elle démarraient en trombe. Il avait appelé Rick Holmquist, lui-même en route avec quatre agents spéciaux et le commando. Le capitaine avait demandé à Ted de le tenir au courant, ce qu'il s'était engagé à faire.

Fernanda se taisait, tandis qu'ils traversaient Bay Bridge. Ils roulaient en silence depuis une demi-heure quand Ted se décida à lui parler. Il regrettait de lui avoir cédé, mais il était trop tard pour revenir en arrière. A mesure qu'ils filaient vers le nord, ils commencèrent à se détendre. Ils discutèrent des propos que leur avait tenus le père Wallis. Elle essayait de suivre ses conseils, de croire que Sam était entre les mains de Dieu.

— Vous avez une idée de ce qui a poussé Peter Morgan à faire ça ? demanda-t-elle, perplexe.

Il affirmait l'avoir fait pour Fernanda, mais pour elle comme pour Ted, cela n'avait aucun sens.

— Les gens ont parfois des comportements bizarres. Et bien souvent quand on s'y attend le moins...

Il le savait d'expérience.

— ... Peut-être que, finalement, l'argent l'indiffère. Si les autres comprennent ce qu'il a fait, ils l'abattront, c'est sûr.

Et s'ils ne s'apercevaient de rien, la police devrait le mettre en lieu sûr et sous protection. Si on l'expédiait en prison, c'était la mort assurée.

— Vous n'êtes pas rentré chez vous de la semaine, remarqua Fernanda tandis qu'ils dépassaient Sacramento.

Ted la regarda et sourit.

— J'ai l'impression d'entendre ma femme.

— Cela doit être pénible pour elle, dit Fernanda avec compassion.

Il resta un long moment silencieux.

— Excusez-moi si je me suis montrée indiscrète. Ce n'était pas mon intention. Je me disais que ça devait peser lourd sur un couple.

— Effectivement. Cela nous a posé des problèmes autrefois. A présent, nous sommes habitués. Nous nous sommes mariés très jeunes. Je connais Shirley depuis l'âge de quatorze ans.

— Cela ne date pas d'hier, commenta Fernanda en souriant. J'ai épousé Allan à vingt-deux ans. Il y a dix-sept ans de cela.

Il hocha la tête. Parler de leur vie, de leurs conjoints respectifs les aidait à penser à autre chose. Ils roulaient et se sentaient presque comme de vieux amis. Ils avaient passé beaucoup de temps ensemble au cours de la dernière semaine, qui avait été particulièrement éprouvante pour Fernanda.

— Cela a dû être un choc quand votre mari est mort, dit Ted avec douceur.

— Oui. Les enfants ont beaucoup souffert, Will en particulier. Je crois qu'il en veut à son père de nous avoir abandonnés.

Et la vente de la maison leur causerait un nouveau choc.

— Les garçons de cet âge-là ont besoin de la présence d'un homme, affirma Ted, qui pensait à ses fils.

Il avait été souvent absent quand ils avaient l'âge de Will, et c'était l'un des grands regrets de sa vie.

— J'étais rarement à la maison quand les enfants étaient jeunes. C'est le prix à payer, quand on fait ce métier. Un des prix à payer.

Mais elle voyait bien que cela lui pesait.

— Ils avaient leur mère, répondit-elle gentiment.

— Cela ne suffit pas, rétorqua-t-il sèchement.

Puis, gêné, il s'excusa :

— Je suis désolé, ce n'est pas ce que je voulais dire.

— Je comprends, mais vous n'avez pas entièrement tort. J'ai beau faire de mon mieux, la plupart du temps j'ai le sentiment que ce n'est pas assez. Allan ne m'a pas donné le choix. Il a décidé pour nous.

Tout en filant vers le nord, ils continuèrent à discuter. Ted se sentait à l'aise avec elle et parlait facilement, plus qu'il ne l'aurait voulu.

— Shirley et moi avons failli nous séparer quand les enfants étaient petits. Nous en avons longuement discuté, avant de décider que ce n'était pas une bonne solution.

— Vous avez sans doute eu raison. Et vous êtes restés ensemble. C'est bien.

Elle les admirait pour cela, lui comme sa femme.

— Peut-être. Nous sommes bons amis.

— Après vingt-huit ans de mariage, j'espère bien.

Il lui en avait parlé quelques jours plus tôt, lui avait dit qu'il avait quarante-sept ans et qu'il était marié depuis ses dix-neuf ans. Une telle durée l'impressionnait. Les liens entre eux devaient être très forts. C'est alors qu'il lui fit une remarque inattendue.

— Il y a longtemps que nous nous sommes lassés l'un de l'autre. Je ne m'en suis aperçu qu'il y a quelques années. Je me suis réveillé un beau jour et j'ai compris que nos rapports avaient changé, que quelque chose n'était plus là. Ce que nous avons à la place n'est pas mal, je suppose. Nous nous entendons bien.

— Cela vous suffit ? demanda-t-elle sur un drôle de ton.

On aurait dit les confidences que l'on fait avant de mourir, et elle espérait que le mort ne serait pas son fils. Elle ne supportait pas de penser à la raison de ce déplacement, à ce qui les attendait là-bas, et préférait entendre Ted parler de lui plutôt que de parler de Sam.

— Parfois, répondit-il avec sincérité, tout en réfléchissant à Shirley et lui, à ce qu'ils partageaient, à ce qui les séparait à présent et depuis toujours. Il est parfois bien agréable de rentrer chez soi pour retrouver une amie. Et parfois, il manque quelque chose. Nous n'avons plus beaucoup d'échanges. Elle vit sa vie, moi la mienne.

— Dans ce cas, pourquoi restez-vous ensemble, Ted ?

Rick Holmquist lui posait la même question depuis des années.

— Par paresse, par lassitude. Trop seul. Trop peur de bouger. Trop vieux aussi.

— Vous n'êtes rien de tout cela. Et la fidélité, la loyauté ? Vous l'aimez peut-être davantage que vous ne le croyez. Je vous trouve bien dur envers vous-même. Il y a sûrement de bonnes raisons pour qu'elle reste avec vous. Elle aussi vous aime sans doute plus que vous ne l'imaginez, déclara Fernanda, généreuse.

— Non, je ne pense pas, répondit-il. Je crois que nous restons ensemble parce que c'est ce que tout le monde attend de nous. Ses parents, les miens. Nos enfants. Je ne suis même pas certain que les enfants s'en soucient encore. Ils sont grands et indépendants maintenant. En un sens, elle est un peu devenue ma famille. J'ai parfois le sentiment de vivre avec ma sœur. C'est commode, je suppose.

Fernanda hocha la tête. Cela ne lui semblait pas si terrible. Elle ne se voyait pas rencontrer quelqu'un d'autre, maintenant. Après dix-sept ans de mariage, elle s'était tellement habituée à Allan qu'elle n'imaginait pas partager son lit avec un autre. Cela arriverait peut-être, bien sûr, mais pas avant longtemps.

— Et vous ? s'enquit-il. Que comptez-vous faire à présent ?

La conversation s'engageait sur une pente dangereuse, mais elle savait qu'avec Ted elle ne risquait rien. Durant le temps qu'il avait passé chez elle, il s'était toujours montré correct et prévenant.

— Je ne sais pas. J'ai l'impression d'être mariée à Allan pour l'éternité, qu'il soit là ou pas.

— La dernière fois que j'ai regardé, il n'était pas là, remarqua Ted amicalement.

— Oui, je sais. Ma fille ne cesse de me le répéter. Elle insiste régulièrement pour que je sorte, mais je n'en ai pas envie. J'ai trop à faire, trop de soucis avec les dettes d'Allan. Il va me falloir un bon bout de temps pour m'en sortir, à moins que je ne vende la maison fabuleusement bien. Notre avocat va me déclarer en faillite pour liquider les dettes d'Allan. J'ai cru mourir quand j'ai appris qu'il était ruiné.

— Dommage qu'il n'ait pas pu en sauver une partie.

Elle hocha la tête avec résignation.

— Cette fortune éclair m'a toujours gênée.

Elle sourit de ses propres paroles.

— Aussi fou que cela paraisse, j'avais le sentiment que c'était trop. Que ce n'était pas mérité. Ça n'a pas été amusant très longtemps, ajouta-t-elle avec un petit haussement d'épaules.

Elle lui parla des deux tableaux impressionnistes qu'elle avait achetés.

— Cela doit être quelque chose de posséder de tels chefs-d'œuvre, commenta-t-il, impressionné.

— Certes. J'y ai pris plaisir pendant deux ans. Ils ont été rachetés par un musée en Belgique. J'irai peut-être les voir là-bas un jour.

Elle ne semblait pas souffrir d'avoir dû renoncer à ces tableaux, ce qui parut très noble à Ted. En fait, une seule chose comptait pour elle : ses enfants, auxquels elle était passionnément attachée. Il admirait ses qualités de mère. Sans doute avait-elle été aussi une bonne épouse pour Allan, plus qu'il ne le méritait, soupçonnait Ted, mais il se garda de toute remarque. Ce n'était pas à lui d'en faire.

Ils roulèrent en silence pendant quelque temps et, lorsqu'ils passèrent devant le centre commercial Ikeda avec son restaurant, il lui demanda si elle désirait s'arrêter pour déjeuner, mais elle refusa. Elle n'avait presque rien mangé de la semaine.

— Où irez-vous habiter quand vous aurez vendu la maison ?

Après ce qu'elle venait de vivre, il se demandait si elle envisageait de quitter la ville.

— A Marin, peut-être. Je ne veux pas m'éloigner, pour ne pas séparer les enfants de leurs amis.

Il se sentit idiot d'en éprouver un tel soulagement.

— J'en suis ravi, dit-il en lui jetant un coup d'œil.

Elle en parut surprise.

— Il faudra que vous veniez dîner un soir avec moi et les enfants.

Elle lui était reconnaissante de son aide, mais pour lui rien n'était encore fait. Si les choses tournaient mal à Tahoe et si Sam était tué, elle ne voudrait sans doute plus le revoir. Il serait à jamais lié au souvenir de ce cauchemar. Peut-être l'était-il déjà. L'idée de ne plus la revoir l'attristait. Il aimait bavarder avec elle, appréciait sa douceur, son naturel, la gentillesse qu'elle manifestait à ses hommes. En plein rapt, malgré les événements, elle s'était toujours montrée attentionnée envers eux. La fortune de son mari ne lui avait pas tourné la tête, alors que lui l'avait perdue. Ted sentait qu'elle avait hâte de quitter la maison. Le temps en était venu.

Peu après, ils laissèrent Auburn derrière eux, et elle ne dit plus grand-chose pendant le reste du trajet, ne pensant qu'à Sam.

— Tout se passera bien, murmura-t-il tandis qu'ils traversaient Donner Pass.

Elle se tourna vers lui, anxieuse.

— Comment pouvez-vous en être sûr ?

En réalité, il n'était sûr de rien et ils le savaient tous les deux.

— Je ne le suis pas. Mais je vais m'y employer de toutes mes forces, promit-il.

Elle le savait déjà. Depuis le début, il faisait tout pour les protéger.

Dans la maison de Tahoe, la tension montait. Les hommes avaient passé la journée à se disputer. Stark voulait rappeler Fernanda pour la menacer. Waters était d'avis d'attendre jusqu'au soir. Peter suggéra prudemment de lui laisser la journée pour débloquer l'argent et de lui téléphoner le lendemain. Jim Free n'avait pas d'opinion. Il voulait son argent et filer au plus vite. Il faisait chaud, et ils ingurgitèrent de la bière en quantité, sauf Peter qui tenait à garder ses esprits et qui allait régulièrement voir Sam.

Il ne pouvait prendre des nouvelles sans alerter les autres, mais il se demandait quand Ted et ses hommes allaient passer à l'action. Il était certain que l'assaut serait rapide et violent, et qu'il devrait faire tout son possible pour sauver Sam.

En fin d'après-midi, tous les autres étaient soûls, y compris Waters. Et, à 18 heures, ils dormaient, affalés dans le salon. Peter resta un moment à les regarder, puis il se rendit dans la chambre de Sam à l'arrière de la maison. Sans rien dire à l'enfant, il s'étendit près de lui, l'enveloppa de ses bras et s'endormit en rêvant à ses filles.

19

Quand Ted et Fernanda arrivèrent à Tahoe, la police locale avait réquisitionné un petit motel pour l'ensemble des effectifs. Décrépi et vétuste, il était presque vide, malgré la saison touristique. Les quelques rares clients avaient quitté les lieux sans protester, contre une petite compensation. Les deux policiers chargés du ravitaillement rentraient d'un fast-food voisin avec une camionnette pleine. Tout était prêt. Le FBI avait finalement envoyé huit hommes d'un commando spécialisé dans les libérations d'otages, et une brigade d'intervention entraînée à cet effet. La police locale était là, mais personne n'avait encore été mis au courant de ce qui se passait. Une bonne cinquantaine d'hommes attendaient quand Ted sortit de voiture. Ils allaient devoir faire une sélection et décider d'un plan d'attaque. Un capitaine des forces locales s'occupait de l'équipement, des barrages routiers et des policiers du cru. Rick dirigeait les opérations. Il s'était installé dans une pièce attenante au bureau de l'hôtel, qu'il avait laissé au capitaine local. Il y avait aussi une armée de véhicules de communication, et Ted, suivi de Fernanda, vit Rick sortir de l'un d'eux. Le chaos organisé qui régnait était à la fois rassurant et terrifiant.

— Comment ça va, Rick ? interrogea Ted.

Les deux hommes avaient l'air épuisés. Ted n'avait pas dormi plus de deux heures d'affilée depuis plusieurs jours, et Rick avait passé une nuit blanche. Sam était devenu une cause sacrée et cela apportait un certain réconfort à sa mère. Ted demanda à l'un des officiers de préparer une chambre pour elle.

— Nous y sommes presque, dit Rick en la regardant.

Fernanda lui adressa un sourire las. Elle tenait à force de volonté. La tension était insoutenable pour elle, mais sa conversation avec Ted, pendant le trajet, lui avait fait du bien.

Ted l'accompagna dans sa chambre, où un psychologue de la brigade d'intervention et une femme de la police l'attendaient. Il la leur confia et retourna voir Rick au poste de commande. Une montagne de sandwiches et de salades en barquettes s'entassait sur une table, le long d'un mur sur lequel étaient accrochés un plan de la maison et une carte des environs. La nourriture avait été choisie avec soin, car les commandos du FBI et les brigades d'intervention ne devaient consommer ni graisses, ni sucre, ni caféine. Le capitaine de la police locale était installé dans la pièce avec eux ; le chef de la brigade d'intervention venait de sortir voir ses hommes. Ted prit un sandwich et s'assit près de Rick, qui restait debout. On aurait cru qu'ils préparaient une guerre, leur mission était importante et l'ensemble des forces réunies était impressionnant. La maison qui était au cœur des opérations était située à environ deux kilomètres. Ils ne diffusaient aucune annonce radio, au cas où les ravisseurs seraient à l'écoute et pour éviter que la presse intercepte des messages et fasse capoter l'opération en la rendant publique. Toutes les précautions avaient été prises afin de garder le secret, mais, malgré tout, Rick semblait inquiet en examinant le plan de la maison avec Ted. Ils avaient pu l'obtenir grâce à l'aide d'un géomètre local et l'avaient agrandi à la taille d'une affiche.

— D'après ton informateur, le gamin est à l'arrière de la maison, dit Rick en montrant la chambre du fond, presque à la limite de la propriété. Nous pouvons le sortir de là, mais derrière, c'est la falaise. Je peux faire descendre quatre hommes, mais ils ne remonteront jamais assez vite. Et s'ils ont le gosse avec eux, ils seront trop exposés.

Il montra ensuite le devant de la maison.

— Pour sortir, nous avons une voie d'accès aussi longue qu'un terrain de foot. Si je fais venir l'hélico, ils nous entendront. Et si nous faisons sauter la baraque, nous risquons de tuer le môme.

Le chef de la brigade d'intervention et le commando du FBI discutaient de toutes les possibilités depuis deux heures, sans parvenir à résoudre le problème. Mais Ted savait qu'ils trouveraient une solution. Ils n'avaient aucun moyen de contacter Morgan pour établir un plan d'action avec lui. Il leur fallait décider seuls, pour le meilleur ou pour le pire. Ted se félicitait que Fernanda ne soit pas là pour les entendre dresser la liste des dangers, elle serait devenue folle d'inquiétude. Ils réfléchissaient à voix haute et, jusqu'ici, toutes les propositions mettaient Sam en danger de mort.

Il l'était de toute façon. Si la rançon n'arrivait pas, ses ravisseurs le tueraient. Et si elle leur était remise, le risque n'était pas exclu. Sam était assez grand pour les identifier s'ils le relâchaient après avoir récupéré l'argent. Addison le savait aussi ; il avait pris les devants en envoyant Morgan à Tahoe pour tenir les autres à l'œil. Car, de leur point de vue, mieux valait liquider le gosse que de le rendre vivant à sa mère. Sans rançon, ils avaient donc toutes les raisons de se débarrasser de lui avant de disparaître. Au bout d'une heure de discussions, Rick se tourna vers Ted.

— Tu sais quelles sont nos chances de le sortir de là vivant ? Faibles ou nulles. Et plus probablement nulles.

Il était franc avec son ami. Sam avait peu de chances de s'en sortir, s'il n'était pas déjà mort.

— Eh bien, fais venir des renforts ! déclara Ted, sévère, en lui décochant un regard noir.

Ils n'étaient pas venus là pour perdre le gamin. Tous savaient que le risque était grand, mais Ted s'était donné pour mission de le sauver. Comme Rick et tous les hommes qui se trouvaient sur place. Ils étaient là pour sauver Sam.

— Pour l'amour du ciel ! Il y a une armée, dehors. Tu as vu le monde qu'il y a ici ? Ce n'est pas du personnel supplémentaire qu'il nous faut, c'est un foutu miracle, oui ! gronda Rick, furieux.

Parfois, c'était lorsqu'ils se mettaient en colère l'un contre l'autre qu'ils faisaient le meilleur travail.

— Alors, débrouille-toi pour qu'il se produise. Fais venir des mecs plus malins. Tu ne peux pas jeter l'éponge et les laisser tuer ce môme, répliqua Ted en levant sur son ami un regard chargé d'inquiétude.

— Est-ce que j'ai l'air de jeter l'éponge ? Regarde autour de toi, pauvre imbécile !

Rick hurlait de rage, mais il y avait tant de monde et tant de bruit dans la pièce qu'on ne pouvait les entendre s'injurier. Ils beuglaient à qui mieux mieux quand le chef de la brigade d'intervention proposa une nouvelle solution, dont tous s'accordèrent à dire qu'elle n'était pas viable. Les sauveteurs seraient trop exposés au feu des ravisseurs. Peter avait bien choisi le lieu. Il était presque impossible de sortir l'enfant de la maison et de l'emmener hors des limites de la propriété. Rick s'était rendu compte, et Ted commençait à le comprendre, que beaucoup allaient risquer leur vie ce soir pour sauver celle d'un petit garçon. Mais c'était leur devoir et ils en étaient tous conscients.

— Je ne peux pas envoyer mes hommes au massacre, dit le chef de la brigade d'intervention avec gravité. Il faut qu'ils aient une chance raisonnable de récupérer le môme et de s'en sortir.

— Je sais, répondit Ted, morose.

L'affaire se présentait mal. Heureusement que Fernanda n'était pas dans la pièce pour les entendre. A 9 heures ce soir-là, Ted et Rick sortirent prendre l'air. Ils n'avaient toujours pas de plan satisfaisant, et Ted commençait à se demander s'ils en trouveraient un à temps. Ils étaient convenus que Sam devait être libéré à l'aube. Dès que les ravisseurs seraient réveillés, l'opération deviendrait trop risquée et, d'après ce qu'ils savaient, ils ne disposaient pas de vingt-quatre heures supplémentaires. Le délai expirait le lendemain. Les malfaiteurs appelleraient Fernanda dans la journée. Ils devaient passer à l'action. Le soleil se lèverait dans neuf heures, il n'y avait plus de temps à perdre.

— Merde, je n'aime pas ça, remarqua Ted en s'adossant contre un arbre.

Personne n'avait encore fait de proposition aérienne. Dans une heure, l'avion partirait en reconnaissance avec des capteurs à infrarouges et des détecteurs de chaleur. On avait aussi mis une camionnette radio à leur disposition.

— Moi non plus, je n'aime pas ça, murmura Rick.

Ils commençaient à perdre le moral. La nuit menaçait d'être longue.

— Qu'est-ce que je vais lui raconter ? s'inquiéta Ted. Que notre meilleure brigade d'intervention et la tienne ne sont pas fichues de sauver son gosse ?

Il ne se voyait pas lui annoncer que Sam était mort. Or il l'était peut-être déjà. L'affaire se présentait mal, c'était le moins que l'on puisse dire.

— Tu es tombé amoureux d'elle, pas vrai ? s'enquit Rick à brûle-pourpoint.

Ted le regarda comme s'il était fou. Ce n'était pas le genre de remarque que se faisaient les hommes entre eux. Mais cela arrivait. La preuve.

— Tu déraillles ou quoi ? Je suis flic, bon sang ! Elle, c'est une victime et Sam est son fils, se récria-t-il, outré et furieux que Rick ait osé dire une telle chose.

Mais si Ted se leurrait, ce qui était probable, son ami n'était pas dupe.

— C'est aussi une femme, et tu es un homme. Elle est belle, vulnérable, et tu es resté chez elle toute la semaine, quand rien ne t'y obligeait. Il se trouve, accessoirement, que tu n'as pas touché ta femme depuis près de cinq ans, si je me souviens bien de notre dernière conversation sur le sujet. Pour l'amour du ciel, tu es humain ! Mais ne laisse pas tes sentiments interférer avec le boulot. Beaucoup de gars risquent leur peau, ici. Ne les envoie pas à l'abattoir s'ils n'ont aucune chance de récupérer le gosse et de s'en sortir.

Ted baissa la tête. Lorsqu'il la releva, il avait des larmes dans les yeux. Il ne reconnut ni ne démentit ce qu'avait dit Rick à propos de Fernanda. Il ne savait qu'en penser, mais l'idée lui avait traversé l'esprit dans la nuit. Il s'inquiétait autant pour elle que pour son fils.

— Il doit bien exister un moyen de le tirer de là vivant.

Ce fut tout ce qu'il répondit.

— Cela dépendra du môme, et de ton informateur qui est avec lui. Nous ne contrôlons pas tout.

Sans parler de la chance, du destin, des autres ravisseurs et de l'habileté des hommes qu'ils enverraient. Tous ces éléments ne dépendaient pas d'eux. Parfois, quand tout semblait perdu, la chance vous souriait. Et, d'autres fois, vous partiez gagnant et les choses tournaient mal. Rien n'était jamais joué, c'était une loterie.

— Et elle ? demanda de nouveau Rick. Tu as une idée de ce qu'elle éprouve ?

Il voulait parler de ses sentiments pour Ted, pas de la situation. Depuis des années qu'ils se connaissaient, ils se comprenaient à demi-mot.

— Aucune, répondit Ted abattu. Je suis un homme marié.

— Shirley et toi auriez dû divorcer depuis longtemps, objecta Rick avec franchise. Vous méritez mieux tous les deux.

— Elle est ma meilleure amie.

— Mais tu n'es pas amoureux d'elle. Et je ne suis même pas sûr que tu l'aies jamais été. Vous avez grandi ensemble, vous étiez comme frère et sœur quand je vous ai rencontrés. Votre histoire me fait penser aux mariages arrangés qui se pratiquaient autrefois. Autour de vous, on s'attendait à ce que vous vous épousiez, ça convenait à tout le monde, alors vous l'avez fait.

Ted savait que ce n'était pas faux. Le père de Shirley avait été le patron de son père durant presque toute sa vie ; sa famille avait été fière de lui lorsqu'il s'était fiancé à Shirley. Jamais il n'était sorti avec une autre. L'idée ne l'avait pas effleuré. Jusqu'à ce qu'il soit trop tard. Alors, par correction, il lui était resté fidèle et l'était encore, chose rare pour un flic. Leurs vies stressantes et leurs journées à rallonge, leurs absences répétées du foyer conjugal et leurs emplois du temps décalés amenaient beaucoup d'entre eux à des situations de crise avec leurs épouses. Il en avait été de même pour Ted, une ou deux fois. Rick, qui admirait sa volonté de fer, l'avait affectueusement surnommé « froc blindé » lorsqu'ils travaillaient en équipe. Il en allait tout autrement pour lui et, en fin de compte, le divorce l'avait soulagé. A présent, il avait trouvé une femme qu'il aimait et souhaitait le même bonheur à Ted. Si Fernanda était la femme de sa vie, s'il tombait amoureux d'elle, Rick n'y voyait pas d'objection. Il espérait seulement pouvoir sauver le gamin. Pour Ted comme pour elle. Si Sam venait à mourir, elle ne se remettrait pas de cette tragédie, ne l'oublierait jamais. Et elle rendrait sans doute Ted responsable de l'échec des opérations. Quoi qu'il en soit,

Rick s'était engagé à libérer le petit, et Ted aussi. L'amour n'avait pas sa place dans l'histoire. Ils étaient là pour faire leur boulot. Le reste, c'était du bonus.

— Elle vient d'un milieu différent, observa Ted, le front soucieux.

Il n'aurait su nommer ce qu'il éprouvait pour elle et craignait que Rick n'ait vu juste. En tout cas, il y avait là matière à réflexion, et il y avait d'ailleurs réfléchi plus d'une fois, sans s'en ouvrir à Fernanda, bien sûr.

— Elle a vécu dans le luxe. Pense que son mari a gagné un demi-milliard de dollars. C'était un type intelligent, ajouta-t-il en regardant son ami.

— Toi aussi, tu es intelligent. Et puis, était-il si exceptionnel que ça ? Il a perdu toute sa fortune en un rien de temps, et il s'est suicidé, laissant sa femme et ses enfants sur la paille.

Ce n'était pas faux. Ted avait en ce moment beaucoup plus d'argent qu'elle. Son avenir était assuré, celui de ses fils aussi. Il avait travaillé dur pendant près de trente ans.

— Mais elle a étudié à Stanford. Je n'ai fait que le lycée, je suis flic.

— Tu es un brave type. Elle aurait de la chance avec toi.

Ted était bon et droit, ce qui n'était pas fréquent dans le monde moderne ; ils le savaient tous les deux, et Rick était conscient, indépendamment de leur amitié, que Ted valait mieux que lui. Ted ne le voyait pas de cet œil et prenait toujours la défense de Rick, ce qui s'avérait parfois nécessaire, car Rick s'était mis pas mal de gens à dos avant de quitter la police. Et il avait recommencé au FBI. Il était ainsi fait, avait une grande gueule et n'hésitait pas à dire ce qu'il pensait. Comme en ce moment avec Ted, que cela lui plaise ou non, quitte à le froisser ou à le mettre en colère.

— J'aimerais que tu aies de la chance, toi aussi. Tu le mérites, déclara-t-il, sincère.

Il ne voulait pas voir son ami finir ses jours seul, et il en prenait le chemin, depuis un bout de temps. Ils le savaient tous les deux.

— Je ne peux pas quitter Shirley comme ça, protesta Ted.

Il culpabilisait déjà, mais se sentait terriblement attiré par Fernanda.

— Il n'y a pas le feu. Attends déjà d'être sorti de ce merdier, de voir comment les choses tournent. Un beau jour, Shirley pourrait bien te laisser tomber, tu sais. Elle est plus fine que toi. J'ai toujours pensé que si elle rencontrait le type qui lui convient, elle serait la première à te planter là. Je suis même surpris qu'elle ne l'ait pas fait.

Ted hocha la tête. Il y avait pensé aussi. En un sens, leur mariage comptait moins pour elle que pour lui. Elle restait avec lui par paresse et ne s'en cachait pas, même si elle l'aimait. Récemment, elle avait déclaré à plusieurs reprises qu'elle vivrait bien seule, s'en trouverait sans doute mieux, que, pour le peu qu'ils se voyaient, cela ne changerait pas grand-chose. Il partageait ce sentiment. Chacun était seul dans leur couple. Ils n'avaient plus de loisirs ni d'amis communs. Leurs enfants les avaient maintenus ensemble pendant vingt-huit ans, mais ils étaient partis depuis plusieurs années.

— Ne te sens pas obligé de prendre une décision ce soir. Tu en as parlé à Fernanda ?

Depuis qu'il les avait vus ensemble pour la première fois, Rick était intrigué par leurs rapports. Il existait entre Ted et elle une sorte d'intimité aussi spontanée qu'innocente, dont aucun d'eux n'avait conscience. Cette affinité naturelle l'avait immédiatement frappé. Fernanda semblait être la femme idéale pour lui. Ted l'avait senti mais n'avait jamais abordé le sujet avec elle et ne l'aurait pas osé, étant donné les circonstances qui les avaient rapprochés. Et il n'avait aucune idée de ce qu'elle éprouvait pour lui, en dehors de la reconnaissance qu'elle lui témoignait pour son travail. Il s'était efforcé de les protéger, elle et ses enfants, mais Sam avait été enlevé malgré tout, et il considérait cela comme un échec.

— Je ne lui ai rien dit, avoua-t-il. Ce n'est pas vraiment le moment.

C'était l'évidence même. Et il n'était pas certain d'avoir le cran de lui en parler quand tout serait fini. Cela lui semblait presque inconvenant. Il aurait eu l'impression de profiter de sa faiblesse.

— Je crois qu'elle t'aime bien, lui confia Rick.

Ted sourit. On aurait dit deux lycéens, ou plutôt deux gamins discutant d'une fillette dans la cour de l'école, à la récréation, tout en jouant aux billes. C'était pour eux un soulagement de parler, pendant quelques minutes, des sentiments de Ted envers Fernanda, et pas de Sam, dont la vie ne tenait qu'à un fil. Un soulagement dont ils avaient grand besoin.

— Je l'aime bien aussi, murmura Ted, attendri par le souvenir de son visage dans le noir, tandis qu'ils bavardaient pendant des heures ou qu'elle s'endormait près de lui, à même le sol, en attendant des nouvelles de Sam.

Dans ces moments-là, elle le faisait fondre.

— Eh bien alors, vas-y, l'encouragea Rick à voix basse. La vie est courte.

Cela, ils en avaient eu maintes preuves au fil des années et en auraient encore.

— C'est le moins qu'on puisse dire, soupira Ted en se dégageant du tronc contre lequel il s'était adossé.

Ça avait été une conversation intéressante, mais ils avaient des choses plus importantes à faire. Cette pause leur avait fait du bien, surtout à Ted. Il était heureux d'avoir l'avis de son ami, pour lequel il avait le plus grand respect.

Rick le suivit à l'intérieur en pensant à ce que Ted lui avait confié. Dès qu'ils furent de nouveau au poste de commandement, ils se retrouvèrent pris dans les discussions. Il était minuit lorsque, enfin, tous se mirent d'accord sur un plan. Il n'était pas parfait, mais personne n'avait mieux à proposer. Le responsable de la brigade d'intervention annonça que les manœuvres d'approche de la maison commenceraient un peu avant l'aube et leur conseilla à tous de dormir en attendant. A 1 heure du matin, Ted quitta le bureau et se dirigea vers la chambre de Fernanda, pour voir comment elle allait.

La porte de la chambre était close, mais il y avait de la lumière et, à travers le panneau vitré, il vit qu'elle était seule, étendue sur le lit, les yeux grands ouverts et le regard vague. Il lui fit un petit signe. Inquiète, elle se leva aussitôt pour venir lui ouvrir. Sa ligne téléphonique avait été transférée dans l'un des camions de communication, et elle craignait que les ravisseurs n'aient appelé.

— Que se passe-t-il ? s'enquit-elle, alarmée.

Ted la rassura aussitôt. Depuis leur arrivée, les heures lui avaient paru interminables, comme à eux tous. Les hommes avaient hâte de passer à l'action et d'accomplir la mission pour laquelle ils étaient là. Beaucoup d'entre eux allaient et venaient dehors, en gilet pare-balles, tenue de combat ou de camouflage.

— L'opération est pour bientôt.

— Quand ? demanda-t-elle en scrutant ses yeux.

— Juste avant l'aube.

— Vous avez des nouvelles de chez moi ?

Sa voix trahissait son angoisse. Les policiers restés avec Will surveillaient le téléphone à tout hasard, mais il n'y avait pas eu de nouvel appel de Peter ou de ses comparses. Et Ted n'avait aucun moyen de le contacter. Peter avait fait le maximum, et s'ils parvenaient à sauver

Sam, ce serait en grande partie grâce à son aide. S'il ne les avait pas mis sur la voie, l'enfant aurait été tué. Il leur avait passé le ballon, à eux de transformer l'essai. Et ils allaient s'y employer. Bientôt.

— Il n'a pas rappelé, répondit Ted.

Elle hocha la tête. A cette heure tardive, on ne pouvait plus espérer de nouvelles de Sam.

— Tout est calme.

Une voiture équipée de matériel de communication et de surveillance était garée à proximité de l'allée d'accès à la maison. Il n'y avait pas eu le moindre mouvement là-bas. Posté sur une colline, avec des jumelles à infrarouge, un homme du commando leur avait signalé qu'il n'y avait pas de lumière à l'intérieur, que tout était noir depuis des heures. Ted espérait qu'ils dormiraient encore au moment de l'assaut. L'élément de surprise était essentiel, même si, pour cela, ils devaient se passer de l'aide de Peter. Ç'aurait été trop demander.

— Vous tenez le coup ? l'interrogea-t-il doucement.

Il craignait de dire ou de faire une sottise et s'efforçait de ne pas penser à la conversation qu'il avait eue avec Rick quelques heures plus tôt. Le fait d'avoir parlé de ses sentiments pour Fernanda les lui avait rendus plus réels. Elle hocha de nouveau la tête, paraissant hésiter, tandis qu'il l'observait.

— J'ai hâte que ce soit fini, et j'ai peur aussi.

Ils pouvaient, à juste titre, supposer que Sam était encore en vie, ou du moins l'espérer. Plus tôt dans la soirée, elle avait appelé le père Wallis et trouvé un peu de paix dans ses paroles réconfortantes.

— Cela ne tardera plus, lui promit Ted.

Il s'abstint d'ajouter que tout se passerait bien. C'étaient des mots vides de sens et elle le savait. Pour le meilleur ou pour le pire, ils se mettraient bientôt en marche.

— Vous les accompagnerez ? demanda-t-elle en plongeant ses yeux dans les siens.

Il fit oui de la tête.

— Seulement jusqu'au bas de l'allée.

Ensuite, tout reposerait sur le commando du FBI et la brigade d'intervention. L'équipe de soutien logistique leur avait déjà préparé un abri dans les buissons. Ils seraient tapis sous les branchages, mais à proximité si les choses se gâtaient, ce qui était probable.

— Je peux venir avec vous ?

Il n'en était bien sûr pas question. Ses yeux le suppliaient, mais il refusa énergiquement. C'était bien trop dangereux. Il ne pouvait autoriser cela. Elle risquait de se trouver prise sous les tirs croisés, de recevoir une rafale si les ravisseurs tentaient de s'échapper et mitraillaient l'abri au passage. Tout pouvait arriver.

— Vous devriez essayer de dormir, suggéra-t-il, sachant qu'elle n'y parviendrait sans doute pas.

— Vous m'avertirez en partant ?

Elle voulait savoir ce qui allait se passer et quand. C'était compréhensible. Ils risquaient leur vie pour son fils, et elle tenait à être avec lui en pensée, à mettre toute sa volonté pour qu'il survive. Ted hocha la tête et promit de la prévenir quand ils se mettraient en route. L'angoisse se peignit alors sur les traits de Fernanda. Elle en était venue à s'appuyer sur lui. Il la protégeait de la peur.

— Où serez-vous jusque-là ?

— Ma chambre est à deux portes de la vôtre, dit-il en indiquant la direction.

Il la partageait avec trois autres hommes. Rick occupait la chambre voisine.

Fernanda le fixait bizarrement, comme si elle souhaitait qu'il entre dans la pièce. Ils restèrent un long moment à se regarder en silence, et Ted eut le sentiment de lire dans ses pensées.

— Vous voulez que j'entre quelques minutes ?

Elle acquiesça. Sa venue n'avait rien d'ambigu. La lumière était allumée et les rideaux ouverts. N'importe qui pouvait les voir en passant.

Ted la suivit à l'intérieur et s'installa sur l'unique chaise tandis que Fernanda s'asseyait au bord du lit et le regardait avec anxiété. La nuit serait longue pour tous les deux. Elle ne dormirait pas. La vie de son fils était en jeu et, si le pire devait arriver, elle tenait à passer la nuit auprès de lui par la pensée. Elle ne pouvait pas imaginer ce qu'elle dirait à ses autres enfants s'il arrivait malheur à Sam. Ashley ne savait même pas qu'il avait été enlevé. Ils avaient perdu leur père six mois plus tôt, la mort de Sam leur porterait un coup terrible. Dans la soirée, elle avait parlé à Will. Il s'efforçait de se montrer fort, mais à la fin de la conversation ils étaient tous les deux en larmes. Ted trouvait pourtant qu'elle faisait preuve d'une endurance remarquable. Il n'aurait sans doute pas tenu aussi courageusement s'il s'était agi d'un de ses fils.

— Je suppose que vous ne dormirez pas ?

Ted lui sourit. Il était aussi épuisé qu'elle.

— Je ne pense pas, non, répondit-elle avec franchise.

Il ne restait que quelques heures avant que la brigade d'intervention et les commandos du FBI prennent la maison d'assaut.

— Je regrette que nous n'ayons plus de leurs nouvelles.

— Moi aussi, dit Ted avec la même franchise. Mais c'est peut-être bon signe. Je pense qu'ils comptent vous appeler demain, pour savoir si vous avez la somme à leur disposition.

Cent millions de dollars. Ted n'en revenait toujours pas. Plus incroyable encore, quelques années plus tôt, son mari aurait été en mesure de payer sans problème. Que personne ne l'ait rançonné relevait presque du miracle. Bien sûr, de son vivant, c'était Fernanda que les malfaiteurs auraient enlevée, plutôt que les enfants.

— Vous avez mangé quelque chose ?

Ils avaient à leur disposition quantité de sandwiches, de pizzas et de beignets. A part la brigade d'intervention, qui veillait à son régime, ils avaient ingurgité des litres de café et de Coca-Cola. Ils avaient besoin de stimulants pour réfléchir et élaborer des plans. Et maintenant, plus personne ne pouvait fermer l'œil. Ils carburaient à l'adrénaline. Fernanda, elle, était tenue en éveil par l'angoisse. Assise au bord du lit, elle le dévisageait de ses grands yeux tristes et se demandait si la vie retrouverait un jour son cours normal.

— Cela vous ennuie de rester avec moi ?

Fragile et menue, elle avait presque l'air d'une enfant. Dans quelques semaines, ce serait son anniversaire et elle espérait que Sam serait encore en vie pour fêter l'événement avec toute la famille.

— Non, au contraire, répondit-il en lui souriant. J'apprécie votre compagnie.

— Je ne suis pourtant pas très agréable, en ce moment.

Elle laissa échapper un soupir involontaire.

— J'ai l'impression d'être comme ça depuis des années. En tout cas, depuis des mois.

Il y avait bien longtemps qu'elle n'avait pas eu une conversation normale avec un adulte, passé une soirée tranquille ou dîné avec son mari en riant et en discutant de tout et de rien. Elle retrouvait un peu de cela avec Ted. Mais dans des circonstances qui n'avaient rien d'ordinaire. Il lui semblait vivre constamment dans le drame et la tragédie. Il y avait eu la mort d'Allan et le désastre qu'il avait laissé derrière lui. Et maintenant Sam.

— Vous en avez vu de dures, cette année, remarqua Ted.

Même si, comme il l'espérait, tout se passerait bien pour Sam, elle devrait encore faire face à d'importants bouleversements. Après sa conversation avec Rick, Ted pensait que ce serait peut-être également vrai pour lui.

Les paroles de Rick sur Shirley et leur couple n'étaient pas tombées dans l'oreille d'un sourd. En particulier l'idée qu'elle pourrait le quitter un jour. Il y avait déjà pensé. Il la savait moins attachée aux traditions qu'il ne l'était ; elle vivait selon ses propres règles, depuis quelques années.

— J'ai parfois l'impression que ma vie ne sera plus jamais normale.

Elle ne l'était plus depuis longtemps. La fulgurante ascension d'Allan aux sommets de la réussite financière n'avait rien de normal. Les dernières années les avaient tous précipités dans un tourbillon de folie.

— Je pensais profiter de l'été pour chercher une petite maison à Marin.

Mais si Sam disparaissait – plût au ciel qu'il n'en soit rien –, elle n'avait aucune idée de ce qu'elle ferait. Peut-être irait-elle s'installer ailleurs, pour échapper à ses souvenirs.

— Cela va vous changer, vous et les enfants. Comment prendront-ils la chose, d'après vous ?

— Comme tous les gosses qui déménagent. Ils auront peur, ils seront furieux, malheureux. Et tout excités. Cela va nous faire tout drôle, mais ce sera peut-être mieux.

A condition qu'elle ait toujours trois enfants et pas deux. Cette pensée l'obsédait. Un silence paisible s'établit entre eux et, à 3 heures du matin, lorsque, enfin, elle se fut assoupie, il quitta la pièce sur la pointe des pieds. Il dormit ensuite près de deux heures, à même le sol de sa chambre. Les deux lits étaient déjà occupés, mais peu lui importait. Rick se plaisait à dire qu'il aurait dormi debout et, dans certains cas, ce n'était pas loin d'être vrai.

Le chef de la brigade d'intervention vint le réveiller à 5 heures. Il ouvrit les yeux aussitôt, prêt à agir. A peine était-il levé que les deux autres faisaient de même et quittaient la chambre. Il s'aspergea le visage d'eau fraîche, se brossa les dents et lissa ses cheveux de la main. Le capitaine de la brigade lui proposa de partir en voiture avec eux, mais Ted lui répondit qu'il préférait les suivre, pour ne pas les gêner.

En sortant, Ted passa devant la chambre de Fernanda, vit qu'elle était debout et arpentait la pièce. Dès qu'elle l'aperçut, elle vint lui ouvrir et resta là à le regarder. Ses yeux le suppliaient de l'emmener et, pendant ce long échange silencieux, il lui pressa doucement l'épaule. Il savait ce qu'elle éprouvait, ou du moins il le croyait, et tenait à la rassurer. Mais il ne pouvait rien promettre. Ils feraient de leur mieux, pour Sam comme pour elle. Il lui en coûtait de la quitter, mais il n'avait pas le choix. Le jour se lèverait bientôt.

— Bonne chance.

Incapable de détacher ses yeux des siens, elle brûlait d'envie de l'accompagner, désirait être le plus près possible de Sam.

— Ne vous en faites pas, Fernanda. Je vous appellerai par radio dès que nous l'aurons récupéré.

La gorge nouée, elle acquiesça silencieusement et le regarda disparaître dans sa voiture pour s'éloigner en direction de son fils.

Au même moment, trois hommes du commando, en armes, tout de noir vêtus et le visage noirci, se laissaient lentement glisser le long de cordes jusqu'au pied de la falaise, derrière la maison.

A environ quatre cents mètres de l'accès à la propriété, Ted gara discrètement sa voiture sous un groupe d'arbres, puis il avança en silence dans l'obscurité, dépassa les éclaireurs postés dans les buissons pour gagner l'abri qu'une équipe de la brigade leur avait aménagé. Autour de lui, les hommes étaient armés de Heckler & Koch MP5, de pistolets-mitrailleurs 223 mm automatiques utilisés par les brigades d'intervention comme par les commandos du FBI. Il y avait cinq hommes avec lui dans la cachette sous les branchages. Ted enfila un gilet pare-balles et mit un casque pour entendre les messages du camion de communication. Tandis qu'il écoutait les opérateurs discuter en scrutant l'obscurité, l'un des éclaireurs en tenue de camouflage et gilet pare-balles se glissa dans leur abri. Ted se retourna pour voir s'il s'agissait d'un de ses hommes ou d'un agent de Rick et s'aperçut que c'était une femme. Il ne la reconnut pas immédiatement. C'était Fernanda, qui s'était arrangée pour le rejoindre ; elle avait réussi à faire croire qu'elle faisait partie de la police locale, et on lui avait donné une tenue qu'elle avait enfilée à la vitesse de l'éclair. A présent, elle était près de lui, là où elle n'aurait pas dû être, au cœur du danger, près du front. Beaucoup trop près. Il l'aurait bien réprimandée et renvoyée d'où elle venait, mais il était trop tard. L'opération avait commencé, et il savait à quel point elle désirait être sur place lorsqu'on sortirait Sam de la maison. Si on y arrivait. Il posa sur elle un regard dur en signe de réprobation, mais il renonça à sévir, incapable de lui en vouloir vraiment. Tandis qu'elle rampait pour s'étendre près de lui dans la cachette, il lui prit la main, la serra dans la sienne, et ils attendirent en silence que ses hommes ramènent le petit Sam à sa mère.

20

A 5 heures ce matin-là, Peter dormait près de Sam quand une sorte de sixième sens, d'instinct primitif profondément enfoui lui ordonna de s'éveiller. Il ouvrit les yeux, remua lentement. Sam dormait toujours, la tête contre son épaule. Cette même intuition inexplicable lui commanda de délier les mains et les pieds du petit garçon. Ils le gardaient ligoté pour qu'il ne s'échappe pas. Au cours de la semaine, Sam s'y était habitué, en était venu à l'accepter. Il avait appris qu'il pouvait faire confiance à Peter plus qu'aux autres, et tandis que Peter défaisait les nœuds, Sam roula sur le dos et murmura : « Maman. »

Peter lui sourit et se leva pour aller jusqu'à la fenêtre. Il faisait encore nuit dehors, mais le ciel s'éclaircissait et n'était plus d'un noir d'encre. Bientôt, le soleil se lèverait au-dessus de la colline. Un nouveau jour. Et des heures d'attente interminables. Peter savait déjà que ses complices allaient appeler Fernanda et qu'ils tueraient l'enfant si elle n'avait pas l'argent de la rançon. Ils croyaient toujours qu'elle se moquait d'eux et les menait en bateau. Tuer le gamin ne signifiait rien pour eux. De la même manière, s'ils se doutaient que Peter les avait trahis, ils le tueraient sans états d'âme. Mais il n'y attachait plus d'importance. Il avait donné sa vie en échange de celle de Sam. S'il parvenait à s'échapper avec l'enfant, ce serait un miracle, mais il ne comptait pas dessus. L'enfant les ralentirait dans leur fuite et serait d'autant plus en danger.

Il était toujours devant la fenêtre quand il entendit un bruit, léger comme un battement d'ailes. Puis un caillou vola dans sa direction, pour tomber au sol avec un son mat. Peter leva les yeux et détecta un mouvement à peine perceptible. Scrutant l'obscurité, il finit par apercevoir trois silhouettes sombres qui descendaient vers eux le long de la falaise, accrochées à des cordes noires. Rien ne signalait leur arrivée, et pourtant il savait qu'ils étaient là, et son cœur s'accéléra. Il ouvrit sans bruit la fenêtre, scruta de nouveau l'obscurité et les regarda descendre, jusqu'à ce qu'ils disparaissent. Il se dirigea vers le lit, couvrit la bouche de Sam pour l'empêcher de crier et le secoua doucement, jusqu'à ce qu'il se réveille et ouvre les yeux. Alors, posant son index sur ses lèvres, il lui fit signe de se taire et lui montra la fenêtre. Sam le regardait sans comprendre, mais il savait que, quoi qu'il arrive, Peter allait l'aider. Immobile sur le lit, il prit bientôt conscience que Peter l'avait détaché, que, pour la première fois depuis des jours, il pouvait remuer librement. Ils restèrent là un moment, puis Peter regagna la fenêtre. D'abord, il ne vit rien, puis il les distingua, tapis dans l'ombre, à quelques mètres derrière la maison. Une main gantée de noir lui fit signe, et il se retourna pour prendre Sam dans ses bras et le soulever du lit. Craignant d'ouvrir la fenêtre à guillotine plus largement, il passa tant bien que mal l'enfant par l'ouverture. Ce n'était pas bien haut, mais il savait que les membres du gamin devaient être engourdis. Il le tint, le regarda pour la dernière fois, et ils restèrent ainsi, les yeux dans les yeux, pendant quelques longues secondes, avant que Peter le lâche et lui indique du doigt la direction à suivre. Ce fut là le plus grand acte d'amour de sa vie.

A quatre pattes, Sam rampait vers les buissons comme un bébé. Il finit par disparaître et, de nouveau, une main noire s'éleva pour faire signe à Peter. Tandis qu'il la fixait, il entendit du bruit derrière lui dans la maison. Il fit non de la tête, abaissa la fenêtre et reprit place sur le lit. Il ne voulait pas compromettre le sauvetage de l'enfant.

Sam rampait vers les buissons, sans savoir où il allait. Il suivait juste la direction indiquée par Peter. Soudain, deux mains le saisirent et le tirèrent si brusquement dans les taillis qu'il en perdit le souffle. Il examina ses nouveaux ravisseurs et murmura à l'homme au passe-montagne noir et au visage noirci qui le tenait fermement :

— Vous êtes des méchants ou des gentils ?

L'homme qui le serrait contre sa poitrine pleurait presque de soulagement, tant il était heureux de le voir. Jusque-là, tout s'était déroulé sans heurt, mais l'opération était loin d'être terminée.

— Des gentils, murmura-t-il en réponse à sa question.

Sam hocha la tête en se demandant où était sa mère. Autour de lui, les hommes en noir se faisaient des signes, et Sam se retrouva soudain plaqué au sol, avec de la terre plein la bouche, tandis que de longues traînées rose et or commençaient à zébrer le ciel. Le soleil n'était pas encore levé, mais il ne tarderait pas à apparaître.

Ils avaient déjà éliminé la solution de hisser l'enfant en haut de la falaise à l'aide des cordes, car cela ferait de lui une cible idéale si son absence était découverte. Il représentait un gros risque pour ses ravisseurs, excepté Peter, car il était assez grand pour les identifier et raconter à la police ce qu'il avait vu et entendu.

Le seul espoir de la brigade d'intervention était de l'évacuer par l'allée, mais cela les mettait à découvert. Il leur faudrait donc se frayer un chemin à travers les taillis qui la bordaient et qui, par endroits, étaient pratiquement impénétrables. L'un des hommes tenait fermement Sam entre ses bras puissants pendant qu'ils couraient, penchés en avant, ou rampaient parmi les broussailles sans un mot. Leurs mouvements étaient réglés comme un ballet, et ils se déplaçaient, silencieux et rapides, alors que le soleil apparaissait en haut de la colline et commençait sa lente ascension dans le ciel.

Le bruit qui avait alerté Peter venait de l'un de ses trois acolytes qui allait aux toilettes. Il entendit la chasse d'eau, puis une série de jurons. Il s'était cogné le pied en regagnant son lit. Quelques minutes plus tard, un second eut le même besoin. A présent seul sur le lit, Peter ne bougeait pas. Puis, craignant que l'un d'eux ne pénètre dans la chambre et ne découvre que Sam avait disparu, il décida de se lever lui aussi.

Pieds nus, il se rendit au salon, jeta un coup d'œil prudent par la fenêtre, ne vit rien et s'assit.

— Tu es debout bien tôt, remarqua une voix derrière lui.

Surpris, Peter se retourna sur Carlton Waters, qui avait les yeux encore vitreux de ses excès de la veille.

— Comment va le gosse ?

— Bien, répondit Peter, feignant l'indifférence.

Il avait eu sa dose de ces trois-là et se serait bien passé de les revoir. Torse nu, ne portant que le jean dans lequel il avait dormi, Waters plongea dans le réfrigérateur en quête de quelque chose à manger, puis il en émergea avec une bière et vint s'asseoir face à Peter sur le canapé.

— Je vais appeler sa mère, quand les autres seront levés. Elle a intérêt à avoir le fric, sinon c'est terminé, déclara-t-il. Je ne vais pas attendre ici comme un pigeon que les flics viennent nous cueillir. Vaudrait mieux qu'elle comprenne, si elle se paie notre tête.

— Peut-être qu'elle n'a pas l'argent, dit Peter avec un haussement d'épaules. Si c'est le cas, on a perdu notre temps.

— Ton gars n'aurait pas pris cette peine, si elle était fauchée, répondit Waters en se levant pour aller regarder par la fenêtre.

Le ciel était à présent rose et doré, et la vue dégagée jusqu'au premier virage de l'allée. Soudain, il se raidit et sortit en courant sur la terrasse. Il avait vu quelque chose bouger et disparaître.

— Merde ! jura-t-il en revenant chercher son fusil.

Il se mit à hurler pour réveiller les autres.

— Qu'est-ce qui se passe ? interrogea Peter en se levant et en donnant l'impression d'être inquiet.

— Je n'en sais trop rien.

Les deux autres apparurent, encore somnolents, et s'armèrent chacun d'un fusil-mitrailleur. Peter en était malade. Il n'avait aucun moyen de prévenir les hommes qui, avec Sam, remontaient l'allée en rampant à travers les buissons. Ils n'étaient pas assez loin pour être en sûreté, Peter le savait. Waters fit signe à Stark et à Free de sortir et c'est alors qu'ils les virent. Une silhouette noire courait, courbée sur le fardeau qu'elle portait dans ses bras. Ce fardeau, c'était Sam. Waters leur tira dessus sans sommation, et Stark lâcha une rafale.

De leur cachette, Fernanda et Ted entendirent les coups de feu. Ils n'avaient pas de contact radio avec les commandos. Fermant les yeux, Fernanda serra la main de Ted. Dans l'impossibilité de savoir ce qui se passait, ils ne pouvaient qu'attendre. Des éclaireurs faisaient le guet, mais ils n'avaient encore rien vu. Aux tirs du fusil-mitrailleur, Ted comprit qu'ils avaient réussi à libérer Sam. Peter était-il avec eux ? Il l'ignorait. Si oui, ce serait plus dangereux pour l'enfant.

— Oh, mon Dieu... Oh, mon Dieu... Je vous en prie... murmurait Fernanda tandis que la fusillade reprenait.

Ted n'osait pas la regarder et se contentait de serrer fort sa main dans la sienne en fixant le ciel de l'aube.

Rick Holmquist se tenait debout à l'entrée de l'abri. Ted se tourna vers lui.

— Tu vois quelque chose ?

Rick fit non de la tête, et il y eut de nouveaux coups de feu. Ils savaient tous les deux qu'une dizaine d'hommes du commando étaient en embuscade le long de l'allée, en plus des trois qui étaient descendus de la falaise. Et, derrière eux, une véritable armée attendait, prête à donner l'assaut dès que Sam serait en sécurité.

La fusillade cessa et ils n'entendirent plus rien. Waters s'était retourné vers Peter et le regardait.

— Où est le môme ?

— Dans la chambre du fond, mentit Peter.

— Ah oui ? Alors, tu vas me dire pourquoi je viens juste de voir un type traverser l'allée avec lui... Tu vas me le dire, hein...

Il avait plaqué Peter contre le mur et l'y maintenait en appuyant le canon de son fusil sur sa gorge, l'étouffant à moitié, sous le regard ahuri des deux autres. Waters se tourna vers Jim Free pour lui demander d'aller jeter un coup d'œil dans la chambre du gamin. Moins d'une minute plus tard, il revint en courant.

— Il a disparu ! hurla Stark, l'air affolé.

— Je m'en doutais... Espèce de salopard...

Waters regardait Peter droit dans les yeux tout en l'étranglant lentement, tandis que Malcolm Stark le menaçait de son fusil-mitrailleur.

— Tu les as appelés, pas vrai... Sale petite lope... Qu'est-ce qui t'a pris ? Tu as eu peur ? Tu as eu pitié du môme ? Tu as intérêt à avoir pitié de moi maintenant. Tu nous as fait paumer quinze millions de dollars et tu en as perdu dix.

Waters était fou de rage. Quoi qu'il arrive, il ne retournerait pas en prison. S'ils le voulaient, il faudrait qu'ils le tuent.

— Si elle avait l'argent, elle nous l'aurait déjà donné. Peut-être qu'Addison s'est trompé, croassa Peter, enroué.

C'était la première fois que les autres entendaient le nom du commanditaire.

— Qu'est-ce que tu en sais, hein ?

Waters se retourna pour regarder l'allée, planta Peter là et sortit de la maison, suivi de Stark, mais il n'y avait rien à voir. Les hommes qui avaient Sam étaient maintenant à mi-chemin du but et couraient toujours. Rick venait de les apercevoir et se retournait pour faire signe à Ted quand il vit apparaître Carlton Waters et Malcolm Stark, qui se mirent à tirer sur ses hommes. Sam volait de bras en bras, tandis que Waters et Stark tiraient tous azimuts.

Fernanda avait rouvert les yeux. Ted et elle fixaient l'allée. Ils virent un des hommes de Rick viser soigneusement et abattre Waters, qui tomba comme une masse, face contre terre. Stark repartit en courant vers la maison sous une pluie de balles. Peter et Jim Free s'étaient déjà réfugiés à l'intérieur. Stark entra comme une bombe en hurlant :

— Ils ont eu Carlton !

Puis, toujours armé de son fusil-mitrailleur, il se tourna vers Peter.

— Bougre de salaud, tu l'as tué !

Et il tira une rafale. Peter eut le temps de le regarder une fraction de seconde avant que les balles ne scient son corps en deux, et il s'affaissa aux pieds de Jim Free.

— Qu'est-ce qu'on va faire, maintenant ? s'enquit ce dernier.

— Foutre le camp de là, si on y arrive, répondit Stark.

Ils savaient déjà que, sur les côtés, les broussailles étaient trop denses et que, derrière la maison, il y avait la falaise. Ils n'étaient pas équipés pour l'escalade. La seule sortie possible était par-devant, par l'allée où gisaient les corps des hommes qu'ils avaient tués, et celui de Carl. Trois avaient été abattus entre l'entrée de la maison et la route. Sam les vit, tandis que celui qui le portait courait et accélérait à l'approche du but. Enfin, il ne fut plus qu'à un mètre de Ted et de Fernanda. Ils voyaient Sam à présent, alors que le soleil inondait la route. Fernanda éclata en sanglots en découvrant son fils, qui soudain fut dans ses bras. Les yeux écarquillés, hagard, sale mais vivant, l'enfant répétait :

— Maman !... Maman !... Maman !...

Elle pleurait si fort qu'elle ne pouvait parler, ne pouvait que le serrer contre elle. Elle se laissa tomber sur le sol avec lui, le gardant dans ses bras, ce bébé qu'elle aimait, et qu'elle retrouvait enfin. Ils restèrent ainsi enlacés pendant un long moment, jusqu'à ce que Ted les relève doucement et demande à quelques hommes de les conduire en lieu sûr.

En les regardant, Rick et lui, comme les autres policiers, avaient les larmes aux yeux. Un infirmier vint à leur rencontre et porta Sam jusqu'à une ambulance qui attendait. Fernanda continuait à tenir la main de son fils dans la sienne. Ils allaient emmener Sam à l'hôpital pour l'examiner.

— Qui nous reste-t-il, là-bas, Rick ? s'enquit Ted en s'essuyant les yeux du dos de la main.

— Trois bonshommes, je suppose, puisque Waters est hors course. Il nous reste donc Morgan et les deux autres. Mais je doute que Morgan soit encore en vie... Ce qui nous en laisse deux.

Ses complices avaient sûrement tué Peter en découvrant la disparition de Sam. Surtout après la mort de Waters. Ils avaient vu Stark regagner la maison en courant, et savaient qu'ils n'avaient aucun moyen de fuir. Ils avaient ordre de tirer – sauf sur Morgan. S'il était encore en vie.

Les tireurs d'élite se mirent en place. Un membre de la brigade d'intervention, muni d'un porte-voix, leur demanda de sortir avec les mains sur la tête, faute de quoi ils donneraient l'assaut. Il n'y eut pas de réponse et personne n'apparut. Deux minutes plus tard, quarante hommes se dirigeaient vers la maison, armés de pistolets, de fusils-mitrailleurs et de grenades lacrymogènes. L'ambulance emmenant Sam quittait les lieux, quand la fusillade éclata. Au passage, Fernanda aperçut Ted qui se tenait près de Rick, en bordure de la route. Toujours revêtu de son gilet pare-balles, il parlait à quelqu'un par radio. Il ne la vit pas partir.

De retour au motel, Fernanda apprit par un agent du FBI que le siège de la maison avait duré moins d'une demi-heure. Stark était sorti le premier, asphyxié par les gaz lacrymogènes, blessé au bras et à la jambe. Jim Free était sorti immédiatement après. Un agent lui dirait plus tard qu'il tremblait comme une feuille et couinait comme un porc. Ils avaient été menottés sur-le-champ et allaient être renvoyés en prison, en attendant le procès. Ils seraient jugés pour le rapt de Sam, le meurtre de deux policiers et d'un agent du FBI pendant le siège, et celui des quatre hommes abattus le jour de l'enlèvement.

En entrant, ils avaient trouvé le corps de Peter Morgan. Ted et Rick étaient allés voir la chambre où Sam était enfermé, et la fenêtre par laquelle Peter l'avait fait échapper. Il y avait sur place toutes les pièces à conviction nécessaires. Le fourgon, les armes, les munitions. La maison était louée au nom de Peter Morgan. La mort de Carlton Waters n'était une perte pour personne. Il était en liberté depuis un peu plus de deux mois, comme Peter. Deux vies gâchées, presque depuis le début et jusqu'à la fin.

Ted et Rick avaient perdu trois hommes de valeur, sans compter les quatre que les ravisseurs avaient tués à San Francisco, lors de l'enlèvement de Sam. Free et Stark finiraient leurs jours derrière les barreaux, et Ted espérait qu'on les condamnerait à mort. En tout cas, c'en était fait d'eux. Le procès ne serait qu'une formalité. S'il y en avait un. En plaidant coupables, ils simplifieraient les choses, mais Ted se doutait déjà qu'ils choisiraient plutôt de faire traîner la procédure, renouvelant les appels, pour prolonger leur vie de quelques jours, même en prison.

Rick et lui restèrent sur les lieux jusqu'en début d'après-midi. Des ambulances étaient venues et reparties, les morts des forces de l'ordre avaient été enlevés, les photos avaient été prises et les blessés soignés. On se serait presque cru sur un champ de bataille. Des voisins affolés par le bruit de la fusillade qui les avait tirés du lit bloquaient la route pour tenter de voir ce qui se passait et demandaient des explications. La police s'efforçait de les rassurer et de rétablir la circulation. Ted était épuisé en rentrant au motel, mais il se rendit aussitôt dans la chambre de Fernanda pour voir Sam. Ils venaient de revenir de l'hôpital et, à leur grand soulagement, l'enfant se portait parfaitement.

Ils avaient une foule de questions à lui poser, mais Ted tenait d'abord à s'assurer qu'il était en bonne forme. Il le trouva blotti dans les bras de sa mère, heureux, regardant la télévision avec, à côté de lui, un énorme hamburger dans une assiette. Tous les policiers et tous les agents étaient venus le voir. Ils avaient risqué leur vie et perdu des amis pour le sauver, mais le petit en valait la peine. Des hommes étaient morts pour lui, mais, s'ils ne s'étaient pas dévoués, Sam serait mort à leur place. Et celui qui avait informé la police et permis sa libération était mort lui aussi.

Fernanda ne se lassait pas de câliner son fils. Elle sourit à Ted, radieuse, lorsqu'il entra. Il était crasseux, épuisé et avait une barbe de deux jours. Rick lui avait dit qu'il ressemblait à un clochard, quand il l'avait quitté pour aller chercher à manger. Son ami était resté pour passer des coups de fil en Europe.

— Eh bien, jeune homme, commença Ted avec un bref sourire à Fernanda, cela fait plaisir de te revoir. Tu t'es conduit en héros, et je trouve que tu ferais un bon adjoint.

Il ne souhaitait pas l'interroger tout de suite, car il voulait lui laisser le temps de se remettre. Mais ils avaient une foule de questions à lui poser, et Sam n'avait pas fini de voir la police.

— Je sais que ta mère est très heureuse de te retrouver. Et moi aussi, ajouta-t-il d'un ton bourru.

Comme tous ceux qui avaient tout fait pour le sauver, Ted avait pleuré aujourd'hui. Sam se retourna pour lui sourire, sans pour autant quitter l'étreinte de sa mère.

— Il m'a dit qu'il était désolé, déclara-t-il avec sérieux.

Ted hocha la tête et comprit qu'il parlait de Peter Morgan.

— Je sais, fiston. Il me l'a dit aussi.

— Comment vous m'avez retrouvé ? s'enquit l'enfant, curieux, tandis que Ted s'asseyait près de lui sur une chaise et lui ébouriffait gentiment les cheveux.

Jamais il ne s'était senti aussi soulagé, à l'exception du jour où un de ses fils s'était perdu et où il avait craint qu'il ne se soit noyé dans le lac.

— Il nous a appelés.

— Il était gentil avec moi. Les autres me faisaient peur.

— Je comprends qu'ils te faisaient peur ! C'étaient de vrais méchants. Ils ne sortiront plus jamais de prison, Sam.

Ted se garda de préciser que le rapt leur vaudrait peut-être la peine de mort. Sam n'avait pas besoin de le savoir.

— L'un d'eux, Carlton Waters, a été abattu par la police.

L'enfant fit oui de la tête, puis regarda sa mère.

— Je croyais que je ne te reverrais jamais, murmura-t-il.

— Moi, j'étais sûre de te revoir, déclara-t-elle bravement même si, par moments, elle en avait douté.

En rentrant au motel, ils avaient téléphoné à Will, qui sanglotait en parlant à son frère, comme pendant le récit de leur mère. Fernanda avait également appelé le père Wallis. Ashley n'était toujours au courant de rien, alors qu'elle ne se trouvait qu'à quelques kilomètres d'eux. Mieux valait qu'elle reste avec ses amis pendant quelques jours, le temps que les choses se calment. Il était inutile de l'inquiéter et de gâcher ses vacances. Elle saurait tout à son retour, ce qui était largement préférable. Les paroles du père Wallis, lors de leur rencontre, hantaient toujours Fernanda. Il les lui avait rappelées au téléphone ce matin. Mais si l'enlèvement de Sam était un compliment de Dieu, elle n'en voulait pas d'autre de ce genre.

— Et si je vous ramenais chez vous, dans un petit moment ? s'enquit Ted en les regardant.

Sam fit oui de la tête, et Ted se demanda s'il aurait peur de se retrouver dans la maison où ses ravisseurs l'avaient enlevé. Mais il savait aussi que la famille n'y resterait pas très longtemps.

— Ils voulaient beaucoup d'argent, maman ? s'enquit Sam en levant les yeux vers sa mère.

— Oui.

— Je lui ai dit que nous n'en avions pas. Que papa avait tout perdu. Mais il ne l'a pas dit aux autres. Ou alors, il l'a dit, mais ils ne l'ont pas cru.

Voilà qui résumait, en peu de mots, la situation. Intriguée, Fernanda fronça les sourcils. Il en savait bien plus qu'elle ne l'imaginait.

— Comment savais-tu, pour l'argent, Sam ?

L'enfant hésita, légèrement embarrassé, puis il avoua avec un sourire penaud :

— Je t'ai entendue parler au téléphone.

Fernanda leva sur Ted un regard teinté de regret.

— Quand j'étais petite, mon père disait que les petites cruches avaient de grandes oreilles.

— Ça veut dire quoi, maman ? demanda Sam tandis que Ted riait de ce vieux dicton.

— Ça veut dire que tu ne dois pas espionner ta mère, le réprimanda Fernanda sans grande conviction.

Peu lui importait à présent qu'il désobéisse. Il avait carte blanche pour les mois à venir. Elle était trop heureuse de l'avoir retrouvé.

Ted lui posa ensuite quelques questions, et Rick arriva peu après, pour l'interroger brièvement lui aussi. Les réponses de Sam ne les surprirent en rien. Ils avaient reconstitué le puzzle d'eux-mêmes, avec une étonnante exactitude.

A 18 heures, quand Fernanda et Sam prirent place dans la voiture de Ted, les forces de police avaient déjà quitté le motel. Rick repartait avec ses agents. Avant de monter, il adressa un clin d'œil complice à Ted, qui fit mine de lui donner un coup de poing en murmurant :

— Ne te fiche pas de moi, s'il te plaît.

Rick lui sourit, heureux que tout se termine bien. Il s'en serait fallu d'un rien pour que les choses tournent mal. On ne pouvait pas prévoir. Ce jour-là, ils avaient perdu des hommes courageux qui avaient donné leur vie pour Sam.

— C'est un rude boulot, mais il faut bien que quelqu'un le fasse, plaisanta tout bas Rick en parlant de Fernanda, qu'il trouvait charmante.

Mais Ted n'avait pas l'intention de faire de folies. La crise était passée, et il devait fidélité à Shirley. Fernanda avait, elle aussi, sa vie et ses problèmes.

Le trajet se déroula sans incident et dans la bonne humeur. A l'hôpital, médecins et infirmiers avaient trouvé Sam dans une forme étonnante, étant donné le traumatisme qu'il avait subi. Il avait un peu maigri et se plaignait toutes les dix minutes d'avoir faim. Ted s'arrêta au centre commercial Ikeda, pour lui acheter un cheeseburger, une barquette de frites, un milk-shake, et quatre paquets de gâteaux. Le temps qu'ils arrivent, Sam dormait à poings fermés. Assise près de Ted, Fernanda se sentait presque trop lasse pour sortir.

— Ne le réveillez pas, je vais le porter, proposa Ted en coupant le contact.

Le voyage de retour avait été bien différent de l'aller, avec ses tensions et ses craintes. Les dernières semaines n'avaient été qu'un long tunnel de terreur.

— Que puis-je faire pour vous remercier ? s'enquit Fernanda en le regardant.

Ce qu'ils avaient vécu les avait rapprochés, ils étaient devenus amis et elle ne l'oublierait jamais.

— Rien. On me paie pour ça, répondit-il doucement.

Mais ils savaient tous deux qu'il y avait plus que cela, bien plus que le devoir professionnel. Ted avait vécu chaque minute de ce cauchemar avec elle et aurait sacrifié, sans hésiter, sa vie pour Sam. Il était ainsi fait, depuis toujours. Fernanda se pencha vers lui et déposa un baiser sur sa joue. Le temps resta suspendu entre eux, pendant quelques instants.

— Je vais devoir passer du temps avec lui et l'interroger, pour l'enquête. Je vous appellerai avant de venir.

Ted savait que Rick aussi aurait des questions à lui poser. Fernanda acquiesça.

— Venez quand vous voudrez, dit-elle avec douceur.

Sur ce, il sortit de voiture, ouvrit la portière arrière et souleva l'enfant endormi dans ses bras. Elle le suivit jusqu'à la porte que deux policiers vinrent leur ouvrir.

Will, qui se tenait juste derrière eux, se décomposa, pris de panique.

— Oh, mon Dieu ! Il est blessé ?

Son regard allait de Ted à sa mère.

— Tu ne m'avais rien dit, maman.

Elle l'enlaça. Il n'était qu'un enfant lui aussi, malgré ses seize ans.

— Il n'a rien, mon chéri, rassure-toi. Il dort.

Et ils se mirent à pleurer, serrés l'un contre l'autre. Ce n'était pas demain qu'ils cesseraient de s'inquiéter. Le drame était entré dans leur vie et en faisait partie depuis si longtemps que plus rien n'était normal pour eux.

Ted porta Sam dans sa chambre et le déposa doucement sur son lit. Fernanda lui ôta ses tennis. Il émit un léger ronflement et se tourna de côté sans se réveiller, tandis que tous deux contemplaient le touchant spectacle de l'enfant enfin chez lui, dans son lit, la tête sur l'oreiller.

— Je vous appelle demain matin, dit Ted à Fernanda au moment de partir.

Les deux policiers chargés de sa sécurité venaient de partir, après qu'elle les eut remerciés.

— Nous ne sortirons pas, promit-elle.

Oserait-elle seulement mettre le nez dehors sans avoir peur ? Elle n'en était pas certaine. Cela allait leur faire tout drôle d'être de nouveau seuls, de se demander si des gens dehors ne préparaient pas un mauvais coup contre eux. Heureusement, cela avait très peu de chances de se reproduire. Elle avait appelé Jack Waterman depuis Tahoe, et ils étaient convenus d'annoncer aux médias la ruine d'Allan. Sans cela, les enfants et elle resteraient éternellement des victimes en puissance. La leçon avait porté.

— Reposez-vous, lui conseilla Ted.

C'était idiot de sa part, elle en était consciente, mais elle regrettait de le voir partir. Elle s'était habituée à lui parler la nuit, à savoir qu'elle le trouverait à n'importe quelle heure, à s'assoupir près de lui sur le sol quand elle ne parvenait pas à s'endormir ailleurs. Elle se sentait en sécurité en sa présence et venait tout juste de s'en rendre compte.

— Je vous appelle, promit-il encore avant qu'elle referme la porte en se demandant si elle pourrait jamais le remercier assez.

La grande demeure lui parut vide quand elle monta à l'étage. Il n'y avait pas un bruit, plus d'hommes, plus de pistolets, plus de portables qui sonnaient aux quatre coins de la maison, plus de négociateur posté devant le téléphone. Dieu merci, Will l'attendait dans sa chambre. Il paraissait plus mûr, avait grandi d'un coup, en une nuit.

— Ça va, maman ?

— Oui, répondit-elle prudemment. Ça va.

Elle avait l'impression d'être tombée de très haut, tâtait les blessures de son âme. Il y en avait beaucoup, mais elle guérirait à présent. Sam était de retour.

— Et toi ? Ça va ?

— Je ne sais pas. J'ai eu peur. J'ai du mal à ne plus y penser.

Elle hocha la tête. Will avait raison. Ils y penseraient et s'en souviendraient encore longtemps, très longtemps.

Tandis que Fernanda se douchait et que Will allait se coucher, Ted rentrait chez lui, à Sunset. Il n'y avait personne à son arrivée. Il n'y avait jamais personne pour l'accueillir. Shirley n'était plus jamais là. Ou bien elle travaillait, ou bien elle était dehors avec des amis qu'il ne connaissait pas, pour la plupart. Le silence de la maison était assourdissant et, pour la première fois depuis bien longtemps, il se sentit affreusement seul. Il regrettait de ne plus voir Ashley et Will, Fernanda qui venait lui parler, la compagnie familière de ses hommes pendant les gardes. Toute cette animation lui avait rappelé sa jeunesse dans la police. Mais ce n'était pas seulement la compagnie de ses hommes qui lui manquait. C'était Fernanda.

Il s'assit sur une chaise, le regard vague, se demandant s'il devait l'appeler. Il en avait envie. Il avait parfaitement compris ce que Rick lui avait dit. Mais Rick était Rick. Pas lui. Et il ne pouvait pas se résoudre à le faire.

21

Le lendemain, Ted appela Rick pour savoir ce qu'il avait fait au sujet d'Addison. L'Etat portait plainte contre lui et allait l'arrêter, dès son retour, pour enlèvement. Le juge avait affirmé à Rick que Phillip Addison ne tenterait pas de fuir, et Ted espérait qu'il ne se trompait pas.

— Il est, en ce moment même, dans l'avion du retour, déclara Rick en souriant.

— Il a fait vite. Je croyais qu'il devait rester un mois.

— Devait. J'ai appelé Interpol et le bureau du FBI à Paris. Ils ont envoyé les gars qui le surveillaient pour le cueillir. Nous l'avons arrêté pour enlèvement. De plus, l'un de mes informateurs m'a passé un coup de fil, ce matin. Apparemment, notre ami a la fibre scientifique et dirige un joli trafic de drogue, depuis un bon bout de temps. Mon vieux, j'ai dans l'idée qu'on va bien s'amuser, sur ce coup-là.

— Il devait être fou de rage quand ils sont venus le chercher, commenta Ted en riant.

Ce qu'avait fait le bonhomme n'avait pourtant rien de drôle, mais étant donné la prétention de ce soi-disant « pilier de la bonne société », Ted se plaisait à imaginer la scène et se réjouissait qu'on le remette à sa place.

— Sa femme a failli avoir une crise cardiaque, à ce

qu'il paraît. Elle lui a flanqué une gifle, et à l'agent aussi.

— Amusant, remarqua Ted.

— Pas tellement, non.

— Au fait, tu avais raison pour la voiture piégée. Jim Free a avoué. C'est Waters qui a posé la bombe. Les autres n'étaient pas dans le coup, mais il s'en est vanté devant eux, un soir de cuite à Tahoe. J'ai pensé que cela te ferait plaisir de le savoir.

— Au moins, maintenant, le capitaine aura la preuve que je ne suis pas fou.

Ted lui expliqua qu'ils avaient récupéré le plus gros de l'argent qu'Addison avait avancé à Stark, Free et Waters. Free leur avait dit où le trouver : dans des valises, à la consigne de la gare routière de Modesto. Ce serait une importante pièce à charge contre lui.

Comme il le faisait souvent, Rick changea alors radicalement de sujet et alla droit au but :

— Alors ? Tu lui as dit quelque chose, quand tu l'as déposée chez elle ?

Il voulait parler de Fernanda, bien sûr. Mais Ted fit mine de ne pas comprendre.

— A quel propos ?

— Ne joue pas au plus malin. Tu sais parfaitement où je veux en venir.

Ted soupira.

— Non. Je ne lui ai rien dit. J'ai hésité à l'appeler hier soir, mais à quoi bon ? Je ne peux pas faire ça à Shirley.

— Elle te le ferait, elle. Et tu te fais du mal, ainsi qu'à Fernanda. Elle a besoin de toi, Ted.

— Et peut-être que j'ai besoin d'elle, mais j'ai déjà une femme.

— Celle que tu as est une nouille, déclara Rick, brutal.

C'était injuste, Ted le savait. Shirley était quelqu'un de bien. Simplement, elle n'était pas la femme qu'il lui fallait et ne l'était plus depuis des années. Elle en était consciente et était, elle aussi, déçue par Ted.

— J'espère que tu te réveilleras avant qu'il soit trop tard, vieux. Ça me rappelle d'ailleurs que j'ai besoin de discuter avec toi. Dînons ensemble la semaine prochaine.

— C'est à quel sujet ? s'enquit Ted, intrigué.

Peut-être s'agissait-il de son mariage imminent ? Auquel cas il frappait à la mauvaise porte : Ted n'était pas spécialiste. Mais Rick était son meilleur ami et le serait toujours.

— Figure-toi que j'ai besoin de tes lumières.

— Je serai ravi de t'éclairer. Au fait, quand comptes-tu aller voir Sam ?

— Je te laisse la priorité. Tu le connais mieux que moi. Je ne voudrais pas lui faire peur, et tu obtiendras peut-être tous les renseignements nécessaires.

— Je te tiendrai au courant.

Ils convinrent de se contacter dans les prochains jours et, le lendemain, Ted alla rendre visite à Sam. Fernanda était là, avec Jack Waterman. Apparemment, ils achevaient de parler affaires, et Jack se retira peu après l'arrivée de Ted. Ce dernier passa tout son temps avec Sam. Fernanda semblait aussi occupée que distraite, et Ted ne put s'empêcher de se demander s'il y avait quelque chose entre elle et l'avocat. Cela lui semblait logique, ils formaient un couple bien assorti, et Jack paraissait penser la même chose.

Le lendemain, la presse publia un long article sur la ruine d'Allan Barnes. Seul son présumé suicide était passé sous silence. En le lisant, Ted eut le sentiment que Fernanda avait participé à sa rédaction. Peut-être y travaillait-elle avec Jack la veille, ce qui expliquait sa distraction et son humeur morose. C'était difficile, mais mieux valait rendre la nouvelle publique. Jusque-là, ils avaient fait en sorte que personne ne parle de l'enlèvement. Au moment du procès, cela se saurait, bien sûr.

La date n'était cependant pas encore fixée et ne le serait pas avant longtemps. L'arrestation de Stark et de Free avait évidemment mis un terme à leur liberté conditionnelle, et ils étaient maintenant de nouveau en prison.

Sam se révéla très coopératif. Ted s'étonnait de la précision de ses souvenirs et de son sens de l'observation, malgré les circonstances traumatisantes. En dépit de son jeune âge, il faisait un excellent témoin.

Tout se précipita bientôt pour Fernanda et sa famille. Elle fêta ses quarante ans peu après le retour de Sam, et les enfants l'invitèrent à célébrer l'événement dans une crêperie. Ce n'était pas l'anniversaire qu'elle aurait imaginé un an plus tôt, mais elle n'en demandait pas davantage cette année. Ils étaient tous ensemble, et c'était le principal.

Quelques jours plus tard, elle leur annonça qu'ils devaient vendre la maison. Ashley et Will accusèrent le coup, mais pas Sam. Il le savait déjà par les indiscrétions qu'il avait avouées à sa mère. Après cela, ils vécurent une période de transition. Ash déclara qu'elle était humiliée à l'école, à présent que ses camarades avaient appris la ruine de son père ; certaines ne voulaient plus la fréquenter, ce que Will trouva écœurant. Il était en terminale. Aucun d'eux n'avait parlé à ses amis de la tentative d'enlèvement dont ils avaient été la cible durant l'été. C'était trop horrible. Ils ne l'évoquaient qu'entre eux. La police leur avait enjoint de se taire, pour éviter d'alerter les médias et de donner ainsi des idées à d'éventuels malfaiteurs. Une acheteuse potentielle venue visiter la maison eut le souffle coupé en voyant la cuisine.

— Doux Jésus ! Mais pourquoi ne l'avez-vous pas finie ? Une demeure pareille mérite une cuisine de rêve ! déclara-t-elle, méprisante, devant l'agent immobilier.

Malgré une folle envie de la gifler, Fernanda se contenta de répondre :

— C'était une cuisine de rêve. Nous avons eu un accident pendant l'été.

— Quel genre d'accident ? s'enquit alors la dame, soudain inquiète.

Tentée de lui dire que deux agents du FBI et deux membres de la police de San Francisco avaient été sauvagement abattus dans sa cuisine, Fernanda s'abstint cependant.

— Rien de bien grave. Mais j'ai préféré faire ôter le granit.

Parce qu'il était taché de sang, criblé de balles, irrécupérable, songea-t-elle pour elle-même. L'enlèvement avait toujours pour eux quelque chose d'irréel. Sam avait fini par se confier à son meilleur ami, qui ne l'avait pas cru, après quoi l'institutrice l'avait réprimandé en lui disant que ce n'était pas bien de mentir et de raconter des histoires. L'enfant était rentré en larmes.

— Elle ne me croit pas, maman ! avait-il protesté.

Mais qui l'aurait cru ? Fernanda avait parfois du mal à y croire elle-même. L'expérience était trop atroce pour qu'elle puisse l'accepter. Ce souvenir la plongeait dans un tel abîme de terreur et d'angoisse qu'elle ne pouvait pas penser à autre chose. Après les événements, elle avait emmené les enfants chez une psychiatre, qui avait été étonnée de leur résistance, même si Sam faisait encore des cauchemars. Fernanda en faisait également, du reste.

Ted vit encore Sam en septembre, pour recueillir son témoignage et rassembler des preuves. Il termina en octobre et cessa de les appeler. Fernanda pensait souvent à lui et comptait lui téléphoner. Elle faisait visiter la maison, en cherchait une plus petite, ainsi qu'un emploi. Il ne lui restait presque plus d'argent, et elle s'efforçait de ne pas paniquer mais, la nuit, elle avait des angoisses, et Will s'en était aperçu. Il lui proposa de prendre un petit boulot après les cours, pour l'aider. Elle s'inquiétait pour la suite de ses études. Heureusement, ses bonnes notes lui permettaient d'entrer à l'Université de Californie, même s'il lui faudrait racler les fonds de tiroirs pour lui payer sa chambre. Elle avait parfois de la peine à croire qu'Allan avait gagné des centaines de millions, même si ça n'avait pas duré. Jamais elle n'avait été aussi pauvre, et cela lui faisait peur.

Un jour, Jack l'invita à déjeuner et tenta d'aborder la question avec elle. Il lui expliqua qu'il avait préféré attendre pour ne pas la choquer après la mort d'Allan, et qu'ensuite il y avait eu le rapt qui les avait tous bouleversés. Il poursuivit en lui disant qu'il y réfléchissait depuis des mois et qu'il était arrivé à une conclusion. Là, il marqua une pause, comme s'il attendait quelque chose. Fernanda ne voyait pas où il voulait en venir.

— Quel genre de conclusion ? s'enquit-elle, candide.

— Je pense que nous devrions nous marier.

Eberluée, elle le dévisagea pendant une bonne minute, en se demandant s'il plaisantait. Mais elle s'aperçut que ce n'était pas le cas.

— Tu as décidé ça tout seul ? Sans me consulter ? Sans m'en parler ? Et mon avis, alors ?

— Fernanda, tu n'as plus un sou. Tu ne peux pas laisser tes enfants dans leurs écoles privées. Will rentre en fac, l'an prochain. Et tu n'as aucune chance de trouver du travail sans qualifications, répondit-il, terre-à-terre.

— Tu me proposes quoi, au juste ? Le mariage, ou un contrat de travail ? répliqua-t-elle, brusquement furieuse.

Il croyait pouvoir disposer de sa vie, sans lui en avoir parlé. Pire encore, il n'avait pas fait mention d'amour. Ses propos ressemblaient davantage à une offre d'emploi qu'à une demande en mariage. Il y avait quelque chose dans ses paroles qui la vexa profondément.

— Ne sois pas ridicule. Le mariage, naturellement. De plus, les enfants me connaissent, conclut-il.

Pour lui, c'était logique. L'amour ne comptait pas. Il l'aimait bien, et cela devait suffire.

— Oui, seulement je ne t'aime pas, répondit-elle sans prendre plus de gants que lui.

Son offre ne la flattait pas, au contraire, elle en était blessée. Elle avait l'impression d'être une voiture à vendre, pas la femme de ses rêves.

— Nous pourrions apprendre à nous aimer, insista-t-il, têtu.

Elle l'appréciait depuis toujours, le savait responsable, digne de confiance et droit, mais il n'y avait pas de magie entre eux. Et, si elle se remariait un jour, elle voulait de la magie, ou tout au moins de l'amour.

— Cela me paraît une bonne solution pour nous deux. Je suis veuf depuis des années. Allan t'a laissée dans le pétrin, Fernanda. Je veux prendre soin de toi et de tes enfants.

Cette fois, il la toucha presque. Presque. Elle poussa un profond soupir en le regardant, tandis qu'il attendait sa réponse. Il ne voyait aucune raison de lui laisser le temps de réfléchir. Il lui avait fait une offre correcte, comme pour un emploi ou une maison, et elle ne pouvait pas refuser.

— Je suis désolée, Jack, dit-elle aussi gentiment que possible. Je ne peux pas accepter.

Elle commençait à comprendre pourquoi il ne s'était jamais remarié. S'il faisait ses demandes comme ça, s'il envisageait le mariage sous ce jour terre-à-terre, mieux valait qu'il prenne un chien.

— Pourquoi ? s'enquit-il, surpris.

— Je suis peut-être folle, mais si je me remarie un jour, je veux être amoureuse.

— Tu n'es plus une gamine, tu as des responsabilités.

En somme, il lui demandait de se vendre pour que Will puisse aller à Harvard. A ce prix, elle préférait l'envoyer à l'université publique. Elle ne vendrait pas son âme à un homme qu'elle n'aimait pas. Même pour ses enfants.

— Tu devrais réfléchir.

— Je te trouve merveilleux, et je ne te mérite pas, déclara-t-elle en se levant, consciente que ses années d'amitié avec celui qui gérait leurs affaires étaient sur le point de passer à la trappe.

— Peut-être, insista-t-il, mais je veux tout de même t'épouser.

— Moi pas, déclara-t-elle en le regardant droit dans les yeux.

Au fil du temps, elle ne s'était pas rendu compte à quel point il était insensible et dominateur, que sa volonté passait avant les sentiments des autres, et cela expliquait sans doute qu'il soit resté seul. Sa décision prise, il était convaincu qu'elle devait obéir. Or elle n'avait pas l'intention de passer sa vie à obéir à un homme qu'elle n'aimait pas. Sa proposition ressemblait plus à une insulte qu'à un compliment, et elle prouvait un total manque de respect.

Laissant tomber sa serviette sur sa chaise, Fernanda lui lança par-dessus son épaule :

— Au fait, Jack, tu es viré.

Et, sur ces mots, elle le planta là, et quitta le restaurant.

22

La maison fut finalement vendue en décembre, juste avant Noël. Ils purent passer les fêtes une dernière fois dans le salon, avec le sapin, sous le magnifique lustre viennois, ce qui était une belle façon de clore une année qui avait été longue et pénible pour eux tous. Fernanda n'avait toujours pas de travail, mais elle ne désespérait pas. Elle essayait de trouver un emploi de secrétaire, qui lui permettrait d'aller chercher Sam et Ashley à la sortie de l'école. Tant qu'ils étaient encore à la maison, elle tenait à rester auprès d'eux. D'autres mères s'arrangeaient avec les baby-sitters et les garderies, mais elle préférait s'en passer, si elle le pouvait. Elle souhaitait passer le plus de temps possible avec ses enfants.

Elle allait devoir prendre de nombreuses décisions. Le couple qui achetait la maison quittait New York, et l'agent immobilier avait discrètement soufflé à Fernanda que le mari était extrêmement riche. Elle lui avait répondu qu'elle était contente pour eux. Qu'ils en profitent ! L'année écoulée lui avait appris ce qui était réellement important dans la vie. Depuis l'enlèvement de Sam, elle ne se posait plus de questions. Seuls ses enfants comptaient. Et peu lui importait l'argent, tant qu'elle était en mesure de leur offrir un toit et de les nourrir.

Elle avait envisagé de vider la maison et de vendre ce qu'elle pouvait aux enchères, mais c'était compter sans les acheteurs. Ce qu'elle possédait leur plut tant qu'ils rachetèrent tout à un prix largement supérieur à ce qu'elle en demandait. La femme trouvait que Fernanda avait un goût exquis. Bref, ils étaient tous contents.

La famille déménagea en janvier. Ashley pleurait, Sam avait l'air malheureux, et, comme toujours, Will fut d'une aide précieuse pour sa mère. Il portait les cartons, les entassait, et il était avec elle le jour où elle trouva leur nouveau logement. Après la vente, avec un gros emprunt il lui restait assez pour acheter une petite maison. Elle dénicha exactement ce qu'elle souhaitait à Marin, une petite maison sur les hauteurs de Sausalito avec vue sur la baie, les voiliers, Angel Island et Belvedere. Elle était mignonne, intime, sans prétention, et ils y seraient au calme. Dès qu'ils la virent, les enfants l'adorèrent. Elle décida d'inscrire Ashley et Sam à l'école publique de Marin. Will resterait dans son lycée et ferait le trajet tous les jours jusqu'à la fin de l'année. Deux semaines après leur emménagement, elle trouva un emploi dans une galerie d'art, à cinq minutes de chez elle. Elle n'avait pas de problème pour quitter le travail à 15 heures et s'occuper de ses enfants. Le salaire était assez bas, mais cela lui faisait une rentrée d'argent régulière. Et elle avait maintenant un nouvel avocat ou, plus exactement, une avocate. Jack était toujours profondément vexé qu'elle ait refusé son offre. Lorsqu'elle y repensait, elle trouvait cela comique et triste à la fois. Il avait eu l'air si prétentieux, lorsqu'il avait fait sa demande ! Jamais elle ne l'avait vu sous ce jour, jusque-là.

En revanche, le souvenir du rapt, l'été précédent, ne l'amusait pas et ne serait jamais drôle. Elle en avait encore des cauchemars. Cela lui semblait toujours surréaliste, et c'était l'une des nombreuses raisons pour lesquelles elle avait été contente de quitter leur ancienne maison. Elle ne pouvait plus s'y endormir sans craindre qu'un malheur terrible ne s'abatte sur eux, et dormait beaucoup mieux à Sausalito. Elle n'avait pas eu de nouvelles de Ted depuis septembre, cela faisait quatre mois. Il l'appela finalement en mars. La date du procès de Malcolm Stark et de Jim Free avait été fixée au mois d'avril. Elle avait déjà été repoussée deux fois, mais Ted lui affirma qu'elle ne le serait plus.

— Nous aurons besoin de Sam comme témoin, dit-il, embarrassé, après lui avoir demandé si tout se passait bien.

Il pensait souvent à elle, mais il ne l'avait pas appelée, malgré l'insistance de Rick Holmquist.

— J'ai un peu peur que ce ne soit traumatisant pour lui, ajouta-il avec gentillesse.

— Moi aussi, répondit Fernanda.

Penser à lui, l'entendre maintenant lui faisait un effet bizarre. Il était lié à cette abominable histoire, sans toutefois en faire vraiment partie. Et c'était précisément ce que Ted redoutait, la raison pour laquelle il ne l'avait pas appelée. Il était certain que sa présence lui rappellerait le rapt, même si Rick Holmquist le traitait d'idiot.

— Il s'en remettra, dit encore Fernanda en parlant de Sam.

— Comment va-t-il ?

— Il est en pleine forme. Comme s'il n'était rien arrivé. Il a changé d'école, Ashley aussi. Je crois que cela leur a fait du bien et permis de repartir du bon pied.

— Effectivement. Je vois que vous avez déménagé.

— J'adore ma nouvelle maison, avoua-t-elle avec un sourire qui transparaissait dans sa voix. Je travaille dans une galerie d'art, à cinq minutes de chez moi. Vous devriez passer nous voir un jour.

— Je n'y manquerai pas, promit-il.

Mais elle n'eut plus de nouvelles de lui jusqu'à trois jours avant le procès. Il appela pour lui dire où amener l'enfant et, quand elle en parla à Sam, il se mit à pleurer.

— Je ne veux pas y aller. Je ne veux pas les revoir.

Elle n'y tenait pas non plus, mais c'était bien pire pour lui. Elle appela le psychiatre et alla le voir avec Sam. Ils se demandèrent s'il devait aller témoigner, et s'il était sage qu'il le fasse. Finalement, l'enfant déclara qu'il irait, et le psychiatre fut d'avis que cela lui permettrait peut-être de tourner la page. Fernanda craignait surtout que cela ne lui donne des cauchemars. La page était déjà tournée. Deux des ravisseurs étaient morts, dont celui qui l'avait aidé à s'échapper. Les deux autres étaient en prison. A ses yeux, l'affaire était close, et il devait en être de même pour Sam. Non sans appréhension, elle se rendit cependant au tribunal avec Sam, au jour dit. Le matin, après le petit déjeuner, il avait eu des douleurs d'estomac. Et elle aussi.

Ted les attendait dehors. Il était comme dans ses souvenirs, calme, bien habillé, courtois, intelligent, et soucieux de l'état du petit garçon.

— Comment ça va, inspecteur adjoint ? s'enquit-il en souriant à Sam, visiblement très angoissé.

— J'ai envie de vomir.

— Oh, ce n'est pas bon, ça. Parlons-en une minute. Pourquoi ? Qu'est-ce qui t'arrive ?

— J'ai peur qu'ils me fassent du mal, répondit-il franchement.

Logique. Ils lui en avaient fait.

— Je ne les laisserai pas te toucher.

Ted déboutonna sa veste, l'ouvrit un bref instant, et Sam vit son pistolet.

— Il y a ça, et en plus, ils auront des fers aux pieds et des menottes. Ils seront attachés.

— Ils m'ont attaché aussi, dit Sam d'une toute petite voix, avant de fondre en larmes.

Au moins, il s'exprimait, c'était déjà quelque chose. Mais Fernanda en avait mal au cœur et Ted semblait aussi malade qu'elle. Puis il eut une idée et leur dit d'aller boire quelque chose au café d'en face, en attendant qu'il revienne. Il fut de retour au bout de vingt minutes. Il avait rencontré le juge, l'avocat de la défense, le procureur, et tous étaient convenus que Sam et sa mère seraient entendus chez le juge, en présence des jurés mais pas des accusés. Sam ne serait pas obligé de revoir les deux hommes. Il pourrait les identifier à partir de photos. Ted avait insisté sur le fait qu'il serait traumatisant pour un enfant si jeune de revoir ses ravisseurs. Lorsqu'il leur annonça la nouvelle, le visage de Sam s'éclaira d'un sourire, et Fernanda soupira de soulagement.

— Je crois que le juge va te plaire, fiston, dit-il à Sam. C'est une femme, et elle est très gentille.

Lorsque Sam entra, il vit qu'elle avait l'air d'une bonne grand-mère et, pendant une pause, elle lui offrit du lait et des biscuits, et lui montra des photos de ses petits-enfants. Elle était émue par la mère et son fils, par ce qu'ils avaient enduré.

L'interrogatoire de l'accusation dura toute la matinée, après quoi Ted emmena Sam et sa mère déjeuner. La défense interrogerait l'enfant dans l'après-midi et se réservait le droit de le rappeler à la barre. Jusque-là, il s'en tirait fort bien. Ted n'en attendait pas moins de lui.

Il les invita dans un petit restaurant italien, à distance raisonnable du tribunal. Ils n'avaient pas le temps de s'aventurer très loin, mais Ted avait bien vu que Sam et sa mère avaient besoin de changer d'air. Ils étaient pensifs devant leur assiette de pâtes. La matinée avait été éprouvante, avait ravivé des souvenirs douloureux pour Sam, et Fernanda s'inquiétait des conséquences sur son équilibre. Mais, malgré son silence, le petit garçon semblait cependant en bonne forme.

— Je regrette que la justice doive vous infliger cela, dit-il en payant l'addition.

Elle proposa de partager, mais il déclina l'offre en souriant. Il avait remarqué qu'elle était maquillée, portait une robe rouge et des talons hauts, et se demanda si elle sortait avec Jack, mais il s'abstint de poser la question. Elle sortait peut-être avec quelqu'un d'autre. Quoi qu'il en soit, elle était plus sereine qu'en juin et juillet derniers. Le déménagement et son nouvel emploi lui avaient réussi. Ted envisageait lui aussi des changements dans sa vie, et il leur annonça qu'il quittait la police, après trente ans de bons et loyaux services.

— Ah bon ? Pourquoi ? s'étonna Fernanda, qui le savait passionné par son métier.

— Mon vieil équipier Rick Holmquist veut monter une entreprise de sécurité privée. Enquêtes et protections de personnalités, ce genre de choses. Un peu chic à mon goût, mais c'est un type sérieux, et moi aussi. Et puis, il a raison, au bout de trente ans, il est temps de bouger.

Elle savait aussi qu'après trente ans dans la police, il partirait avec une retraite correspondant à son salaire plein. C'était une bonne décision, surtout que l'idée de Rick lui rapporterait sans doute pas mal d'argent.

Cet après-midi-là, l'avocat de la défense tenta, sans résultat, de démolir le témoignage de Sam. L'enfant était imperturbable, inébranlable, et sa mémoire infaillible. Il tint le même discours d'un bout à l'autre, sans jamais se contredire. Et il identifia les deux accusés d'après les photos présentées par l'accusation. Fernanda ne put identifier les ravisseurs de son fils qu'elle avait vus masqués, mais son récit de l'enlèvement fut bouleversant, et sa description des quatre hommes abattus dans sa cuisine fit frémir d'horreur. Au terme de la journée, le juge les remercia avant de les renvoyer chez eux.

— Tu as été un chef ! déclara Ted en souriant à Sam tandis qu'ils sortaient ensemble du tribunal. Ça va, ton estomac ?

— Très bien, dit Sam, content de lui.

Même le juge l'avait félicité pour son bon travail. Il venait d'avoir sept ans, et Ted lui confia que témoigner aurait été tout aussi difficile pour un adulte.

— Allons manger une glace à Ghirardelli Square, proposa-t-il ensuite.

Il suivit Sam et Fernanda en voiture. Cette sortie faisait plaisir à Sam comme à sa mère. L'ambiance était à la fête. Sam commanda un chocolat liégeois, et Ted deux ice-cream sodas pour lui et Fernanda.

— J'ai l'impression de retourner en enfance, dit en riant Fernanda.

Elle était soulagée de savoir que Sam n'aurait plus à témoigner. D'après Ted, il y avait peu de chance qu'il soit rappelé après sa prestation qui avait réduit en cendres les arguments de la défense. Pour lui, les deux accusés seraient à coup sûr condamnés, il n'y avait pas de doute. Et, malgré son physique de gentille grand-mère, le juge demanderait certainement la peine capitale. Ted avait dit à Fernanda que Phillip Addison serait jugé séparément par un tribunal fédéral pour complot et tentative d'enlèvement, en plus de ses autres activités criminelles – fraude fiscale, blanchiment d'argent et trafic de drogue. Il resterait à l'ombre pendant très longtemps, et Sam ne serait sans doute pas amené à témoigner lors de son procès. Ted comptait proposer à Rick d'utiliser la transcription de son témoignage pour épargner une nouvelle épreuve à l'enfant. Il n'était pas certain que ce soit possible, mais il ferait de son mieux pour que Sam n'ait plus à comparaître. Rick quittait le FBI, mais il laisserait le dossier Addison en bonnes mains et serait lui-même à la barre des témoins. Il tenait à ce qu'Addison écope d'une lourde peine ; à ses yeux, il méritait même la mort. Il s'agissait d'une affaire grave et, comme Ted, il voulait que justice soit faite. Fernanda se sentait mieux, c'était un soulagement d'en avoir fini avec cette affaire sordide. A présent que leur rôle dans le procès était terminé, le cauchemar prenait fin.

Les dernières retombées se produisirent un mois plus tard, au moment du jugement. Il y avait presque un an, jour pour jour, que tout avait commencé et que Ted était venu sonner à leur porte, à cause de la voiture piégée dans leur rue. Ted l'appela le jour où elle vit le compte-rendu du jugement dans le journal. Malcolm Stark et James Free avaient été condamnés à mort pour leurs crimes. Elle n'avait aucune idée de la date de leur exécution. Phillip Addison n'avait pas encore comparu devant le tribunal, mais Fernanda savait que, tôt ou tard, il serait condamné lui aussi. La justice suivait son cours et serait rendue comme pour les deux autres. Plus important encore, Sam se portait comme un charme.

— Vous avez lu le compte-rendu du jugement dans les journaux ? s'enquit Ted au bout de la ligne.

Il semblait de bonne humeur et lui dit qu'il était très occupé. Il avait quitté la police la semaine précédente après avoir largement fêté son départ.

— Oui, je l'ai lu. Je n'ai jamais été pour la peine de mort...

Ce châtiment lui avait toujours paru brutal. Elle était suffisamment croyante pour penser que personne n'avait le droit de prendre la vie d'un autre. Mais neuf hommes étaient morts, et un enfant avait été enlevé – son propre fils –, de sorte que, pour la première fois, il lui semblait justifié.

— ... mais, cette fois, je n'ai pas d'objection, avoua-t-elle à Ted. Je suppose qu'on change de point de vue quand on devient victime.

Mais elle savait aussi que, s'ils avaient tué Sam, le fait d'exécuter les coupables ne lui aurait pas rendu la vie, n'aurait pas adouci son deuil. Sam et elle avaient eu beaucoup, beaucoup de chance. Et Ted le savait aussi. Cela aurait pu être bien pire, et il remerciait le ciel que tout se soit bien terminé. Puis, brusquement, elle pensa à une chose dont ils parlaient depuis longtemps.

— Quand venez-vous dîner à la maison ?

Elle lui devait tellement pour sa bonté et sa gentillesse que l'inviter à dîner était le moindre des remerciements. Il lui avait manqué, ces derniers mois, même si c'était le signe que tout allait bien pour eux. Elle espérait ne plus jamais avoir besoin de ses services ou de ceux de ses collègues, mais, après tout ce qu'ils avaient traversé ensemble, elle le considérait comme un ami.

— En fait, c'est un peu pour cela que je vous appelais. Je voulais vous demander si je pouvais passer chez vous. J'ai un cadeau pour Sam.

— Il sera ravi de vous voir.

Elle sourit et consulta sa montre. Elle devait partir travailler.

— Demain vous conviendrait ?

— Parfait.

Il sourit lui aussi en renotant sa nouvelle adresse.

— Vers quelle heure ?

— Sept heures, cela vous irait ?

Il accepta, raccrocha et regarda par la fenêtre de son nouveau bureau tout en réfléchissant. Il avait peine à croire que tous ces événements avaient eu lieu un an plus tôt. Il y avait repensé récemment en voyant l'avis nécrologique du juge McIntyre dans le journal. Le juge avait eu la chance de ne pas être tué dans l'explosion de sa voiture. Finalement, il était mort de mort naturelle.

— A quoi rêvasses-tu ? Tu n'as rien de mieux à faire ? gronda Rick depuis la porte.

Leur affaire tournait déjà bien. Il y avait de quoi faire et, la semaine précédente, Ted avait confié à son ancien coéquipier Jeff Stone qu'il y prenait un plaisir fou et s'amusait bien plus qu'il ne s'y attendait. Il aimait travailler avec Rick. Leur entreprise de sécurité était une excellente idée.

— Pas de remarques sur mes rêvasseries, agent spécial Holmquist. Tu as pris trois heures pour déjeuner, hier. Si tu recommences, je diminue ton salaire.

Rick éclata de rire. Il était sorti avec Peg. Ils se mariaient dans quelques semaines. Le rêve se réalisait pour eux. Et Ted serait son témoin.

— Et ne va pas imaginer que tu seras payé pendant ta lune de miel. Nous sommes sérieux, ici. Si tu veux te marier et filer en Italie, prends un congé sans solde.

Rick entra dans le bureau de Ted et s'assit en souriant. Il n'avait pas été aussi heureux depuis des années. Il en avait eu assez de son travail au FBI et préférait de beaucoup gérer sa propre affaire.

— Alors, qu'est-ce qui te tracasse ? s'enquit-il en observant Ted, qui semblait préoccupé.

— Je dîne avec les Barnes, demain soir. A Sausalito. Ils ont déménagé.

— Sympa. Et suis-je autorisé à vous poser des questions personnelles, par exemple sur vos intentions, inspecteur Lee ?

Il plaisantait, mais son regard sérieux démentait ses paroles. Il connaissait les sentiments de Ted, ou du moins le croyait. En revanche, il ignorait si Ted comptait se décider à agir ou non. Et Ted l'ignorait aussi.

— Je voulais juste voir les enfants.

— Dommage, dit Rick, déçu.

Il était si heureux avec Peg qu'il souhaitait le même bonheur à tout le monde.

— Si tu veux mon avis, voilà une femme bien qui se perd.

— C'est une femme bien, effectivement, confirma Ted.

Mais il avait encore des problèmes à résoudre, et peut-être ne les résoudrait-il jamais.

— Je pense qu'elle voit quelqu'un. Je l'ai trouvée superbe, le jour du procès.

— Peut-être qu'elle s'était pomponnée pour toi, suggéra Rick.

Ted ne put s'empêcher de rire.

— C'est une idée idiote.

— Et toi, tu l'es aussi. Il y a des jours où tu me rends fou. A vrai dire, tous les jours.

Rick se leva et quitta le bureau de Ted. Il n'espérait pas le convaincre : il le savait bien trop têtu.

Les deux hommes travaillèrent tout l'après-midi, et Ted resta tard le soir, comme d'habitude. Le lendemain, il fut absent du bureau une grande partie de la journée, et Rick ne le vit que le soir, juste avant qu'il ne prenne la route pour Sausalito, avec un petit cadeau dans la main.

— Qu'est-ce que c'est ? s'enquit Rick.

— Mêle-toi de ce qui te regarde, répondit Ted, joyeux.

— Charmant ! commenta Rick avec un grand sourire.

Et, tandis que Ted quittait le local en riant, il lui lança :

— Bonne chance quand même !

Après son départ, Rick resta un long moment à fixer la porte en espérant que tout se passerait bien pour lui, ce soir. Il était temps qu'il soit heureux. Cela avait assez duré.

23

Fernanda s'affairait devant la cuisinière, quand on sonna à la porte. Elle envoya Ashley ouvrir. Celle-ci avait grandi de six bons centimètres en un an, et Ted fut surpris en la voyant. A treize ans, elle n'avait plus l'air d'une enfant, mais d'une femme. Elle portait une courte jupe en jean, les sandales de sa mère, un tee-shirt, et elle était vraiment jolie. On aurait presque dit la jumelle de Fernanda. Elles avaient les mêmes traits, le même sourire, les mêmes longs cheveux raides et blonds, les mêmes proportions, même si elle était maintenant un peu plus grande que sa mère.

— Ça se passe bien, Ashley ? s'enquit Ted en entrant.

Il avait toujours eu de la tendresse pour les enfants de Fernanda et se sentait à l'aise avec eux. Ils étaient polis, bien élevés, chaleureux, amicaux, intelligents et drôles. On voyait au premier coup d'œil tout le temps et l'amour qu'elle leur avait donnés.

Tandis qu'il entrait, Fernanda passa la tête par la porte de la cuisine et lui proposa un verre de vin. Il refusa, car il buvait peu, même lorsqu'il n'était pas en service – et il ne l'était plus jamais à présent. Sitôt Fernanda disparue dans sa cuisine, Will arriva, à l'évidence ravi de revoir Ted. Ils échangèrent une poignée de main, s'assirent et discutèrent du nouveau travail de Ted, jusqu'à ce que

Sam déboule dans la pièce. Sa personnalité s'accordait à ses cheveux roux. En apercevant Ted, il sourit d'une oreille à l'autre.

— Maman m'a dit que vous avez un cadeau pour moi. Qu'est-ce que vous m'avez apporté ?

Il riait quand sa mère sortit de la cuisine pour le réprimander.

— Sam, cela ne se fait pas !

— C'est toi qui me l'as dit, protesta-t-il.

— Je sais. Mais imagine que Ted ait changé d'avis, ou qu'il l'ait oublié ? Tu le mettrais mal à l'aise avec tes questions.

— Ah, fit Sam, calmé par cette réflexion.

Ted lui tendit alors le paquet, une petite boîte carrée bien mystérieuse que Sam prit dans sa main.

— Je peux l'ouvrir tout de suite ? demanda-t-il avec un sourire malicieux.

— Oui, bien sûr.

Ted regrettait de ne rien avoir apporté pour les autres, mais il gardait ce cadeau pour Sam depuis le procès. Il y tenait beaucoup et espérait que l'enfant l'apprécierait. Sam ouvrit la boîte et trouva à l'intérieur une pochette en cuir. C'était la pochette d'origine que Ted conservait depuis trente ans. Il l'ouvrit aussi, regarda dedans, puis leva de grands yeux éberlués vers Ted. C'était l'étoile que Ted avait portée pendant trente ans, avec son matricule gravé dessus. Ce badge avait beaucoup compté pour lui. Fernanda était aussi sidérée que son fils.

— C'est la vraie ? demanda Sam, impressionné.

Il examina l'étoile patinée par les ans. Ce ne pouvait être que la vraie. Ted l'avait astiquée, et elle brillait doucement dans la paume du gamin.

— Oui, Sam. C'est la vraie. Maintenant que je suis à la retraite, je n'en ai plus besoin. Mais j'y suis très attaché, et j'aimerais que tu la gardes. Tu n'es plus adjoint, maintenant, tu es inspecteur. C'est une belle promotion. Et en un an seulement.

Il y avait exactement un an que Ted l'avait fait « adjoint », après l'incident de la voiture piégée, grâce auquel ils s'étaient rencontrés.

— Je peux la mettre ?

— Bien sûr.

Ted la lui accrocha, et Sam courut se regarder dans la glace, tandis que Fernanda regardait Ted, les yeux débordant de gratitude.

— Quelle merveilleuse idée. C'est vraiment gentil, dit-elle avec douceur.

— Il l'a bien gagnée. Et à la dure.

Ils savaient tous deux comment, et Fernanda acquiesça, tandis que Ted suivait des yeux le petit garçon qui paradait à travers le salon, en bombant le torse et en criant :

— Je suis inspecteur ! Je suis inspecteur !

Soudain, il s'interrompit devant Ted et lui demanda avec sérieux :

— Je peux arrêter des gens ?

— Fais bien attention à qui tu arrêtes, l'avertit Ted en souriant. Il ne faudrait pas que tu arrêtes des grands, qui risqueraient de se fâcher.

Il se doutait déjà que Fernanda rangerait précieusement l'étoile pour lui, avec d'autres objets importants, comme la montre et les boutons de manchette de son père. Mais l'enfant voudrait la regarder de temps en temps. C'était bien naturel pour un petit garçon.

— Je vais arrêter tous mes amis, déclara fièrement Sam. Je peux l'emmener à l'école pour « Qu'est-ce que c'est ? », maman ?

Il ne se tenait plus de joie, et Ted était heureux d'avoir eu cette idée. Il avait vraiment bien fait.

— Je l'apporterai à l'école pour toi, suggéra sa mère. Et je la reprendrai après « Qu'est-ce que c'est ? ». Il ne faudrait pas que tu l'abîmes ou que tu la perdes. C'est un cadeau très, très précieux.

— Je sais, dit Sam avec respect.

Quelques minutes plus tard, ils passèrent à table. Elle avait préparé un rôti avec du Yorkshire pudding, de la purée, des légumes verts, et un gâteau au chocolat avec de la glace pour le dessert. Les enfants furent impressionnés par le mal qu'elle s'était donné, et Ted aussi. Ce fut un délicieux repas. Ils restèrent à table pour bavarder une fois que les enfants furent montés dans leurs chambres. Ils avaient encore quelques semaines de classe avant les vacances d'été. Will avait annoncé qu'il devait réviser ses cours pour ses examens de la semaine suivante. Sam avait emporté son étoile dans sa chambre pour la contempler au calme, et Ashley était partie en courant téléphoner à ses amies.

— Quel festin ! Je n'ai pas pris un tel repas depuis des lustres. Je vous remercie, dit Ted qui avait l'impression de ne plus pouvoir bouger.

Le soir, il travaillait tard au bureau, puis se rendait au gymnase, et rentrait chez lui vers minuit. Il prenait rarement le temps de dîner et déjeunait à midi dans de petits restaurants.

— Il y a des années que n'ai pas dégusté un vrai repas maison.

Shirley détestait cuisiner et préférait prendre des plats à emporter au restaurant de ses parents, même quand les enfants vivaient encore avec eux. Elle aimait en revanche les emmener manger dehors.

— Votre femme ne cuisine donc pas ? s'étonna Fernanda qui, sans raison, remarqua au même moment qu'il ne portait plus d'alliance.

Pourtant, il en avait une l'an passé, au moment de l'enlèvement de Sam. Et voilà qu'elle avait disparu...

— Plus maintenant, dit-il simplement.

Puis il décida de s'expliquer :

— Nous nous sommes séparés après Noël. Cela couvait depuis longtemps. Nous aurions dû le faire plus tôt. Mais ça a tout de même été difficile.

Il y avait cinq mois de cela, et il n'était sorti avec personne. En un sens, il se sentait toujours marié à Shirley.

— Il s'est passé quelque chose entre vous ?

Fernanda en était désolée pour lui et compatissait. Elle connaissait sa droiture envers son épouse, son attachement au mariage, même s'il lui avait avoué que leur couple battait de l'aile et qu'ils étaient trop différents.

— Oui et non. La semaine avant Noël, elle m'a annoncé qu'elle partait en Europe pour les fêtes avec un groupe d'amies et ne reviendrait qu'après le Nouvel An. Elle n'a pas compris pourquoi ça ne me plaisait pas. Elle a cru que je voulais l'empêcher de s'amuser. Moi, je voulais qu'elle reste à la maison avec moi et les garçons. Elle m'a répondu qu'elle le faisait depuis trente ans et que c'était à son tour d'en profiter un peu. Je reconnais que ce n'est pas faux. Elle travaille dur, et elle a mis de l'argent de côté. Apparemment, elle a passé de bonnes vacances. J'en suis heureux pour elle. Mais cela m'a fait prendre conscience qu'il ne nous restait plus grand-chose à partager. Oh, ce n'était pas nouveau, mais je tenais à ce que nous restions mariés malgré tout. Je ne voulais pas divorcer tant que les enfants étaient petits. En tout cas, j'ai bien réfléchi pendant qu'elle était en voyage et, à son retour, je lui ai demandé ce qu'elle en pensait. Elle m'a dit qu'elle souhaitait depuis longtemps que nous nous séparions, mais qu'elle n'osait pas m'en parler, par crainte de me blesser. Une bien mauvaise excuse pour rester mariée. Elle a rencontré quelqu'un, trois semaines après notre séparation. Je lui ai laissé la maison, et j'ai pris un appartement en ville, à proximité du bureau. J'ai mis un peu de temps à m'y faire, mais ça va. A présent, je regrette de ne pas l'avoir fait plus tôt.

Je suis un peu vieux, pour me remettre sur le marché des célibataires.

Il venait d'avoir quarante-huit ans. Fernanda en aurait quarante et un, cet été, et partageait le même sentiment.

— Et vous ? Vous sortez avec votre avocat ?

L'été dernier, il aurait juré que ledit avocat ne demandait que cela et attendait que Fernanda se remette de son veuvage, et que tout rentre dans l'ordre après l'enlèvement. Il ne se trompait pas beaucoup.

En réponse, Fernanda éclata de rire en secouant la tête.

— Jack ? Qu'est-ce qui vous fait croire ça ?

Il était très psychologue, observer les gens faisait partie de son travail.

— J'avais l'impression que vous lui plaisiez, répondit Ted en haussant les épaules.

Etant donné la réaction de Fernanda, il craignit d'avoir commis une erreur de jugement…

— C'est vrai, en effet. Il était convaincu que je serais ravie de l'épouser pour les enfants, et pour qu'il puisse m'aider à payer les factures. Il m'a déclaré qu'il avait pris sa décision, que c'était le mieux pour moi et eux. Le seul problème, c'est qu'il avait décidé seul, sans me consulter. Et que moi, je n'étais pas d'accord.

— Pourquoi ? s'enquit Ted, surpris.

Après tout, Jack était bel homme, intelligent et avait une bonne situation. Ted trouvait qu'ils allaient bien ensemble. Mais visiblement, Fernanda n'était pas de cet avis.

— Parce que je ne l'aime pas, déclara-t-elle en lui souriant, comme si cela expliquait tout. J'ai également cessé de le voir pour mes affaires. Il n'est plus mon conseiller juridique.

Ted ne put s'empêcher de rire à l'idée du soupirant éconduit et perdant sa place du même coup. Le tableau qu'elle lui peignait avait quelque chose de cocasse.

— Pauvre homme, c'est dommage. Il avait l'air sympa.

— Epousez-le, s'il vous plaît tant, je vous le laisse. Je préfère rester seule avec mes enfants.

Elle l'était et s'en trouvait bien. C'est l'impression qu'eut Ted en la regardant. Et il ne savait plus trop quoi dire.

— Au fait, vous êtes divorcé, ou seulement séparé ?

Le détail n'avait guère d'importance, mais elle était curieuse de savoir s'il comptait sérieusement quitter Shirley. Elle le voyait mal rompre le lien matrimonial et, à vrai dire, lui-même avait encore peine à y croire.

— Le divorce sera prononcé dans six semaines, conclut-il d'une voix triste.

En effet, c'était triste au bout de vingt-neuf ans et il finirait par s'habituer, mais le changement était rude.

— Nous pourrions aller voir un film, un de ces soirs, proposa-t-il prudemment.

Elle sourit. C'était drôle de commencer comme ça, après tout ce qu'ils avaient vécu ensemble, les nuits passées sur le plancher, sa présence lorsque la brigade d'intervention lui avait ramené Sam et qu'il lui tenait la main.

— Cela me ferait plaisir. Vous nous avez manqué, dit-elle, sincère.

Elle regrettait qu'il ne l'ait jamais appelée.

— J'avais peur d'être un mauvais souvenir pour vous, après ce qui vous est arrivé.

Elle fit non de la tête.

— Vous n'êtes pas un mauvais souvenir, Ted. Vous êtes la seule bonne chose de cette affaire. Vous et le retour de Sam.

Elle lui sourit de nouveau, touchée par sa prévenance. Il s'était toujours montré si gentil envers les enfants, envers elle également.

— Sam est fou de son étoile.

— Je m'en réjouis. J'avais d'abord pensé la donner à un de mes fils, et puis j'ai décidé qu'elle serait pour Sam. Il ne l'a pas volée.

— C'est vrai.

Et elle repensa à l'année écoulée, à ce qu'ils s'étaient dit, ce qu'ils ne s'étaient pas dit mais avaient ressenti ensemble, l'un pour l'autre. Il existait une connivence entre eux, et s'ils n'étaient pas allés plus loin, ils le devaient à la loyauté de Ted envers son mariage, même chancelant. Elle ne l'en respectait que davantage. Et voilà qu'ils recommençaient tout depuis le début. Il la regarda et, soudain, ils oublièrent tous deux l'année passée. Elle sembla se dissoudre et disparaître, et sans prononcer une parole, il se pencha vers elle et l'embrassa.

— Tu m'as tant manqué, murmura-t-il.

Elle lui sourit.

— Toi aussi. J'étais si triste que tu ne m'appelles pas. Je croyais que tu nous avais oubliés.

Ils parlaient tout bas, pour que personne ne les entende. La maison était petite et les enfants tout proches.

— Je pensais qu'il ne fallait pas… C'était idiot de ma part.

Et il l'embrassa de nouveau. Il ne s'en lassait pas et regrettait d'avoir attendu si longtemps. Il avait passé des mois sans l'appeler, à se dire qu'il n'était pas suffisamment bien ni suffisamment riche pour elle. Il se rendait compte à présent qu'il n'avait rien compris. Elle valait mieux que cela. Elle était vraie. Depuis l'enlèvement, il savait qu'il l'aimait. Et elle l'aimait aussi. C'était là la magie dont elle avait parlé à Jack, la magie à laquelle Jack ne croyait pas. C'était un beau compliment de Dieu, pas comme l'autre… Un compliment qui apaisait la douleur du deuil, de la terreur et du drame. C'était là le bonheur dont ils rêvaient tous deux et qui leur manquait depuis longtemps.

Ils s'embrassèrent pendant de longues minutes, puis il l'aida à nettoyer la table, la suivit dans la cuisine et l'embrassa encore. Il la tenait dans ses bras, quand tous deux sursautèrent. Sam venait de faire irruption dans la pièce en criant d'un ton très convaincant :

— Je vous arrête !

Il pointait sur eux un pistolet imaginaire.

— Ah oui ? Et pourquoi ? s'enquit Ted en se tournant vers l'enfant, qui avait bien failli lui flanquer une attaque, tandis que Fernanda, gênée, riait comme une gamine.

— Parce que vous embrassez ma mère ! déclara Sam avec un immense sourire.

Il fit mine de poser son pistolet fictif.

— Il y a une loi contre ça ? demanda Ted en souriant aussi.

Il le serra contre lui, l'attirant dans le cercle avec eux.

— Non. Vous pouvez la garder. Je crois qu'elle vous aime bien. Elle disait que vous lui manquiez. A moi aussi.

Sur ce, il se dégagea de leur étreinte qu'il trouvait gênante et courut annoncer à sa sœur qu'il avait vu Ted embrasser maman.

— Alors, c'est officiel, dit ce dernier, comblé, en serrant Fernanda dans ses bras. Il dit que je peux te garder. Je t'emmène maintenant ou je passe te prendre plus tard ?

— Tu peux aussi rester, proposa-t-elle timidement.

L'idée plaisait à Ted.

— Tu pourrais te lasser de moi.

Shirley s'était lassée, et sa confiance en lui en avait souffert. C'était déstabilisant de vivre avec quelqu'un qui ne vous aimait plus. Mais Fernanda était très différente de Shirley, et Rick avait raison : il s'accordait beaucoup mieux avec elle qu'avec Shirley.

— Je ne me lasserai pas de toi, murmura-t-elle.

Jamais elle ne s'était sentie aussi à l'aise qu'avec lui, pendant toutes les semaines éprouvantes qu'elle avait vécues. C'était une occasion extraordinaire pour rencontrer et connaître quelqu'un. Ils avaient simplement dû attendre que leur heure vienne. Et elle était venue.

Dans l'entrée, Ted lui souhaita bonne nuit et lui promit de l'appeler le lendemain. Les choses étaient différentes maintenant. Il menait enfin une vie normale. S'il le voulait, il pouvait quitter son bureau et rentrer tranquillement chez lui le soir. C'en était fini des horaires décalés et des emplois du temps de folie. Il allait l'embrasser pour lui dire au revoir, quand Ashley arriva et les regarda d'un air entendu, sans paraître en colère. Elle ne semblait pas ennuyée de les voir enlacés, et Ted s'en réjouit. C'était là la femme qu'il attendait, la famille qui lui manquait depuis que ses fils étaient grands, le petit garçon qu'il avait sauvé et qu'il en était venu à aimer, la femme dont il avait besoin. Et il incarnait la magie dont elle rêvait et qu'elle pensait ne jamais retrouver.

Il l'embrassa une dernière fois et courut à sa voiture en lui faisant un grand signe de la main. Elle était toujours sur le pas de la porte, souriante, lorsqu'il démarra.

Il était au beau milieu du pont, détendu et heureux quand son portable se mit à sonner. Il espérait que c'était Fernanda, mais c'était Rick.

— Alors ? Comment ça s'est passé ? Le suspense me tue.

— Ça ne te regarde pas, dit Ted qui souriait toujours.

Il se sentait comme un gamin, surtout lorsqu'il plaisantait avec Rick, mais avec Fernanda, il se sentait de nouveau un homme.

— Si, ça me regarde, insiste Rick. Je veux que tu sois heureux.

— Je le suis.

— Pour de bon ?

— Oui. Pour de bon. Tu avais raison sur toute la ligne.

— Youpie ! Enfin ! Tant mieux pour toi, vieux. Il était grand temps, s'exclama Rick, heureux et soulagé pour son ami.

— Oui, répondit simplement Ted, il était temps.

Sur ces mots, il ferma son téléphone et continua à rêver, en pensant à Fernanda.

Vous avez aimé ce livre ?
Vous souhaitez en savoir plus sur Danielle STEEL ?
Devenez, gratuitement et sans engagement, membre du
CLUB DES AMIS DE DANIELLE STEEL
et recevez une photo en couleurs dédicacée.

Il vous suffit de renvoyer ce bon accompagné d'une enveloppe timbrée à vos nom et adresse, au *CLUB DES AMIS DE DANIELLE STEEL – 12, avenue d'Italie –* 75627 PARIS CEDEX 13.

CLUB DES AMIS DE DANIELLE STEEL
12, avenue d'Italie – 75627 Paris Cedex 13
Monsieur – Madame – Mademoiselle

NOM :
PRENOM :
ADRESSE :

CODE POSTAL :
VILLE :
Pays :

Age :
Profession :

La liste de tous les romans de Danielle Steel publiés aux Presses de la Cité se trouve au début de cet ouvrage. Si un ou plusieurs titres vous manquent, commandez-les à votre libraire. Au cas où celui-ci ne pourrait obtenir le ou les livres que vous désirez, si vous résidez en France métropolitaine, écrivez-nous pour le ou les acquérir par l'intermédiaire du Club.

Transcontinental
IMPRESSION
IMPRIMERIE GAGNÉ
IMPRIMÉ AU CANADA